진도에 맞춘 연산 프로그램

연산마스터

계산력 강화

1. 흥미 유발과 집중도 UP
2. 원리 이해력 및 계산능력 강화
3. 관계 구조화를 통한 사고력 확장

초등 **5·2** **10**권

계산력 한눈에 보기

수학을 잘 하려면, 어떻게 공부해야 할까요?

1. 수학은 지겨워하지 않고 흥미를 가지면서 공부해야 합니다.

OECD 국가 중에 우리나라 학생들의 수학 실력은 상위 수준이지만 수학에 대한 흥미도는 하위 수준이라는 조사 결과가 말하듯이 많은 학생들이 학년이 올라가면서 점점 더 수학에 흥미를 잃고 있습니다.

특히나 초등학생들이 직면하는 연산은 기초 원리를 이해하면서 호기심과 흥미를 느껴야 하는 과목임에도 불구하고, 반복적 학습을 통한 훈련만이 정답인 것처럼 생각하는 기성세대들의 고정관념을 강요당하여, 같은 방식의 문제를 더 많이 더 빨리 반복 풀이하는 훈련을 지나칠 정도로 시키게 됩니다. 이런 방식은 아이들 입장에서는 피하고 싶은 고문과도 같아서 수학에 점차 흥미를 잃고 지겨워하게 하는 이유가 됩니다.

수학은 암기과목이 아닙니다. 아이들은 이미 우리 생각보다 많은 수학적 호기심과 이해력을 가지고 있습니다. 이런 아이들에게 공식이나 절차와 함께, 자연스럽게 원리를 이해하게 하고, 흥미를 가지고 접근하도록 유도하는 것이 무엇보다 중요합니다.

2. 집중과 몰입의 공부 방법이 중요합니다.

우리나라 초등 교과서는 선진국 중에서도 상위 수준입니다. 그런데 우리 아이들의 연산 교재는 10년 전이나 지금이나 한결같은 반복 훈련으로 더 빨리 더 많이 푸는 기계식 학습에서 머물러 있는 실정입니다.

매일 규칙적으로 적정 분량을 학습하는 훈련을 통하여 집중력을 키우고, 문제풀이 과정을 통해 자연스럽게 연산 방식이 어떤 원리와 규칙성이 있으며, 실생활에는 어떻게 적용되는지를 알게 하여 아이들의 호기심을 자극하여 학습의 흥미와 함께 몰입도를 높여야 합니다.

3. 원리를 알고 기본기를 튼튼히 해야 합니다.

수학은 모든 단원들이 별개가 아니고 유기적인 관계로 연결되어있습니다. 그런데 공식과 절차만을 암기하여, 서로 연결된 개념과 원리의 관계 구조를 이해하지 못한다면 더이상 사고를 확장 시키지 못하게 되고 흥미도 잃게 되어 실력도 급격히 저하되게 됩니다.

연산 법칙은 물론, 개념의 관계 구조를 알게 하여 복잡해 보이는 문제라 할지라도 원리를 이용해 단순하게 구조화시켜서 풀이할 수 있는 능력을 길러줘야 합니다.

4. 문제를 단순화 구조화 할 수 있어야 합니다.

구조화만 시키면 모든 문제는 쉽고 단순하게 풀립니다.

문장제도 연산의 응용일 따름입니다. 연산을 배우는 것은 실생활에 적용하기 위함인데, 식으로 된 계산은 잘 풀면서 실생활 관련 문장제만 나오면 겁을 집어먹는 이유는 도구적 이해에 갇혀서 더 이상 사고가 확장 되지 않기 때문입니다. 복잡하고 어려운 문제도 구조화 시켜 놓으면 그냥 계산식일 뿐인데 말이죠. 원리를 알고 구조화 시키는 훈련을 조금만 하면 모든 문제가 간단히 풀립니다.

5. 실수를 줄여나가야 합니다.

반복적인 문제 풀이만 하다 보면 수학적 개념과 원리를 소홀히 하게 되고 암기식으로 치우쳐, 응용력과 분석 및 적용력이 떨어지게 됩니다. 이런 아이들은 조금만 문제가 달라져도 틀리게 됩니다. 그리고 심지어 같은 유형 마져도 빨리 풀려고 손으로 써가며 푸는 대신 눈으로 읽으며 풀어서 실수할 수 있습니다.

실수를 줄이기 위해서는 반복적인 연습 보다는 오히려 쉬운 문제라 할지라도 원리와 풀이 과정에 입각해서 직접 손으로 써보면서 정확하게 푸는 습관이 필요합니다.

연산마스터
이런 점이 달라요.

1. 원리를 쉽게 이해하게 됩니다.

원리를 이해하면 계산 방법을 재구성할 수 있으며, 단순 계산력 훈련을 하더라도 지식의 체계화 과정에서 지적 자극을 통한 사고 과정을 확장할 수 있습니다.

본 책은 풀이 과정을 따라가면서 설명한 내용을 읽고, 제시된 이미지를 통해서 입체적으로 개념을 정리하도록 했습니다.

2.계산력을 강화합니다.

수학의 기본은 연산이고 연산은 속도와 정확성이 관건입니다. 틀리지 않고 정확하게 푸는데 집중하면서 점차 빨리 푸는 훈련을 해나가는 과정에서 실수하지 않도록 집중해서 훈련을 하다보면 적당한 긴장과 성취감을 느끼게 됨으로써 흥미를 잃지 않고 공부할 수 있습니다.

본 책은 두 가지 이상의 계산 방식으로 유형의 변화를 주어 지루하지 않도록 배려했으며 충분한 문제를 풀면서 계산능력이 체계적으로 올라가도록 구성하였습니다.

3. 사고력을 확장합니다.

그림 언어인 그래픽 구성을 채워나가면서, 단순 계산에서 오는 지루함을 벗어나 새롭게 흥미를 느끼게 되고 계산 방식을 체계화하게 되며, 자연스럽게 지적 자극을 주어 생각의 폭이 확장 되도록 하였습니다.

이 때 대부분의 책에서처럼 기계식으로 빈칸을 채워 넣기만 하면 의미가 없고, 서술형 문제를 단순화 시켜서 계산식을 세우는 과정과 연결하여 학습하는 것이 중요합니다.

4. 구조화하기를 통한 관계적 학습을 돕습니다.

연산은 잘하는데 단순한 문장제만 나와도 손도 못 대는 아이들이 허다합니다.

그러나 연산을 글로 설명한 것이 문장제이며, 실제 생활 관련한 서술형 문제들이 사고력 창의력 관련 문제들인데, 이런 문제들을 아이들은 많이 어려워합니다. 그런데 실상은 어렵고 복잡해 보이는 문제도 구조화해놓고 보면 쉽고 단순하게 풀립니다.

그런데, 대부분의 연산 교재들이 기계적으로 빨리 푸는 훈련에 치중하기 때문에 아이들의 수학적 사고력을 닫히게 하고, 흥미까지 잃게 합니다. 수학은 개념들이 서로 연결되어 있어서 개념 사이의 관계를 구조화시켜 이해하면 흥미를 느낌은 물론, 다음 표에서 보듯 기억률도 현저히 높아집니다.

〈관계적 학습과 도구적 학습의 기억률 차이〉

구분	직후	하루 후	4주 후
관계적 학습	69%	69%	58%
도구적 학습	32%	23%	8%

본 책은 아래와 같이 구조화하기를 통하여 문제를 단순화 시켜서, 쉽고 재미있게 학습면서 아이들의 사고력과 창의력 확장에 도움을 주도록 구성했습니다.

1. 변화형 구조와 그룹형 구조

사과 3개를 먹고 남은 것이 7개입니다. 처음 몇 개를 가지고 있었나요?

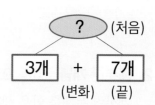

2. 비교형 구조

철이는 구슬을 300개를 가지고 있고 도희는 철이 보다 구슬을 50개를 더 가지고 있습니다.
도희는 몇 개를 가지고 있나요?

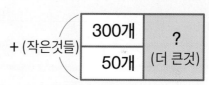

3. 동등한 그룹형 구조

자전거는 걷는 것보다 2배가 빠릅니다. 자전거로 500미터를 가는 동안 걸어서는 얼마를 갈 수 있을까요?

?	+	?	⟨	500
(작은그룹들)				(큰그룹)

4. 곱셈 비교형 구조

한반에 30명인 여학생 3반과 한반에 25명인 남학생 몇 반이 있습니다. 모두 합한 학생 수가 140명이라면 남학생은 몇 반입니까?

140 (큰것)	
30×3=90 (여학생)	25× ? =50 (남학생)
(작은것)	

이 책의 구성과 특징

초등연마 계산력의 특장점

1. 계산력을 키우기 위한 알찬 개념

최대한 쉽게 개념을 설명하고, 그림이나 숫자를 이용해 아이들의 이해를 돕습니다.

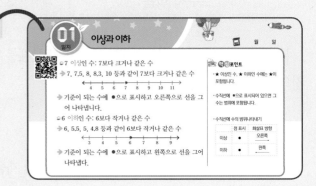

2. 공부한 개념을 바탕으로 문제풀이

계산력 문제를 아무 생각 없이 풀기보단 개념과 연결된 문제를 풀기 때문에 계산 실력을 차곡차곡 쌓을 수 있습니다.

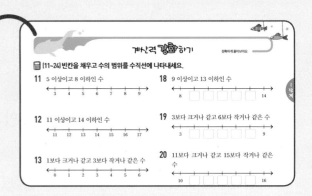

3. 구조화하기

간단한 구조를 계산 문제에 적용하여, 단순 계산 문제 풀이를 학습하는 동안 그 구조를 익혀 서술형에 대비할 수 있게 돕습니다.

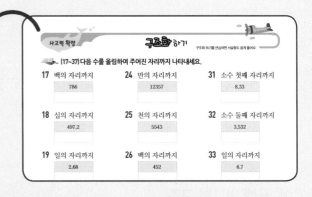

4. 서술형 풀어보기

앞에서 공부한 구조화하기를 서술형에 적용해 봅니다. 식만 주르륵 나와 있을 때는 어렵지 않게 답을 척척 쓰다가, 글자만 많아지면 머리 아파하는 경우가 많은데, 서술형을 구조화시킴으로 단순계산 문제를 풀듯 쉽게 서술형을 해결할 수 있습니다.

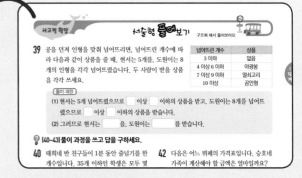

초등연마 계산력의 구조 한눈에 보기

 개념 이해

 문제 풀이

 구조화하기

 서술형 풀어보기

| 개념 없이 문제 풀다가는 조금만 응용이 들어가도 못 풀어요! | 개념과 연관된 문제 풀이를 통해 앞에서 배운 개념을 더 확실히 익혀요! | 구조화하기를 통해 서술형까지 정복할 수 있어요! | 앞서 배운 구조화하기를 통해 서술형도 단순 계산으로 변신시켜요! |

이렇게 활용해 보세요!

1. 동영상을 활용해 보세요.

○ 개념 설명 동영상을 보면 개념을 확실히 이해할 수 있습니다. 개념 창 옆의 큐알코드를 활용하시면 동영상을 보실 수 있습니다.

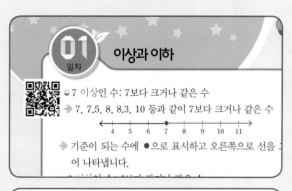

2. 연마 Check 활용

○ 문제풀이를 마친 뒤, 연마 Check 활용에 맞힌 개수와 푼 시간 등을 적어두면 한 눈에 본인 실력을 확인할 수 있어요.

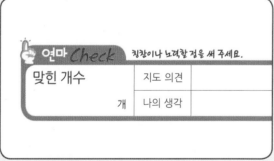

3. 선생님/부모님 가이드 활용

○ 선생님/부모님 체크 리스트를 통해 꼭 알아야 할 내용과, 문제 풀이 시간을 기입해 성적표로 활용하시거나, 표를 통한 분석으로 아이의 공부 방향을 조정할 수 있어요.

○ 답지를 본문 축소하여서 아이가 어느 부분의 어떤 문제를 틀리는지 바로 확인 가능해요. 답과 문제집을 따로 확인하지 않아도 되게 구성했어요.

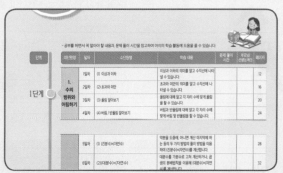

10 권

5학년 2학기

- 이 책의 표준 학습일은 33일입니다. 표준 계획을 참고하여 공부하세요.
- 계획대로 공부한 날은 ✓ 체크를 하고, 공부하지 않은 날에는 ◯ 그대로 두세요.

차례

01 일차 이상과 이하

월 일

○ 7 이상인 수: 7보다 크거나 같은 수

➔ 7, 7.5, 8, 8.3, 10 등과 같이 7보다 크거나 같은 수

➔ 기준이 되는 수에 ●으로 표시하고 오른쪽으로 선을 그어 나타냅니다.

○ 6 이하인 수: 6보다 작거나 같은 수

➔ 6, 5.5, 5, 4.8 등과 같이 6보다 작거나 같은 수

$$\longleftarrow \overset{\overset{}{|}}{3} \quad \overset{}{4} \quad \overset{}{5} \quad \overset{\bullet}{6} \quad \overset{}{7} \quad \overset{}{8} \quad \overset{}{9} \longrightarrow$$

➔ 기준이 되는 수에 ●으로 표시하고 왼쪽으로 선을 그어 나타냅다.

 핵심 포인트

· ★ 이상인 수, ★ 이하인 수에는 ★이 포함됩니다.

· 수직선에 ●으로 표시되어 있으면 그 수는 범위에 포함됩니다.

· 수직선에 수의 범위 나타내기

	점 표시	화살표 방향
이상	●	오른쪽 →
이하	●	왼쪽 ←

⌛ (01~06) 빈칸을 채우세요.

01 4보다 크거나 같은 수
➔ 4 ☐ 인 수

02 3보다 작거나 같은 수
➔ 3 ☐ 인 수

03 5 이상인 수
➔ 5보다 ☐ 같은 수

04 2 이하인 수
➔ 2보다 ☐ 같은 수

05 $\longleftarrow \overset{}{5} \quad \overset{}{6} \quad \overset{}{7} \quad \overset{\bullet}{8} \quad \overset{}{9} \quad \overset{}{10} \quad \overset{}{11} \longrightarrow$
➔ ☐ 이하인 수

06 $\longleftarrow \overset{}{7} \quad \overset{}{8} \quad \overset{}{9} \quad \overset{\bullet}{10} \quad \overset{}{11} \quad \overset{}{12} \quad \overset{}{13} \longrightarrow$
➔ ☐ 이상인 수

⌛ (07~10) 다음 수의 범위에 맞는 수를 모두 쓰세요.

23	24	25	26	27	28
29	30	31	32	33	34

07 30 이상인 수
( )

08 28 이하인 수
( )

09 26 이상이고 31 이하인 수
( )

10 29 이상이고 34 이하인 수
( )

정확하게 풀어보아요

(11~24) 빈칸을 채우고 수의 범위를 수직선에 나타내세요.

11 5 이상이고 8 이하인 수

3 4 5 6 7 8 9

12 11 이상이고 14 이하인 수

11 12 13 14 15 16 17

13 1보다 크거나 같고 3보다 작거나 같은 수

0 1 2 3 4 5 6

14 7보다 크거나 같고 10보다 작거나 같은 수

7 8 9 10 11 12 13

15 4보다 크거나 같고 7 이하인 수

2 3 4 5 6 7 8

16 10 이상이고 15보다 작거나 같은 수

10 11 12 13 14 15 16 17

17 6.5 이상이고 10.5 이하인 수

5 6 7 8 9 10 11

18 9 이상이고 13 이하인 수

8 ☐ ☐ ☐ ☐ ☐ 14

19 3보다 크거나 같고 6보다 작거나 같은 수

3 ☐ ☐ ☐ ☐ ☐ 9

20 11보다 크거나 같고 15보다 작거나 같은 수

10 ☐ ☐ ☐ ☐ ☐ 16

21 12보다 크거나 같고 15.5보다 작거나 같은 수

12 ☐ ☐ ☐ ☐ ☐ 18

22 15 이상이고 19보다 작거나 같은 수

15 ☐ ☐ ☐ ☐ ☐ 21

23 23보다 크거나 같고 26 이하인 수

21 ☐ ☐ ☐ ☐ ☐ 27 28

24 4 이상이고 6 이하인 수

0 ☐ ☐ ☐ ☐ ☐ 6

(25~38) 수직선에 나타낸 수의 범위를 보고 빈칸에 알맞은 말을 쓰세요.

25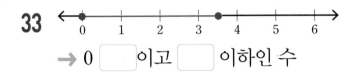

→ ☐ 이상이고 ☐ 이하인 수

32

→ 9.5 ☐ 이고 12.5 ☐ 인 수

26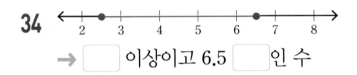

→ ☐ 이상이고 ☐ 이하인 수

33

→ 0 ☐ 이고 ☐ 이하인 수

27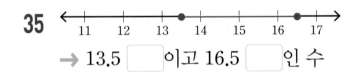

→ ☐ 이상이고 ☐ 이하인 수

34

→ ☐ 이상이고 6.5 ☐ 인 수

28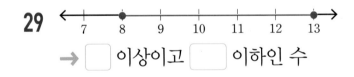

→ ☐ 이상이고 ☐ 이하인 수

35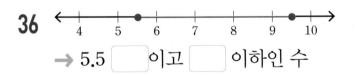

→ 13.5 ☐ 이고 16.5 ☐ 인 수

29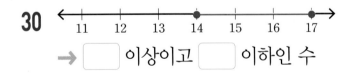

→ ☐ 이상이고 ☐ 이하인 수

36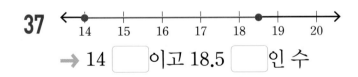

→ 5.5 ☐ 이고 ☐ 이하인 수

30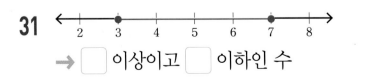

→ ☐ 이상이고 ☐ 이하인 수

37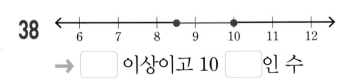

→ 14 ☐ 이고 18.5 ☐ 인 수

31

→ ☐ 이상이고 ☐ 이하인 수

38

→ ☐ 이상이고 10 ☐ 인 수

39 공을 던져 인형을 맞춰 넘어뜨리면, 넘어뜨린 개수에 따라 다음과 같이 상품을 줄 때, 현서는 5개를, 도원이는 8개의 인형을 각각 넘어뜨렸습니다. 두 사람이 받을 상품을 각각 쓰세요.

넘어뜨린 개수	상품
3 이하	없음
4 이상 6 이하	야광봉
7 이상 9 이하	열쇠고리
10 이상	곰인형

(풀이 과정)

(1) 현서는 5개 넘어뜨렸으므로 ☐ 이상 ☐ 이하의 상품을 받고, 도원이는 8개를 넘어뜨렸으므로 ☐ 이상 ☐ 이하의 상품을 받습니다.

(2) 그러므로 현서는 ☐ 을, 도원이는 ☐ 를 받습니다.

💡 (40~43) 풀이 과정을 쓰고 답을 구하세요.

40 태희네 반 친구들이 1분 동안 줄넘기를 한 개수입니다. 35개 이하인 학생은 모두 몇 명일까요?

이름	기록	이름	기록	이름	기록
태희	40	민아	27	나연	26
지만	38	유리	23	수연	34

풀이 _____

답 _____ 명

41 로드 FC의 웰터급은 몸무게가 77kg 이하의 체급입니다. 민재의 몸무게가 80kg이라고 할 때, 웰터급 시합에 나가려면 최소 몇 kg 이상을 체중감량해야 할까요?

풀이 _____

답 _____ 이상

42 다음은 어느 뷔페의 가격표입니다. 승호네 가족이 계산해야 할 금액은 얼마일까요?

나이	금액
4세 이상 7세 이하	5900
8세 이상 16세 이하	12900
17세 이상 60세 이하	23900
61세 이상	15900

〈승호네 가족〉
아빠: 40세
엄마: 40세
누나: 10세
승호: 7세

풀이 _____

답 _____ 원

43 연마초등학교 5학년 학생들이 소풍을 가기 위해 승객 45명 정원인 버스 5대를 빌린다고 합니다. 소풍가려고 하는 5학년 학생은 몇 명 이상 몇 명 이하인가요?

풀이 _____

답 _____

👆 연마 Check   칭찬이나 노력할 점을 써 주세요.

맞힌 개수	지도 의견	
개	나의 생각	확인란

02 일차 초과와 미만

 월 일

○ 11 초과인 수: 11보다 큰 수

➜ 11.2, 12, 13.4 등과 같이 11보다 큰 수

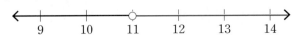

➜ 기준이 되는 수에 ○으로 표시하고 오른쪽으로 선을 그어 나타냅니다.

○ 13 미만인 수: 13보다 작은 수

➜ 12.8, 12, 10.8, 9 등과 같이 13보다 작은 수

```
←────┼────┼────┼────○────┼────┼────→
     10   11   12   13   14   15   16
```

➜ 기준이 되는 수에 ○으로 표시하고 왼쪽으로 선을 그어 나타냅니다.

 핵심 포인트

· ★ 초과인 수, ★ 미만인 수에는 ★이 포함되지 않습니다.

· 수직선에 ○으로 표시되어 있으면 그 수는 범위에 포함되지 않습니다.

· 수직선에 수의 범위 나타내기

	점 표시	화살표 방향
초과	○	오른쪽 ───→
미만	○	왼쪽 ←───

⌛ (01~06) 빈칸을 채우세요.

01 12보다 큰 수

➜ 12 [ ]인 수

02 17보다 작은 수

➜ 17 [ ]인 수

03 15 미만인 수

➜ 15보다 [ ] 수

04 9 초과인 수

➜ 9보다 [ ] 수

05
```
←────┼────○────┼────┼────┼────→
     6    7    8    9    10   11
```
➜ [ ] 초과인 수

06
```
←────┼────┼────┼────○────┼────┼────→
     13   14   15   16   17   18
```
➜ [ ] 미만인 수

⌛ (07~10) 범위에 맞는 수를 <보기>에서 찾아 모두 쓰세요.

보기
24 25 26 27 28
29 30 31 32 33
34 35 36 37 38

07 34 초과인 수

( )

08 28 미만인 수

( )

09 31보다 작은 수

( )

10 32보다 큰 수

( )

정확하게 풀어보아요

(11~24) 다음 수의 범위를 수직선에 나타내세요.

11 6 초과이고 9 미만인 수

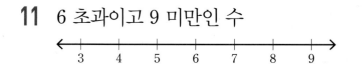

12 7 초과 10 미만인 수

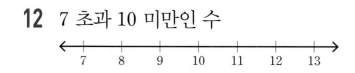

13 12보다 크고 17보다 작은 수

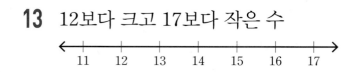

14 14보다 크고 18보다 작은 수

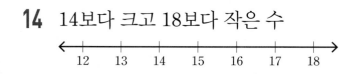

15 0보다 크고 5 미만인 수

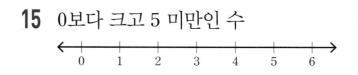

16 24 초과이고 28보다 작은 수

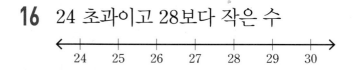

17 7.5 초과이고 10.5 미만인 수

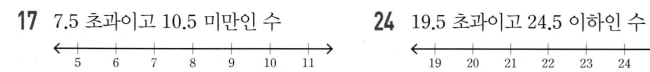

18 2 이상이고 5 미만인 수

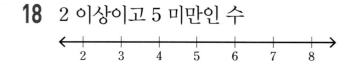

19 16 초과이고 19 이하인 수

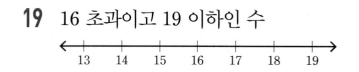

20 26보다 크고 28보다 작거나 같은 수

21 35보다 크거나 같고 40보다 작은 수

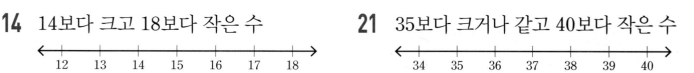

22 6 초과이고 11보다 작거나 같은 수

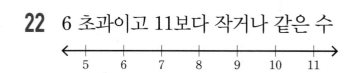

23 13보다 크거나 같고 17 미만인 수

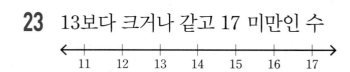

24 19.5 초과이고 24.5 이하인 수

(25~38) 수직선에 나타낸 수의 범위를 보고 빈칸에 알맞은 말을 쓰세요.

25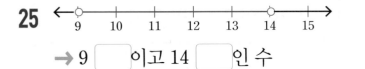

→ 9 [ ] 이고 14 [ ] 인 수

26

→ 15 [ ] 이고 17 [ ] 인 수

27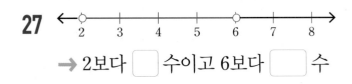

→ 2보다 [ ] 수이고 6보다 [ ] 수

28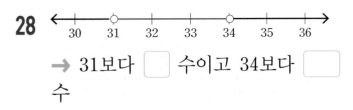

→ 31보다 [ ] 수이고 34보다 [ ] 수

29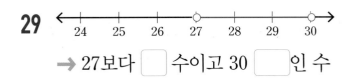

→ 27보다 [ ] 수이고 30 [ ] 인 수

30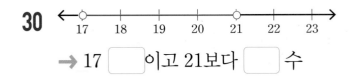

→ 17 [ ] 이고 21보다 [ ] 수

31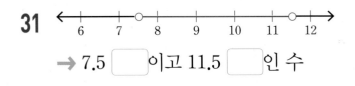

→ 7.5 [ ] 이고 11.5 [ ] 인 수

32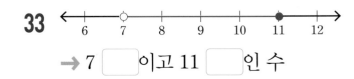

→ 16 [ ] 이고 19 [ ] 인 수

33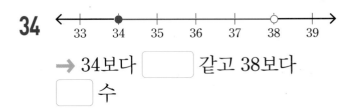

→ 7 [ ] 이고 11 [ ] 인 수

34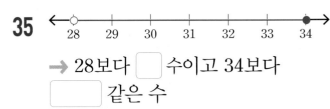

→ 34보다 [ ] 같고 38보다 [ ] 수

35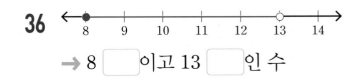

→ 28보다 [ ] 수이고 34보다 [ ] 같은 수

36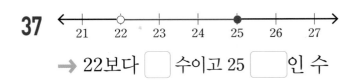

→ 8 [ ] 이고 13 [ ] 인 수

37

→ 22보다 [ ] 수이고 25 [ ] 인 수

38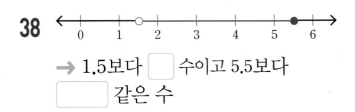

→ 1.5보다 [ ] 수이고 5.5보다 [ ] 같은 수

39 오른쪽은 TV 드라마 프로그램이 시작할 때 나오는 화면입니다. 지호네 가족 가운데 이 드라마를 볼 수 있는 사람을 모두 쓰세요.

15   ⊞

이 프로그램은 15세 미만의 어린이가 시청하기에 부적절합니다.

〈지호네 가족〉

할아버지: 60세, 아버지: 50세, 어머니: 47세, 언니: 19세, 오빠: 15세, 지호: 14세, 동생: 13세

〈풀이 과정〉

(1) 15세 미만이므로 ☐세보다 어린 사람은 이 프로그램을 볼 수 없습니다.

(2) 그러므로 ☐, ☐, ☐, ☐, ☐가 이 프로그램을 시청할 수 있습니다.

💡 **(40~43) 풀이 과정을 쓰고 답을 구하세요.**

40 아래 주차장에 1시간 33분 동안 주차한 주차요금은 얼마일까요?

연마주차장 주차요금
• 기본 60분 이하 무료
• 60분 초과하는 경우 5분 마다 500원씩 부과

풀이 _____

답 _____ 원

41 5월 최고 기온을 나타낸 표입니다. 27℃ 미만을 기록한 지역명을 쓰세요.

서울	28.8℃	부천	29.1℃	부산	24.6℃
인천	27.7℃	대구	34.5℃	제주	21.5℃

답 _____

42 키가 120 cm 초과인 사람만 탈 수 있는 놀이기구에 탈 수 없는 사람들의 키를 〈보기〉에서 모두 찾아 쓰세요.

보기

120cm, 130cm, 118cm, 123cm

풀이 _____

답 _____ cm, _____ cm

43 택배로 보내야 할 물건의 무게가 3 kg일 때 택배요금을 구하세요.

무게(kg)	택배요금(원)
2 kg 이하	3500(원)
2 kg 초과 5 kg 이하	4500(원)
5 kg 초과	5500(원)

풀이 _____

답 _____ 원

👍 **연마 Check**   칭찬이나 노력할 점을 써 주세요.

맞힌 개수	지도 의견		
___ 개	나의 생각		확인란

올림 알아보기

○ 올림하기: 구하려는 자리 아래 수를 올려서 나타내는 방법

→ 구하려는 자리 미만의 수가 0이 아니면, 구하려는 자리에 1을 더하고 그 아래 자리 숫자를 모두 0으로 나타내면 됩니다.

 **핵심 포인트**

- 십의 자리까지 나타내기: 256 → 260
  └→ 십의 자리 아래수(일의 자리)가 0이 아니면 10으로 봅니다.

- 백의 자리까지 나타내기: 2019 → 2100
  └→ 백의 자리 아래수 19를 100으로 봅니다.

- 일의 자리까지 나타내기: 4.7 → 5
  └→ 일의 자리 아래수(소수 첫째 자리)가 0이 아니면 1로 봅니다.

- 소수 둘째 자리까지 나타내기: 5.188 → 5.19
  소수 둘째 자리 아래수(소수 셋째 자리)가 ←┘
  0이 아니면 0.01로 봅니다.

- 백의 자리까지 나타낼 때, 백의 자리 아래수(십의 자리)가 0인 경우 올리지 않습니다.
  2000 → 2100(×)
  2000 → 2000(○)

⏳ **(01~06) 올림하여 주어진 자리까지 나타내세요.**

01 십의 자리까지

1784 → ☐

02 백의 자리까지

2038 → ☐

03 일의 자리까지

1.49 → ☐

04 소수 첫째 자리까지

2.03 → ☐

05 소수 둘째 자리까지

1.683 → ☐

06 천의 자리까지

2468 → ☐

계산력 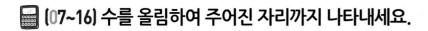하기

🖩 (07~16) 수를 올림하여 주어진 자리까지 나타내세요.

		천의 자리까지	백의 자리까지	십의 자리까지
07	7802			
08	4743			
09	5617			
10	3248			
11	1571			
12	2884			
13	8656			
14	6414			
15	4857			
16	2735			

구조화하기

구조화 하기를 연습하면 서술형도 쉽게 풀어요

(17~37) 다음 수를 올림하여 주어진 자리까지 나타내세요.

17 백의 자리까지

786

18 십의 자리까지

497.2

19 일의 자리까지

2.68

20 소수 첫째 자리까지

0.75

21 소수 둘째 자리까지

7.874

22 만의 자리까지

34678

23 천의 자리까지

61772

24 만의 자리까지

12357

25 천의 자리까지

5543

26 백의 자리까지

452

27 십의 자리까지

714

28 일의 자리까지

6.89

29 소수 첫째 자리까지

11.047

30 소수 둘째 자리까지

5.368

31 소수 첫째 자리까지

8.33

32 소수 둘째 자리까지

3.532

33 일의 자리까지

6.7

34 십의 자리까지

335

35 백의 자리까지

63515

36 천의 자리까지

84063

37 만의 자리까지

64567

38 현서네 학교는 입학식 선물로 신입생 134명에게 크레파스를 1통씩 선물하려고 합니다. 크레파스 공장에서 크레파스를 한 상자에 20통씩 담아서 판다면 최소 몇 상자를 사야 할까요?

> (풀이 과정)
>
> (1) 134를 십의 자리까지 올림하여 나타내면 [　　　]입니다.
>
> (2) 한 상자에 20통씩 들어있으므로 최소 [　] 상자를 사야 합니다.

💡 **(39~42) 풀이 과정을 쓰고 답을 구하세요.**

39 도원이네 학교 학생 289명이 3D 영화를 관람하려고 합니다. 이 관람관에 한 번에 최대 100명씩 들어갈 수 있다면, 도원이네 학교 학생들 모두가 3D 영화를 관람할 수 있으려면 적어도 몇 번에 나누어 보아야할까요?

풀이 _____

답 _____ 번

41 사과를 10 kg 단위로 1박스씩 포장하려고 합니다. 1박스에 11개보다 많거나 같고 13개보다는 적거나 같게 들어간다고 할 때, 포장한 박스가 8개라고 하면 사과는 몇 백개쯤 되는지 어림해보세요.

풀이 _____

답 _____ 개쯤

40 5663장의 색종이를 10장씩 봉투에 넣으려고 합니다. 색종이를 모두 넣기 위해 필요한 봉투는 적어도 몇 개 이상일까요?

풀이 _____

답 _____ 개

42 올림하여 십의 자리까지 나타내면 560이 될 수 있는 수의 범위는 몇 이상 몇 이하일까요?

풀이 _____

답 _____ 이상 _____ 이하

👍 **연마 Check**   칭찬이나 노력할 점을 써 주세요.

맞힌 개수	지도 의견		확인란
개	나의 생각		

버림 / 반올림 알아보기

월 일

○ 버림: 구하려는 자리 미만의 수를 버려서 나타냅니다.

→ 구하려는 자리 아래 숫자를 모두 0으로 나타냅니다.

• 십의 자리까지 나타내기

→ 십의 자리 미만을 버림하기

13579 → 13570
└ 십의 자리 미만의 수를 0으로 봅니다.

• 백의 자리까지 나타내기

→ 백의 자리 미만을 버림하기

13579 → 13500
└ 백의 자리 미만의 수를 0으로 봅니다.

○ 반올림: 구하려는 자리 바로 아래 자리의 숫자가 0, 1, 2, 3, 4이면 버리고, 5, 6, 7, 8, 9이면 올립니다.

• 1235를 십의 자리에서 반올림

→ 십의 자리 수가 1~4인 경우이므로 버림하여 백의 자리까지 나타냅니다.

1235 → 1200
└ 십의 자리 숫자가 3이므로 버립니다.

• 1235를 일의 자리에서 반올림

→ 일의 자리 수가 5 이상이므로 올림하여 십의 자리까지 나타냅니다.

1235 → 1240
└ 일의 자리 숫자가 5이므로 올립니다.

⏳ (01~04) 버림하여 백의 자리까지 쓰세요.

01 1784 → 1☐☐☐

02 386 → ☐☐☐

03 120 → ☐☐☐

04 758 → ☐☐☐

⏳ (09~12) 버림하여 나타내세요.

		천의 자리까지	백의 자리까지	십의 자리까지
09	5341			
10	3697			
11	2789			
12	4233			

⏳ (05~08) 반올림하여 십의 자리까지 쓰세요.

05 1784 → 17☐☐

06 386 → 3☐☐

07 122 → 1☐☐

08 758 → 7☐☐

⏳ (13~16) 반올림하여 나타내세요

		백의 자리까지	십의 자리까지	일의 자리까지
13	157.72			
14	2168.35			
15	543.96			
16	321.13			

구조화 하기

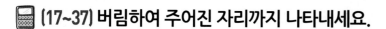

(17~37) 버림하여 주어진 자리까지 나타내세요.

17 백의 자리까지

786

18 십의 자리까지

497.2

19 일의 자리까지

2.68

20 소수 첫째 자리까지

0.75

21 소수 둘째 자리까지

7.874

22 만의 자리까지

34678

23 천의 자리까지

61772

24 만의 자리까지

12357

25 천의 자리까지

5543

26 백의 자리까지

452

27 십의 자리까지

714

28 일의 자리까지

8.89

29 소수 첫째 자리까지

5.368

30 소수 둘째 자리까지

11.047

31 소수 첫째 자리까지

8.33

32 소수 둘째 자리까지

3.532

33 일의 자리까지

6.7

34 십의 자리까지

3635

35 백의 자리까지

63515

36 천의 자리까지

84763

37 만의 자리까지

64567

구조화 하기

구조화 하기를 연습하면 서술형도 쉽게 풀어요

(38~58) 수를 반올림하여 주어진 자리까지 나타내세요.

38 백의 자리까지

786

39 십의 자리까지

497.2

40 일의 자리까지

12.68

41 소수 첫째 자리까지

0.75

42 소수 둘째 자리까지

7.874

43 만의 자리까지

34678

44 천의 자리까지

61772

45 만의 자리까지

12357

46 천의 자리까지

5543

47 백의 자리까지

452

48 십의 자리까지

714

49 일의 자리까지

2.49

50 소수 첫째 자리까지

11.047

51 소수 둘째 자리까지

5.368

52 소수 첫째 자리까지

8.33

53 소수 둘째 자리까지

3.532

54 일의 자리까지

6.7

55 십의 자리까지

335

56 백의 자리까지

63515

57 천의 자리까지

84763

58 만의 자리까지

64567

서술형 **풀어**보기 구조화 해서 풀어보아요

59 756개의 달걀을 30개씩 1판으로 포장하려고 합니다. 모두 몇 판으로 포장되나요?

(풀이 과정)

(1) 756을 십의 자리까지 버림하여 나타내면 [ ] 입니다. [ ]을 30으로 나누면

[ ] 입니다.

(2) 한 판에 달걀 30개이므로 [ ] 판으로 포장됩니다.

💡 **(60~63)** 풀이 과정을 쓰고 답을 구하세요.

60 버림하여 십의 자리까지 나타내면 730이 될 수 있는 수의 범위는 몇 이상 몇 미만 인가요?

풀이 _____

답 _____ 이상 _____ 미만

62 십의 자리에서 반올림하였을 때 500이 되는 자연수 중에서 가장 작은 수와 가장 큰 수를 각각 구하세요.

풀이 _____

답 가장 작은 수: _____ 가장 큰 수: _____

61 선물 상자 1개를 포장하는데 리본 1m가 필요합니다. 리본 237cm로 선물 상자를 몇 개까지 포장할 수 있을까요?

풀이 _____

답 _____ 개

63 일의 자리에서 반올림하였을 때 510이 되는 자연수는 모두 몇 개일까요?

풀이 _____

답 _____ 개

👆 연마 *Check* **칭찬이나 노력할 점을 써 주세요.**

맞힌 개수	지도 의견		확인란
개	나의 생각		

(진분수)×(자연수)

○ $\frac{2}{9} \times 3$의 계산

방법① 분자에 자연수를 곱한 뒤 약분하기

$$\frac{2}{9} \times 3 = \frac{2 \times 3}{9} = \frac{6}{9} = \frac{2}{3} \text{ 또는 } \frac{2}{9} \times 3 = \frac{2 \times \cancel{3}^1}{\cancel{9}_3} = \frac{2}{3}$$

약분!

방법② 분모와 자연수를 약분한 다음 분자에 자연수 곱하기

$$\frac{2}{\cancel{9}_3} \times \cancel{3}^1 = \frac{2 \times 1}{3} = \frac{2}{3}$$

• $\frac{\triangle}{\bullet} \times \star = \frac{\triangle \times \star}{\bullet}$

• 계산 결과가 가분수이면 대분수로 나타냅니다.

⏳ (01~10) **방법①** 로 계산하세요.

01 $\frac{2}{5} \times 3 = \frac{2 \times \boxed{}}{5} = \frac{\boxed{}}{5} = \boxed{}$

06 $\frac{3}{4} \times 2 = \frac{3 \times \boxed{}}{4} = \frac{\boxed{}}{2} = \boxed{}$

02 $\frac{4}{7} \times 3 = \frac{4 \times \boxed{}}{7} = \frac{\boxed{}}{7} = \boxed{}$

07 $\frac{5}{6} \times 4 = \frac{5 \times \boxed{}}{6} = \frac{\boxed{}}{3} = \boxed{}$

03 $\frac{5}{6} \times 5 = \frac{5 \times \boxed{}}{6} = \frac{\boxed{}}{6} = \boxed{}$

08 $\frac{5}{8} \times 6 = \frac{5 \times \boxed{}}{8} = \frac{\boxed{}}{4} = \boxed{}$

04 $\frac{3}{5} \times 4 = \frac{3 \times \boxed{}}{5} = \frac{\boxed{}}{5} = \boxed{}$

09 $\frac{2}{9} \times 6 = \frac{2 \times \boxed{}}{9} = \frac{\boxed{}}{3} = \boxed{}$

05 $\frac{3}{8} \times 5 = \frac{3 \times \boxed{}}{8} = \frac{\boxed{}}{8} = \boxed{}$

10 $\frac{5}{6} \times 10 = \frac{5 \times \boxed{}}{6} = \frac{\boxed{}}{3} = \boxed{}$

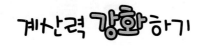
 (11~34) 방법 ② 로 계산하세요.

11 $\dfrac{3}{8} \times 6$

12 $\dfrac{7}{9} \times 3$

13 $\dfrac{3}{10} \times 6$

14 $\dfrac{7}{8} \times 4$

15 $\dfrac{1}{12} \times 10$

16 $\dfrac{3}{8} \times 12$

17 $\dfrac{7}{10} \times 8$

18 $\dfrac{5}{9} \times 15$

19 $\dfrac{9}{10} \times 12$

20 $\dfrac{5}{24} \times 14$

21 $\dfrac{3}{14} \times 7$

22 $\dfrac{5}{12} \times 9$

23 $\dfrac{7}{12} \times 4$

24 $\dfrac{16}{21} \times 7$

25 $\dfrac{11}{15} \times 6$

26 $\dfrac{3}{16} \times 6$

27 $\dfrac{9}{14} \times 10$

28 $\dfrac{11}{12} \times 4$

29 $\dfrac{7}{15} \times 12$

30 $\dfrac{7}{8} \times 10$

31 $\dfrac{5}{6} \times 14$

32 $\dfrac{13}{15} \times 9$

33 $\dfrac{11}{24} \times 10$

34 $\dfrac{17}{20} \times 8$

구조화 하기

구조화 하기를 연습하면 서술형도 쉽게 풀어요

(35~49) 빈칸에 알맞은 수를 써넣으세요.

35 $\dfrac{2}{3}$ → $\times 5$ → ☐

36 $\dfrac{4}{5}$ → $\times 4$ → ☐

37 $\dfrac{7}{9}$ → $\times 12$ → ☐

38 $\dfrac{3}{10}$ → $\times 6$ → ☐

39 $\dfrac{5}{12}$ → $\times 8$ → ☐

40 $\dfrac{4}{9}$ → $\times 15$ → ☐

41 $\dfrac{3}{10}$ → $\times 12$ → ☐

42 $\dfrac{5}{8}$ → $\times 20$ → ☐

43 $\dfrac{7}{12}$ → $\times 16$ → ☐

44 $\dfrac{5}{14}$ → $\times 7$ → ☐

45 $\dfrac{8}{15}$ → $\times 10$ → ☐

46 $\dfrac{11}{16}$ → $\times 14$ → ☐

47 $\dfrac{11}{18}$ → $\times 9$ → ☐

48 $\dfrac{7}{10}$ → $\times 15$ → ☐

49 $\dfrac{17}{20}$ → $\times 30$ → ☐

서술형 풀어보기

50 $\frac{7}{15}$이 12개인 수는 얼마일까요?

풀이 과정

(1) $\frac{7}{15}$이 12개이므로 $\frac{7}{15} \times \boxed{}$ 를 계산합니다.

(2) 계산을 하면 $\boxed{}$ 입니다.

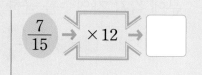

💡 **(51~54) 풀이 과정을 쓰고 답을 구하세요.**

51 $\frac{3}{8}$ kg의 사과가 10개 있다면, 모두 몇 kg
일까요?

풀이 _____

답 _____ kg

53 $\frac{7}{24}$ km의 거리를 4번 왕복했다면 모두
몇 km를 이동했을까요?

풀이 _____

답 _____ km

52 12명에게 각각 $\frac{5}{14}$ L의 우유를 주려고 합
니다. 몇 L의 우유가 필요할까요?

풀이 _____

답 _____ L

54 식빵 하나를 만드는데 $\frac{11}{24}$ kg의 밀가루가
필요하다면, 12개의 식빵을 만드는데 필
요한 밀가루는 몇 kg일까요?

풀이 _____

답 _____ kg

👍 연마 *Check*　칭찬이나 노력할 점을 써 주세요.

맞힌 개수	지도 의견		확인란
개	나의 생각		

06 일차 (대분수)×(자연수)

📓 월 일

○ $1\frac{3}{4}×2$의 계산

방법 ① 대분수의 자연수 부분과 진분수 부분에 각각 자연수를 곱하기

$$1\frac{3}{4}×2=(1×2)+\left(\frac{3}{4}×2\right)=2+\frac{3}{2}$$
$$=2+1\frac{1}{2}=3\frac{1}{2}$$

방법 ② 대분수를 가분수로 고친 뒤 곱하기

$$1\frac{3}{4}×2=\frac{7}{4}×2=\frac{7}{2}=3\frac{1}{2}$$

가분수로!

⏳ (01~08) **방법 ①** 로 계산하세요.

01 $2\frac{2}{3}×4=(2×\Box)+\left(\frac{2}{3}×\Box\right)$

$=\Box+\dfrac{\Box}{3}=\Box+\Box\dfrac{\Box}{3}=\Box$

02 $1\frac{5}{6}×8=(1×\Box)+\left(\frac{5}{6}×\Box\right)$

$=\Box+\dfrac{\Box}{3}=\Box+\Box\dfrac{\Box}{3}=\Box$

03 $2\frac{3}{8}×6=(2×\Box)+\left(\frac{3}{8}×\Box\right)$

$=\Box+\dfrac{\Box}{4}=\Box+\Box\dfrac{\Box}{4}=\Box$

04 $3\frac{2}{5}×3=(3×\Box)+\left(\frac{2}{5}×\Box\right)$

$=9+\dfrac{\Box}{5}=\Box+\Box\dfrac{\Box}{5}=\Box$

05 $3\frac{2}{9}×6=(3×\Box)+\left(\frac{2}{9}×\Box\right)$

$=\Box+\dfrac{\Box}{3}=\Box+\Box\dfrac{\Box}{3}=\Box$

06 $4\frac{5}{12}×8=(4×\Box)+\left(\frac{5}{12}×\Box\right)$

$=\Box+\dfrac{\Box}{3}=\Box+\Box\dfrac{\Box}{3}=\Box$

07 $2\frac{7}{15}×10=(2×\Box)+\left(\frac{7}{15}×\Box\right)$

$=\Box+\dfrac{\Box}{3}=\Box+\Box\dfrac{\Box}{3}=\Box$

08 $2\frac{3}{16}×12=(2×\Box)+\left(\frac{3}{16}×\Box\right)$

$=\Box+\dfrac{\Box}{4}=\Box+\Box\dfrac{\Box}{4}=\Box$

(09~24) 방법 ② 로 계산하세요.

09 $1\dfrac{3}{5} \times 2$

10 $2\dfrac{1}{6} \times 3$

11 $3\dfrac{2}{3} \times 2$

12 $4\dfrac{2}{7} \times 3$

13 $3\dfrac{5}{8} \times 2$

14 $1\dfrac{7}{9} \times 6$

15 $4\dfrac{3}{4} \times 2$

16 $5\dfrac{3}{10} \times 5$

17 $4\dfrac{5}{12} \times 3$

18 $5\dfrac{2}{9} \times 6$

19 $2\dfrac{9}{10} \times 4$

20 $4\dfrac{1}{12} \times 9$

21 $3\dfrac{3}{20} \times 5$

22 $2\dfrac{7}{16} \times 8$

23 $2\dfrac{11}{15} \times 10$

24 $5\dfrac{3}{14} \times 7$

구조화 하기를 연습하면 서술형도 쉽게 풀어요

🐟 **(25~39) 빈칸에 알맞은 수를 써넣으세요.**

25 $2\frac{1}{3}$ → ×5 → ☐

30 $3\frac{1}{6}$ → ×4 → ☐

35 $2\frac{3}{16}$ → ×20 → ☐

26 $3\frac{4}{5}$ → ×2 → ☐

31 $4\frac{5}{8}$ → ×10 → ☐

36 $3\frac{3}{22}$ → ×11 → ☐

27 $2\frac{5}{6}$ → ×10 → ☐

32 $4\frac{2}{9}$ → ×12 → ☐

37 $2\frac{7}{25}$ → ×20 → ☐

28 $2\frac{3}{7}$ → ×3 → ☐

33 $5\frac{1}{12}$ → ×9 → ☐

38 $3\frac{11}{36}$ → ×6 → ☐

29 $4\frac{3}{8}$ → ×4 → ☐

34 $4\frac{2}{15}$ → ×10 → ☐

39 $2\frac{6}{35}$ → ×10 → ☐

서술형 풀어보기
구조화 해서 풀어보아요

40 딸기 한 상자의 무게가 $1\frac{4}{15}$ kg일 때, 딸기 9상자의 무게를 구해보세요.

풀이 과정

(1) 식을 쓰면, $1\frac{4}{15} \times$ ☐ 입니다.

(2) 계산하면 ☐ 이므로 딸기 9상자의 무게는

☐ kg입니다.

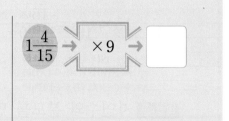

💡 **(41~44) 풀이 과정을 쓰고 답을 구하세요.**

41 현서는 $2\frac{5}{16}$ km의 거리를 매일 왕복해서 걸었습니다. 4일을 걸으면 모두 몇 km를 걷게 될까요?

풀이 _____

답 _____ km

42 다음 수 가운데 가장 큰 수와 가장 작은 수의 곱을 구해보세요.

$$6 \qquad 5\frac{3}{8} \qquad 6\frac{1}{12} \qquad 4$$

풀이 _____

답 _____

43 한 변의 길이가 $3\frac{11}{18}$ cm인 정삼각형의 둘레의 길이를 구해보세요.

풀이 _____

답 _____ cm

44 선생님이 한 모둠에 실험용 알코올을 $1\frac{3}{20}$ L씩 나눠주셨습니다. 모둠이 모두 12개라고 할 때, 나눠준 알코올은 모두 몇 L일까요?

풀이 _____

답 _____ L

연마 Check 칭찬이나 노력할 점을 써 주세요.

맞힌 개수	지도 의견		확인란
개	나의 생각		

01 일차 (자연수)×(진분수)

월 일

○ $15 \times \dfrac{3}{10}$ 의 계산

방법 ① 자연수를 분자에 곱한 뒤 약분

$$15 \times \frac{3}{10} = \frac{15 \times 3}{10} = \frac{45}{10} = \frac{9}{2} = 4\frac{1}{2}$$

(약분)

└ 계산 결과가 가분수이면 대분수로 고칩니다.

방법 ② 자연수와 분모를 먼저 약분한 다음 자연수를 분자에 곱하기

$$\underset{3}{15} \times \frac{3}{\underset{2}{10}} = \frac{3 \times 3}{2} = \frac{9}{2} = 4\frac{1}{2}$$

 **핵심 포인트**

· $15 \times \dfrac{3}{10}$ 과 $\dfrac{3}{10} \times 15$ 의 계산 결과는 같을까요?

→ $15 \times \dfrac{3}{10} = \dfrac{9}{2} = 4\dfrac{1}{2}$

→ $\dfrac{3}{10} \times 15 = \dfrac{9}{2} = 4\dfrac{1}{2}$

$$\frac{▲}{●} \times ★ = ★ \times \frac{▲}{●}$$

→ (자연수) × (진분수)
　= (진분수) × (자연수)

⏳ (01~05) **방법 ①** 로 계산하세요.

01 $6 \times \dfrac{4}{5} = \dfrac{\boxed{} \times 4}{5} = \dfrac{\boxed{}}{5} = \boxed{}$

02 $3 \times \dfrac{6}{7} = \dfrac{\boxed{} \times 6}{7} = \dfrac{\boxed{}}{7} = \boxed{}$

03 $5 \times \dfrac{3}{4} = \dfrac{\boxed{} \times 3}{4} = \dfrac{\boxed{}}{4} = \boxed{}$

04 $7 \times \dfrac{5}{8} = \dfrac{\boxed{} \times 5}{8} = \dfrac{\boxed{}}{8} = \boxed{}$

05 $12 \times \dfrac{7}{10} = \dfrac{\boxed{} \times 7}{10} = \dfrac{\boxed{}}{10}$
$= \dfrac{\boxed{}}{5} = \boxed{}$

⏳ (06~10) **방법 ②** 로 계산하세요.

06 $4 \times \dfrac{5}{6} = \dfrac{\boxed{} \times 5}{3} = \dfrac{\boxed{}}{3} = \boxed{}$

07 $6 \times \dfrac{7}{8} = \dfrac{\boxed{} \times 7}{4} = \dfrac{\boxed{}}{4} = \boxed{}$

08 $6 \times \dfrac{7}{10} = \dfrac{\boxed{} \times 7}{5} = \dfrac{\boxed{}}{5} = \boxed{}$

09 $8 \times \dfrac{5}{12} = \dfrac{\boxed{} \times 5}{3} = \dfrac{\boxed{}}{3} = \boxed{}$

10 $10 \times \dfrac{3}{28} = \dfrac{\boxed{} \times 3}{14} = \dfrac{\boxed{}}{14} = \boxed{}$

(11~26) 계산을 하세요.

11 $6 \times \dfrac{4}{9}$

12 $8 \times \dfrac{9}{10}$

13 $7 \times \dfrac{5}{14}$

14 $12 \times \dfrac{6}{15}$

15 $9 \times \dfrac{7}{12}$

16 $15 \times \dfrac{7}{20}$

17 $11 \times \dfrac{17}{22}$

18 $16 \times \dfrac{7}{24}$

19 $3 \times \dfrac{5}{7}$

20 $4 \times \dfrac{4}{5}$

21 $2 \times \dfrac{7}{8}$

22 $5 \times \dfrac{3}{10}$

23 $6 \times \dfrac{3}{10}$

24 $10 \times \dfrac{5}{12}$

25 $12 \times \dfrac{2}{15}$

26 $15 \times \dfrac{3}{20}$

구조화 하기

구조화 하기를 연습하면 서술형도 쉽게 풀어요

📖 (27~41) 빈칸에 알맞은 수를 써넣으세요.

27 ④ → $\times \dfrac{5}{7}$ → ☐

32 ⑥ → $\times \dfrac{5}{16}$ → ☐

37 ⑮ → $\times \dfrac{7}{18}$ → ☐

28 ⑧ → $\times \dfrac{11}{12}$ → ☐

33 ⑩ → $\times \dfrac{13}{18}$ → ☐

38 ⑯ → $\times \dfrac{6}{20}$ → ☐

29 ⑥ → $\times \dfrac{7}{15}$ → ☐

34 ⑫ → $\times \dfrac{4}{15}$ → ☐

39 ⑦ → $\times \dfrac{10}{21}$ → ☐

30 ② → $\times \dfrac{23}{26}$ → ☐

35 ⑨ → $\times \dfrac{8}{15}$ → ☐

40 ㉔ → $\times \dfrac{13}{30}$ → ☐

31 ⑨ → $\times \dfrac{11}{12}$ → ☐

36 ⑭ → $\times \dfrac{8}{21}$ → ☐

41 ⑱ → $\times \dfrac{16}{27}$ → ☐

서술형 풀어보기

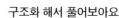

구조화 해서 풀어보아요

42 다음 중 계산 결과가 가장 큰 것의 기호를 찾아 쓰세요.

$$16 \times \frac{7}{24}$$

(가)

$$15 \times \frac{9}{20}$$

(나)

$$21 \times \frac{17}{35}$$

(다)

풀이 과정

(1) (가)를 계산하면, $16 \times \dfrac{7}{24} = \dfrac{\boxed{} \times 7}{3} = \dfrac{\boxed{}}{3} = \boxed{}$ 입니다.

(2) (나)를 계산하면, $15 \times \dfrac{9}{20} = \dfrac{\boxed{} \times 9}{4} = \dfrac{\boxed{}}{4} = \boxed{}$ 입니다.

(3) (다)를 계산하면, $21 \times \dfrac{17}{35} = \dfrac{\boxed{} \times 17}{5} = \dfrac{\boxed{}}{5} = \boxed{}$ 입니다.

(4) $\boxed{}$ 의 자연수 부분이 가장 크므로 계산 결과가 가장 큰 것은 $\boxed{}$ 입니다.

[43~46] 풀이 과정을 쓰고 답을 구하세요.

43 가로의 길이가 9cm이고, 세로의 길이가 $\dfrac{11}{15}$ cm인 직사각형의 넓이를 구해보세요.

풀이 _____

답 _____ cm^2

44 밑변의 길이가 12cm이고, 높이가 $\dfrac{7}{16}$ cm 인 평행사변형의 넓이를 구해보세요.

풀이 _____

답 _____ cm^2

45 15명에게 각각 $\dfrac{9}{25}$ L의 우유를 주려면, 몇 L의 우유가 필요할까요?

풀이 _____

답 _____ L

46 철사 하나를 구부려 정사각형을 만들었습니다. 한 변의 길이가 $\dfrac{17}{32}$ m라 할 때, 철사의 길이를 구해보세요.

풀이 _____

답 _____ m

연마 Check

칭찬이나 노력할 점을 써 주세요.

맞힌 개수	지도 의견		확인란
개	나의 생각		

(자연수)×(대분수)

  월 일

 ○ $5 \times 3\frac{2}{5}$의 계산

 핵심포인트

· $5 \times 3\frac{2}{5}$의 계산 결과와 $3\frac{2}{5} \times 5$의 계산 결과는 같을까요?

→ $5 \times 3\frac{2}{5} = 5 \times \frac{17}{5} = 17$

→ $3\frac{2}{5} \times 5 = \frac{17}{5} \times 5 = 17$

★ × $\dfrac{▲}{●}$ = $\dfrac{▲}{●}$ × ★

방법① 대분수를 자연수 부분과 분수 부분으로 나누어 계산

$5 \times 3\frac{2}{5} = (5 \times 3) + \left(5 \times \frac{2}{5}\right) = 15 + 2 = 17$

방법② 대분수를 가분수로 고친 뒤 계산

$5 \times 3\frac{2}{5} = 5 \times \frac{17}{5} = 17$

약분!

⏳ (01~04) 방법① 로 계산을 하세요.

01 $2 \times 3\frac{5}{8} = (\boxed{} \times 3) + \left(\boxed{} \times \frac{5}{8}\right)$

$= \boxed{} + \dfrac{\boxed{}}{4} = \boxed{} + \boxed{}\dfrac{\boxed{}}{4} = \boxed{}$

02 $6 \times 1\frac{3}{4} = (\boxed{} \times 1) + \left(\boxed{} \times \frac{3}{4}\right)$

$= \boxed{} + \dfrac{\boxed{}}{2} = \boxed{} + \boxed{}\dfrac{\boxed{}}{2} = \boxed{}$

03 $8 \times 3\frac{5}{6} = (\boxed{} \times 3) + \left(\boxed{} \times \frac{5}{6}\right)$

$= \boxed{} + \dfrac{\boxed{}}{3} = \boxed{} + \boxed{}\dfrac{\boxed{}}{3} = \boxed{}$

04 $10 \times 2\frac{4}{5} = (\boxed{} \times 2) + \left(\boxed{} \times \frac{4}{5}\right)$

$= \boxed{} + \boxed{} = \boxed{}$

⏳ (05~08) 방법② 로 계산을 하세요.

05 $4 \times 3\frac{1}{10} = 4 \times \dfrac{\boxed{}}{10} = \dfrac{\boxed{} \times \boxed{}}{5}$

$= \dfrac{\boxed{}}{5} = \boxed{}$

06 $8 \times 2\frac{7}{12} = 8 \times \dfrac{\boxed{}}{12} = \dfrac{\boxed{} \times \boxed{}}{3}$

$= \dfrac{\boxed{}}{3} = \boxed{}$

07 $12 \times 2\frac{3}{16} = 12 \times \dfrac{\boxed{}}{16} = \dfrac{\boxed{} \times \boxed{}}{4}$

$= \dfrac{\boxed{}}{4} = \boxed{}$

08 $20 \times 2\frac{17}{30} = 20 \times \dfrac{\boxed{}}{30} = \dfrac{\boxed{} \times \boxed{}}{3}$

$= \dfrac{\boxed{}}{3} = \boxed{}$

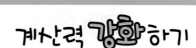
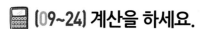 **(09~24) 계산을 하세요.**

09 $3 \times 1\dfrac{2}{5}$

10 $4 \times 2\dfrac{3}{8}$

11 $6 \times 4\dfrac{2}{3}$

12 $5 \times 2\dfrac{7}{10}$

13 $8 \times 3\dfrac{1}{4}$

14 $7 \times 2\dfrac{3}{14}$

15 $10 \times 2\dfrac{5}{6}$

16 $8 \times 1\dfrac{13}{24}$

17 $15 \times 2\dfrac{1}{5}$

18 $16 \times 2\dfrac{3}{4}$

19 $8 \times 2\dfrac{9}{20}$

20 $12 \times 1\dfrac{3}{14}$

21 $15 \times 1\dfrac{3}{12}$

22 $15 \times 2\dfrac{9}{20}$

23 $20 \times 2\dfrac{5}{12}$

24 $16 \times 5\dfrac{7}{8}$

 (25~36) 계산 결과를 비교하여 ○ 안에 >, <를 알맞게 써넣으세요.

25 $3 \times 5\frac{1}{2}$ ◯ $2 \times 5\frac{2}{3}$

31 $5 \times 2\frac{14}{15}$ ◯ $4 \times 2\frac{13}{16}$

26 $4 \times 2\frac{3}{5}$ ◯ $6 \times 1\frac{5}{6}$

32 $9 \times 1\frac{1}{6}$ ◯ $3 \times 3\frac{5}{6}$

27 $8 \times 2\frac{3}{4}$ ◯ $7 \times 2\frac{5}{14}$

33 $4 \times 4\frac{3}{8}$ ◯ $5 \times 3\frac{7}{10}$

28 $6 \times 2\frac{4}{9}$ ◯ $4 \times 3\frac{5}{8}$

34 $8 \times 1\frac{9}{10}$ ◯ $4 \times 2\frac{15}{16}$

29 $8 \times 2\frac{1}{4}$ ◯ $10 \times 2\frac{1}{5}$

35 $9 \times 3\frac{5}{6}$ ◯ $12 \times 2\frac{8}{15}$

30 $4 \times 7\frac{1}{5}$ ◯ $5 \times 5\frac{5}{6}$

36 $6 \times 11\frac{2}{3}$ ◯ $9 \times 7\frac{5}{7}$

서술형 풀어보기
구조화 해서 풀어보아요

37 가로의 길이가 9cm이고, 세로의 길이가 $3\frac{5}{12}$cm인 직사각형의 넓이를 구해보세요.

풀이 과정

(1) 이 직사각형의 넓이를 구하는 식은 $9 \times \boxed{}$ 입니다.

(2) 식을 계산하면

$$9 \times 3\frac{5}{12} = \boxed{} + \frac{\boxed{}}{4} = \boxed{} + \boxed{}\frac{\boxed{}}{4} = \boxed{}$$

이므로 직사각형의 넓이는 $\boxed{}$ cm²입니다.

(직사각형의 넓이)
= (가로) × ($\boxed{}$)

💡 **(38~41) 풀이 과정을 쓰고 답을 구하세요.**

38 세로의 길이가 8cm이고, 가로의 길이가 $2\frac{11}{16}$cm인 직사각형의 넓이를 구해보세요.

풀이 _____

답 _____ cm²

39 현서네의 어제 물 사용량은 35L였습니다. 오늘 현서네 물 사용량은 어제의 $2\frac{2}{7}$배라고 할 때, 오늘 현서네 물 사용량을 구해보세요.

풀이 _____

답 _____ L

40 민재는 도희보다 사탕이 $1\frac{5}{9}$배만큼 더 많다고 합니다. 도희의 사탕이 27개라면, 민재의 사탕은 몇 개일까요?

풀이 _____

답 _____ 개

41 어느 박물관의 어린이 입장료는 4000원입니다. 이 박물관의 성인 입장료는 어린이 입장료의 $1\frac{7}{25}$이라고 할 때, 성인 입장료는 얼마일까요?

풀이 _____

답 _____ 원

연마 Check 칭찬이나 노력할 점을 써 주세요.

맞힌 개수	지도 의견		확인란
개	나의 생각		

(단위분수)×(단위분수), (진분수)×(진분수)

   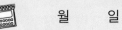

○ $\frac{1}{3} \times \frac{1}{4}$ 의 계산

$$\frac{1}{3} \times \frac{1}{4} = \frac{1}{3 \times 4} = \frac{1}{12}$$

➡ 분자는 분자끼리, 분모는 분모끼리 곱하는데, 분자가 $1 \times 1 = 1$이라서 단위 분수의 분자 계산 값은 1로 고정됩니다.

$$\frac{1}{\bullet} \times \frac{1}{\star} = \frac{1}{\bullet \times \star}$$

○ $\frac{2}{3} \times \frac{3}{4}$ 의 계산

방법① 분자는 분자끼리, 분모는 분모끼리 곱셈을 계산한 뒤, 약분하기

$$\frac{2}{3} \times \frac{3}{4} = \frac{2 \times 3}{3 \times 4} = \frac{6}{12} = \frac{1}{2}$$

약분

방법② 곱셈식에서 바로 약분하기

$$\frac{\cancel{2}}{\cancel{3}} \times \frac{\cancel{3}}{\cancel{4}_2} = \frac{1}{2}$$

⧗ **(01~15) 계산을 하세요.**

01 $\frac{1}{2} \times \frac{1}{4}$

02 $\frac{1}{4} \times \frac{1}{6}$

03 $\frac{1}{3} \times \frac{1}{2}$

04 $\frac{1}{2} \times \frac{1}{5}$

05 $\frac{1}{4} \times \frac{1}{5}$

06 $\frac{1}{6} \times \frac{1}{2}$

07 $\frac{1}{5} \times \frac{1}{3}$

08 $\frac{1}{8} \times \frac{1}{3}$

09 $\frac{1}{7} \times \frac{1}{2}$

10 $\frac{1}{5} \times \frac{1}{6}$

11 $\frac{1}{3} \times \frac{1}{7}$

12 $\frac{1}{4} \times \frac{1}{6}$

13 $\frac{1}{12} \times \frac{1}{3}$

14 $\frac{1}{8} \times \frac{1}{5}$

15 $\frac{1}{8} \times \frac{1}{8}$

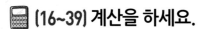
(16~39) 계산을 하세요.

16 $\dfrac{1}{3} \times \dfrac{4}{5}$

17 $\dfrac{1}{5} \times \dfrac{2}{3}$

18 $\dfrac{2}{9} \times \dfrac{1}{4}$

19 $\dfrac{5}{6} \times \dfrac{3}{4}$

20 $\dfrac{5}{7} \times \dfrac{3}{5}$

21 $\dfrac{1}{6} \times \dfrac{7}{8}$

22 $\dfrac{2}{3} \times \dfrac{3}{8}$

23 $\dfrac{7}{9} \times \dfrac{3}{13}$

24 $\dfrac{6}{7} \times \dfrac{2}{3}$

25 $\dfrac{1}{12} \times \dfrac{2}{9}$

26 $\dfrac{5}{7} \times \dfrac{14}{25}$

27 $\dfrac{5}{13} \times \dfrac{3}{20}$

28 $\dfrac{7}{15} \times \dfrac{9}{14}$

29 $\dfrac{7}{10} \times \dfrac{15}{16}$

30 $\dfrac{9}{10} \times \dfrac{5}{8}$

31 $\dfrac{3}{18} \times \dfrac{5}{6}$

32 $\dfrac{4}{9} \times \dfrac{6}{10} =$

33 $\dfrac{7}{12} \times \dfrac{3}{14} =$

34 $\dfrac{7}{18} \times \dfrac{12}{21} =$

35 $\dfrac{7}{10} \times \dfrac{6}{11} =$

36 $\dfrac{11}{14} \times \dfrac{7}{12} =$

37 $\dfrac{14}{15} \times \dfrac{20}{21} =$

38 $\dfrac{9}{16} \times \dfrac{20}{36} =$

39 $\dfrac{9}{20} \times \dfrac{4}{30} =$

(40~47) 빈칸에 알맞은 수를 써넣으세요.

40

×→		
$\frac{1}{11}$	$\frac{1}{2}$	
$\frac{2}{5}$	$\frac{1}{2}$	

41

×→		
$\frac{4}{5}$	$\frac{1}{4}$	
$\frac{15}{28}$	$\frac{16}{25}$	

42

×→		
$\frac{1}{9}$	$\frac{3}{8}$	
$\frac{21}{22}$	$\frac{11}{16}$	

43

×→		
$\frac{1}{5}$	$\frac{10}{13}$	
$\frac{9}{10}$	$\frac{26}{27}$	

44

×→		
$\frac{5}{14}$	$\frac{7}{20}$	
$\frac{2}{3}$	$\frac{5}{8}$	

45

×→		
$\frac{1}{9}$	$\frac{12}{17}$	
$\frac{7}{10}$	$\frac{34}{35}$	

46

×→		
$\frac{5}{16}$	$\frac{3}{10}$	
$\frac{3}{7}$	$\frac{1}{21}$	

47

×→		
$\frac{5}{6}$	$\frac{8}{15}$	
$\frac{7}{12}$	$\frac{3}{14}$	

서술형 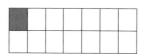 풀어보기   구조화 해서 풀어보아요

48 오른쪽 도형의 전체 넓이가 $\dfrac{7}{8}$cm²일 때, 색칠한 부분의 넓이를 구해보세요.

풀이 과정

(1) 전체 칸 수는 ☐ 칸이므로 색칠한 부분은 $\dfrac{\boxed{}}{14}$ 입니다.

(2) 색칠한 넓이는 전체 넓이의 $\dfrac{\boxed{}}{14}$ 이므로 식을 세우면, $\dfrac{7}{8} \times \dfrac{\boxed{}}{\boxed{}}$ 입니다.

(3) 그러므로 색칠한 부분 한 칸의 넓이는 ☐ cm² 입니다.

💡 [49~52] 풀이 과정을 쓰고 답을 구하세요.

49 계산 결과가 가장 큰 것의 기호를 쓰세요.

$\dfrac{1}{5} \times \dfrac{1}{2}$ $\dfrac{1}{4} \times \dfrac{8}{9}$ $\dfrac{14}{15} \times \dfrac{3}{7}$

（가）   （나）   （다）

풀이 _____

답 _____

50 30분의 $\dfrac{4}{5}$ 는 몇 시간일까요?

풀이 _____

답 _____ 시간

51 ☐ 안에 들어갈 수 있는 10 미만의 자연수를 찾아 모두 더해보세요.

$$\dfrac{1}{4} \times \dfrac{1}{\Box} < \dfrac{1}{25}$$

풀이 _____

답 _____

52 $\dfrac{7}{15}$ L의 주스 가운데 $\dfrac{25}{28}$ 를 마셨습니다. 마신 주스의 양을 구해보세요.

풀이 _____

답 _____ L

연마 Check   칭찬이나 노력할 점을 써 주세요.

맞힌 개수	지도 의견		확인란
개	나의 생각		

(대분수)×(대분수)

월 일

○ $2\frac{1}{3} \times 3\frac{3}{4}$의 계산

 핵심 포인트

순서 1 ▶ 먼저, 대분수를 가분수로 고칩니다.

$$2\frac{1}{3} \times 3\frac{3}{4} = \frac{7}{3} \times \frac{15}{4}$$

순서 2 ▶ 분모끼리, 분자끼리 곱합니다. 약분이 필요하면, 약분을 하고, 계산 결과를 대분수로 나타냅니다.

$$\frac{7}{3} \times \frac{\overset{5}{\cancel{15}}}{4} = \frac{7 \times 5}{4} = \frac{35}{4} = 8\frac{3}{4}$$
약분   가분수를 대분수로!

• 가분수로 고치지 않고, 대분수의 상태에서 약분을 하면 어떻게 될까요?

$$2\frac{1}{\cancel{3}} \times 3\frac{3}{4} = 2 \times \frac{13}{4} = \frac{13}{2} = 6\frac{1}{2}$$

→ 계산 결과가 달라집니다.
(이렇게 계산하면 안 됩니다.)

⌛ **(01~10) 빈칸에 알맞은 수를 써넣으세요.**

01 $1\frac{1}{2} \times 2\frac{4}{5} = \dfrac{\boxed{}}{2} \times \dfrac{\boxed{}}{5} = \dfrac{\boxed{} \times 7}{5}$

$= \dfrac{\boxed{}}{5} = \boxed{}$

02 $3\frac{1}{2} \times 4\frac{6}{7} = \dfrac{\boxed{}}{2} \times \dfrac{\boxed{}}{7} = \boxed{}$

03 $2\frac{2}{3} \times 1\frac{1}{5} = \dfrac{\boxed{}}{3} \times \dfrac{\boxed{}}{5} = \dfrac{\boxed{} \times 2}{5}$

$= \dfrac{\boxed{}}{5} = \boxed{}$

04 $1\frac{3}{4} \times 2\frac{2}{5} = \dfrac{\boxed{}}{4} \times \dfrac{\boxed{}}{5} = \dfrac{\boxed{} \times 3}{5}$

$= \dfrac{\boxed{}}{5} = \boxed{}$

05 $1\frac{5}{6} \times 1\frac{3}{4} = \dfrac{\boxed{}}{6} \times \dfrac{\boxed{}}{4} = \dfrac{\boxed{}}{24}$

$= \boxed{}$

06 $3\frac{1}{3} \times 1\frac{4}{5} = \dfrac{\boxed{}}{3} \times \dfrac{\boxed{}}{5}$

$= 2 \times \boxed{} = \boxed{}$

07 $4\frac{2}{3} \times 2\frac{1}{7} = \dfrac{\boxed{}}{3} \times \dfrac{\boxed{}}{7}$

$= \boxed{} \times 5 = \boxed{}$

08 $2\frac{4}{5} \times 5\frac{5}{8} = \dfrac{\boxed{}}{5} \times \dfrac{\boxed{}}{8} = \dfrac{\boxed{} \times 9}{4}$

$= \dfrac{\boxed{}}{4} = \boxed{}$

09 $4\frac{1}{5} \times 5\frac{5}{6} = \dfrac{\boxed{}}{5} \times \dfrac{\boxed{}}{6} = \dfrac{7 \times \boxed{}}{2}$

$= \dfrac{\boxed{}}{2} = \boxed{}$

10 $2\frac{2}{9} \times 2\frac{5}{8} = \dfrac{\boxed{}}{9} \times \dfrac{\boxed{}}{8} = \dfrac{5 \times \boxed{}}{3 \times 2}$

$= \dfrac{\boxed{}}{6} = \boxed{}$

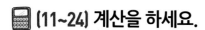 (11~24) 계산을 하세요.

11 $1\dfrac{1}{9} \times 2\dfrac{1}{10}$

12 $2\dfrac{1}{7} \times 2\dfrac{4}{5}$

13 $4\dfrac{2}{3} \times 3\dfrac{3}{7}$

14 $2\dfrac{1}{6} \times 1\dfrac{3}{13}$

15 $2\dfrac{1}{7} \times 3\dfrac{8}{9}$

16 $2\dfrac{5}{8} \times 1\dfrac{3}{14}$

17 $2\dfrac{7}{10} \times 4\dfrac{2}{9}$

18 $1\dfrac{1}{5} \times 1\dfrac{7}{12}$

19 $3\dfrac{3}{5} \times 2\dfrac{1}{12}$

20 $1\dfrac{1}{15} \times 2\dfrac{11}{12}$

21 $2\dfrac{2}{13} \times 1\dfrac{3}{14}$

22 $2\dfrac{2}{15} \times 1\dfrac{5}{16}$

23 $2\dfrac{4}{13} \times 3\dfrac{9}{10}$

24 $3\dfrac{7}{11} \times 3\dfrac{7}{16}$

구조화 하기

구조화 하기를 연습하면 서술형도 쉽게 풀어요

(25~36) 빈칸에 알맞은 수를 써넣으세요.

25
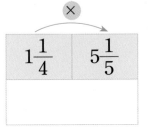

$1\frac{1}{4}$ | $5\frac{1}{5}$

29
$2\frac{2}{9}$ | $2\frac{2}{5}$

33
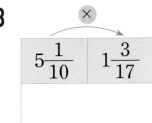

$5\frac{1}{10}$ | $1\frac{3}{17}$

26
$6\frac{3}{4}$ | $1\frac{5}{9}$

30
$4\frac{2}{7}$ | $1\frac{1}{6}$

34
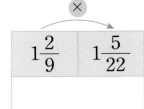

$1\frac{2}{9}$ | $1\frac{5}{22}$

27
$3\frac{1}{5}$ | $1\frac{7}{8}$

31
$4\frac{1}{6}$ | $2\frac{1}{10}$

35
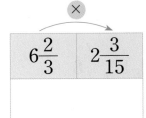

$6\frac{2}{3}$ | $2\frac{3}{15}$

28
$4\frac{3}{8}$ | $1\frac{5}{14}$

32
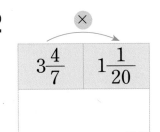

$3\frac{4}{7}$ | $1\frac{1}{20}$

36
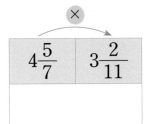

$4\frac{5}{7}$ | $3\frac{2}{11}$

서술형 풀어보기

구조화 해서 풀어보아요

37 수아네 고양이의 몸무게는 $6\frac{5}{12}$ kg이고, 민재네 개의 몸무게는 수아네 고양이 몸무게의 $2\frac{2}{7}$ 배라고 합니다. 민재네 개의 몸무게를 구해보세요.

[풀이 과정]

(1) 식을 세우면, $6\frac{5}{12} \times \boxed{}$ 입니다.

(2) 식을 계산 하면,

$$6\frac{5}{12} \times 2\frac{2}{7} = \frac{\boxed{}}{12} \times \frac{\boxed{}}{7} = \frac{11 \times \boxed{}}{3} = \frac{\boxed{}}{3} = \boxed{}$$

이므로 민재네 개의 몸무게는 $\boxed{}$ kg입니다.

$\times$	
$6\frac{5}{12}$	$2\frac{2}{7}$

💡 **(38~41) 풀이 과정을 쓰고 답을 구하세요.**

38 가로의 길이가 $5\frac{1}{4}$ cm이고, 세로의 길이가 $6\frac{6}{7}$ cm인 직사각형의 넓이를 구해보세요.

풀이 _____

답 _____ cm²

39 캠핑을 가서 물을 A반은 $6\frac{2}{5}$ L 사용했고, B반은 A반의 $2\frac{3}{16}$ 배를 사용했습니다. B반이 사용한 물의 양을 구해보세요.

풀이 _____

답 _____ L

40 밑변의 길이가 $5\frac{5}{8}$ cm이고, 높이가 $4\frac{4}{15}$ cm인 삼각형의 넓이를 구해보세요.

풀이 _____

답 _____ cm²

41 계산 결과가 더 큰 것의 기호를 쓰세요.

$3\frac{1}{8} \times 2\frac{2}{15}$	$4\frac{1}{2} \times 1\frac{7}{18}$
(가)	(나)

풀이 _____

답 _____

💡 **연마 Check** 칭찬이나 노력할 점을 써 주세요.

맞힌 개수	지도 의견		확인란
개	나의 생각		

세 분수의 곱셈①

월   일

○ $\frac{1}{5} \times \frac{3}{4} \times \frac{5}{6}$ 의 계산

방법① 앞에서부터 차례로 두 분수씩 곱하기	방법② 먼저 약분한 후에 한꺼번에 곱하기	방법③ 분자와 분모를 한꺼번에 곱하는 과정에서 약분하기

방법① 앞에서부터 차례로 두 분수씩 곱하기

$$\frac{1}{5} \times \frac{3}{4} = \frac{3}{20},$$

$$\frac{3}{20} \times \frac{5}{6} = \frac{1}{4 \times 2} = \frac{1}{8}$$

방법② 먼저 약분한 후에 한꺼번에 곱하기

$$\frac{1}{5} \times \frac{3}{4} \times \frac{5}{6} = \frac{1}{4 \times 2} = \frac{1}{8}$$

방법③ 분자와 분모를 한꺼번에 곱하는 과정에서 약분하기

$$\frac{1}{5} \times \frac{3}{4} \times \frac{5}{6} = \frac{1 \times 3 \times 5}{5 \times 4 \times 6}$$

$$= \frac{1}{4 \times 2} = \frac{1}{8}$$

⧗ (01~12) 계산을 하세요.

01 $\frac{1}{6} \times \frac{3}{5} \times \frac{10}{11}$

02 $\frac{3}{10} \times \frac{1}{8} \times \frac{4}{9}$

03 $\frac{1}{4} \times \frac{2}{5} \times \frac{8}{9}$

04 $\frac{5}{8} \times \frac{7}{10} \times \frac{6}{7}$

05 $\frac{5}{9} \times \frac{5}{12} \times \frac{9}{10}$

06 $\frac{3}{8} \times \frac{5}{6} \times \frac{7}{10}$

07 $\frac{2}{3} \times \frac{7}{12} \times \frac{3}{14}$

08 $\frac{7}{10} \times \frac{5}{14} \times \frac{6}{7}$

09 $\frac{7}{8} \times \frac{4}{5} \times \frac{10}{21}$

10 $\frac{3}{4} \times \frac{5}{9} \times \frac{3}{20}$

11 $\frac{3}{10} \times \frac{7}{15} \times \frac{4}{21}$

12 $\frac{4}{5} \times \frac{7}{12} \times \frac{5}{14}$

📱 **(13~30) 계산을 하세요.**

13 $\dfrac{3}{7} \times \dfrac{14}{15} \times \dfrac{5}{9}$

14 $\dfrac{5}{12} \times \dfrac{9}{10} \times \dfrac{6}{7}$

15 $\dfrac{1}{3} \times \dfrac{7}{10} \times \dfrac{5}{28}$

16 $\dfrac{4}{5} \times \dfrac{3}{8} \times \dfrac{5}{12}$

17 $\dfrac{3}{20} \times \dfrac{5}{9} \times \dfrac{16}{17}$

18 $\dfrac{5}{6} \times \dfrac{12}{13} \times \dfrac{7}{15}$

19 $\dfrac{7}{11} \times \dfrac{5}{6} \times \dfrac{9}{14}$

20 $\dfrac{8}{15} \times \dfrac{11}{12} \times \dfrac{3}{22}$

21 $\dfrac{14}{15} \times \dfrac{3}{7} \times \dfrac{5}{16}$

22 $\dfrac{9}{14} \times \dfrac{7}{8} \times \dfrac{7}{27}$

23 $\dfrac{24}{25} \times \dfrac{15}{16} \times \dfrac{5}{8}$

24 $\dfrac{5}{7} \times \dfrac{21}{40} \times \dfrac{4}{15}$

25 $\dfrac{4}{5} \times \dfrac{7}{10} \times \dfrac{9}{14}$

26 $\dfrac{11}{14} \times \dfrac{5}{9} \times \dfrac{7}{33}$

27 $\dfrac{5}{16} \times \dfrac{14}{15} \times \dfrac{6}{7}$

28 $\dfrac{13}{14} \times \dfrac{3}{8} \times \dfrac{28}{39}$

29 $\dfrac{2}{7} \times 8 \times \dfrac{14}{30}$

30 $\dfrac{5}{6} \times \dfrac{16}{25} \times 10$

구조화 하기

구조화 하기를 연습하면 서술형도 쉽게 풀어요

📖 (31~40) 빈칸에 세 수의 곱을 써넣으세요.

31

$\dfrac{3}{4}$	$\dfrac{5}{9}$	$\dfrac{3}{10}$

36

$\dfrac{3}{7}$	$\dfrac{9}{10}$	14

32

$\dfrac{2}{9}$	$\dfrac{7}{12}$	$\dfrac{3}{14}$

37

$\dfrac{7}{10}$	$\dfrac{3}{11}$	22

33

$\dfrac{7}{15}$	$\dfrac{5}{16}$	$\dfrac{8}{21}$

38

$\dfrac{17}{20}$	$\dfrac{15}{34}$	$\dfrac{3}{7}$

34

$\dfrac{8}{25}$	$\dfrac{15}{16}$	$\dfrac{9}{10}$

39

$\dfrac{9}{14}$	27	$\dfrac{7}{18}$

35

$\dfrac{12}{17}$	$\dfrac{7}{8}$	$\dfrac{2}{3}$

40

$\dfrac{8}{15}$	$\dfrac{9}{14}$	$\dfrac{7}{10}$

41 $\left(\dfrac{5}{8} \times \dfrac{2}{15}\right) \times \dfrac{6}{7}$ 과 $\dfrac{5}{8} \times \left(\dfrac{2}{15} \times \dfrac{6}{7}\right)$ 의 계산 결과의 크기를 비교하세요.

풀이 과정

(1) $\left(\dfrac{5}{8} \times \dfrac{2}{15}\right) \times \dfrac{6}{7} = \dfrac{\square}{12} \times \dfrac{6}{7} = \square$

(2) $\dfrac{5}{8} \times \left(\dfrac{2}{15} \times \dfrac{6}{7}\right) = \dfrac{5}{8} \times \dfrac{\square}{35} = \square$

(3) 크기 비교: $\left(\dfrac{5}{8} \times \dfrac{2}{15}\right) \times \dfrac{6}{7}$ ○ $\dfrac{5}{8} \times \left(\dfrac{2}{15} \times \dfrac{6}{7}\right)$

- 소괄호가 있을 땐, 소괄호 안 부터 계산합니다.
- 세 자연수의 곱셈과 마찬가지로, 세 분수의 곱셈도 곱하는 순서를 달리해도 계산 결과는 [같습니다 / 다릅니다].

💡 **(42~45) 풀이 과정을 쓰고 답을 구하세요.**

42 남학생 20명 가운데 $\dfrac{3}{5}$ 은 흰 양말을 신었습니다. 흰 양말을 신은 남학생 가운데 $\dfrac{2}{3}$ 는 축구를 좋아합니다. 흰 양말을 신고 축구를 좋아하는 남학생은 몇 명일까요?

풀이 _____

답 _____ 명

43 $\dfrac{14}{15}$ L의 우유 가운데 $\dfrac{20}{21}$ 을 병에 담았습니다. 병에 담은 우유의 $\dfrac{3}{4}$ 을 친구들과 나눠마셨을 때, 마신 우유는 몇 L일까요?

풀이 _____

답 _____ L

44 어느 미술관의 화요일 관람객 400명의 $\dfrac{5}{7}$ 가 여자였고, 그 가운데 $\dfrac{7}{20}$ 이 어린이였다고 합니다. 이날 미술관을 찾은 여자 어린이는 몇 명일까요?

풀이 _____

답 _____ 명

45 (가)와 (나) 가운데 더 큰 것의 기호를 쓰세요.

$$\dfrac{7}{12} \times \dfrac{15}{16} \times \dfrac{5}{14}$$
(가)

$$\dfrac{4}{5} \times \dfrac{2}{3} \times \dfrac{9}{10}$$
(나)

풀이 _____

답 _____

👍 연마 *Check* 칭찬이나 노력할 점을 써 주세요.

맞힌 개수	지도 의견		확인란
개	나의 생각		

세 분수의 곱셈②

월 일

○ $1\frac{3}{4} \times \frac{2}{7} \times 1\frac{3}{5}$의 계산

순서1 대분수를 가분수로 고칩니다.

$$1\frac{3}{4} \times \frac{2}{7} \times 1\frac{3}{5} = \frac{7}{4} \times \frac{2}{7} \times \frac{8}{5}$$

순서2 약분을 한 뒤, 곱합니다.

$$\frac{7}{4} \times \frac{2}{7} \times \frac{\overset{2}{\cancel{8}}}{5} = \frac{4}{5}$$

○ $\frac{5}{6} \times \left(\frac{2}{3} + \frac{2}{5}\right)$의 계산

순서1 소괄호가 있는 계산부터 합니다.

$$\left(\frac{2}{3} + \frac{2}{5}\right) = \frac{10+6}{15} = \frac{16}{15}$$

순서2 나머지 분수와 곱셈을 합니다.

$$\frac{\overset{}{\cancel{5}}}{\underset{3}{\cancel{6}}} \times \frac{\overset{8}{\cancel{16}}}{\underset{3}{\cancel{15}}} = \frac{8}{9}$$

⏳ **[01~08] 계산을 하세요.**

01 $\frac{3}{5} \times 2\frac{1}{3} \times 1\frac{5}{7}$

05 $\frac{1}{3} \times \left(\frac{1}{2} + \frac{4}{5}\right)$

02 $4\frac{2}{5} \times \frac{1}{6} \times 2\frac{2}{11}$

06 $\frac{3}{4} \times \left(\frac{1}{5} + \frac{2}{3}\right)$

03 $1\frac{1}{6} \times 1\frac{5}{7} \times \frac{8}{33}$

07 $\frac{6}{7} \times \left(\frac{2}{3} + \frac{1}{4}\right)$

04 $3\frac{3}{5} \times 15 \times \frac{2}{9}$

08 $1\frac{2}{5} \times \left(\frac{1}{2} + \frac{2}{7}\right)$

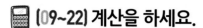 **(09~22) 계산을 하세요.**

09 $3\dfrac{3}{4} \times \dfrac{4}{7} \times 2\dfrac{4}{5}$

10 $2\dfrac{4}{9} \times 3\dfrac{3}{5} \times 1\dfrac{1}{2}$

11 $4 \times 5\dfrac{5}{8} \times \dfrac{7}{15}$

12 $3\dfrac{1}{8} \times 3\dfrac{1}{5} \times \dfrac{2}{9}$

13 $2\dfrac{3}{11} \times \dfrac{11}{15} \times 6$

14 $\dfrac{5}{9} \times 3\dfrac{3}{5} \times 1\dfrac{1}{6}$

15 $2\dfrac{6}{7} \times 1\dfrac{1}{10} \times 1\dfrac{3}{11}$

16 $\dfrac{4}{7} \times \left(\dfrac{2}{5} + \dfrac{3}{4} \right)$

17 $1\dfrac{1}{5} \times \left(\dfrac{2}{9} + 3\dfrac{1}{2} \right)$

18 $2\dfrac{4}{5} \times \left(\dfrac{3}{7} - \dfrac{1}{4} \right)$

19 $1\dfrac{7}{8} \times \left(2\dfrac{2}{3} + 1\dfrac{1}{5} \right)$

20 $2\dfrac{2}{9} \times \left(2\dfrac{1}{4} - \dfrac{4}{5} \right)$

21 $4\dfrac{2}{7} \times \left(\dfrac{2}{5} + 3\dfrac{1}{3} \right)$

22 $2\dfrac{5}{8} \times \left(3\dfrac{3}{7} - 1\dfrac{5}{6} \right)$

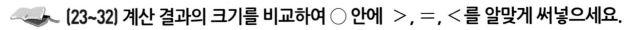

(23~32) 계산 결과의 크기를 비교하여 ○ 안에 >, =, <를 알맞게 써넣으세요.

23 $\dfrac{5}{8} \times \dfrac{7}{12} \times 3\dfrac{1}{5}$ ○ $\dfrac{3}{7} \times \left(\dfrac{1}{6} + \dfrac{3}{4} \right)$

28 $1\dfrac{1}{7} \times \dfrac{5}{6} \times \dfrac{7}{10}$ ○ $1\dfrac{1}{7} \times \left(3\dfrac{1}{6} - 1\dfrac{3}{4} \right)$

24 $1\dfrac{3}{4} \times \dfrac{11}{14} \times \dfrac{10}{11}$ ○ $\dfrac{7}{8} \times \left(4 - 1\dfrac{4}{5} \right)$

29 $\dfrac{7}{8} \times 12 \times 2\dfrac{5}{7}$ ○ $5\dfrac{1}{4} \times \left(\dfrac{2}{3} + 1\dfrac{6}{7} \right)$

25 $3\dfrac{1}{8} \times \dfrac{14}{15} \times 10$ ○ $1\dfrac{5}{9} \times \left(4\dfrac{2}{3} - 1\dfrac{2}{7} \right)$

30 $\dfrac{8}{11} \times \dfrac{3}{4} \times \dfrac{11}{16}$ ○ $4\dfrac{1}{2} \times \left(2\dfrac{1}{18} - \dfrac{5}{6} \right)$

26 $\dfrac{5}{7} \times 6 \times 2\dfrac{6}{25}$ ○ $3\dfrac{1}{9} \times \left(1\dfrac{13}{14} - \dfrac{3}{4} \right)$

31 $2\dfrac{1}{12} \times 1\dfrac{2}{5} \times 2\dfrac{1}{10}$ ○ $4\dfrac{2}{3} \times \left(\dfrac{5}{7} + 2\dfrac{1}{2} \right)$

27 $5\dfrac{1}{7} \times \dfrac{7}{9} \times 3\dfrac{3}{8}$ ○ $2\dfrac{1}{12} \times \left(\dfrac{7}{15} + 1\dfrac{4}{5} \right)$

32 $\dfrac{7}{15} \times 1\dfrac{13}{14} \times 1\dfrac{7}{9}$ ○ $2\dfrac{4}{9} \times \left(2\dfrac{3}{11} + 2\dfrac{1}{2} \right)$

서술형 풀어보기

구조화 해서 풀어보아요

33 세로의 길이가 $2\frac{4}{5}$ cm, 가로의 길이가 $6\frac{1}{2}$ cm인 직사각형의 가로의 길이를 $1\frac{3}{7}$ cm를 줄여 새로운 직사각형을 만들었습니다. 새로운 직사각형의 넓이를 구해보세요.

풀이 과정

(1) (새로운 직사각형의 가로)

$$= 6\frac{1}{2} - \boxed{} = \boxed{} \text{ cm입니다.}$$

(2) 그러므로 (새로운 직사각형의 넓이)

$$= \boxed{} \times 2\frac{4}{5} = \boxed{} \text{ cm}^2\text{입니다.}$$

- 전체 식: $2\frac{4}{5} \times \left(6\frac{1}{2} - \boxed{} \right)$

- $6\frac{1}{2} - 1\frac{3}{7} = \dfrac{\boxed{} - \boxed{}}{14} = \dfrac{\boxed{}}{14} = \boxed{}$

- $5\frac{1}{14} \times 2\frac{4}{5} = \dfrac{\boxed{}}{14} \times \dfrac{\boxed{}}{5} = \dfrac{\boxed{}}{5} = \boxed{}$

💡 **(34~37) 풀이 과정을 쓰고 답을 구하세요.**

34 빈칸에 알맞은 수를 써넣으세요.

$$\left(2\frac{1}{4} + \frac{2}{3} \right) \times 1\frac{1}{5} = \boxed{}$$

풀이 _____

35 지난주에 180쪽의 수학 문제집을 $\frac{1}{6}$만큼을 풀었습니다. 이번 주에는 지난주에 풀었던 쪽수의 $1\frac{3}{5}$을 풀려고 합니다. 이번 주엔 몇 쪽을 풀어야 할까요?

풀이 _____

답 _____ 쪽

36 지민이는 병에 든 $1\frac{1}{5}$ L의 우유 가운데 $\frac{3}{10}$을 마신 뒤, 마신 우유 양의 $3\frac{1}{8}$만큼의 물을 마셨습니다. 지민이가 마신 물의 양을 구해보세요.

풀이 _____

답 _____ L

37 형이 만든 떡 $8\frac{4}{9}$ kg 가운데 $\frac{3}{5}$을 동생에게 주었고 동생도 떡을 해서, 형에게 받았던 양의 $3\frac{3}{4}$만큼의 떡을 형에게 주었습니다. 형이 동생에게 받은 떡은 몇 kg일까요?

풀이 _____

답 _____ kg

👆 **연마 Check** 칭찬이나 노력할 점을 써 주세요.

맞힌 개수	지도 의견		
개	나의 생각		확인란

도형의 합동

 월 일

● 합동: 모양과 크기가 같아서 포개었을 때 완전히 겹치는 두 도형

예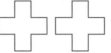

● 서로 합동인 도형 만들기

① 직사각형을 두 조각으로 잘라 합동인 도형 2개 만들기

 예

② 직사각형을 네 조각으로 잘라 합동인 도형 4개 만들기

 예

핵심 포인트

- 합동이 아닌 경우
  : 모양은 같지만 크기가 다르면 합동이 아닙니다.

예

- 합동인 도형 그리기
  ① 모눈종이의 칸 수를 세어 주어진 도형의 꼭짓점과 같은 위치에 점을 찍습니다.
  ② 찍은 점들을 선으로 잇습니다.

⏳ (01~02) 왼쪽 도형과 합동인 도형을 찾아 보세요.

01

( )

02

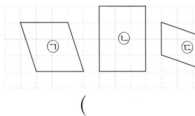

( )

⏳ (03~04) 서로 합동인 두 도형을 찾아 기호를 쓰세요.

03

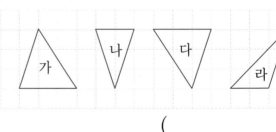

( )

04

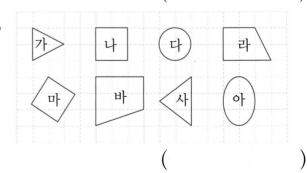

( )

도형 이해하기

[05~13] 도형을 보고 물음에 답하세요.

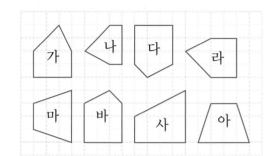

05 도형 가와 합동인 도형을 쓰세요.
( )

06 도형 나와 합동인 도형을 쓰세요.
( )

07 도형 다와 합동인 도형을 쓰세요.
( )

08 도형 라와 합동인 도형을 쓰세요.
( )

09 도형 마와 합동인 도형을 쓰세요.
( )

10 도형 바와 합동인 도형을 쓰세요.
( )

11 도형 사와 합동인 도형을 쓰세요.
( )

12 도형 아와 합동인 도형을 쓰세요.
( )

13 서로 합동인 두 도형은 모두 몇 쌍인
지 구하세요.
( )

[14~19] 도형을 잘라 합동인 도형을 만들려
고 합니다. 자르는 선을 알맞게 그어 보세요.

14 합동인 사각형 3개

15 합동인 사각형 4개

16 합동인 삼각형 4개

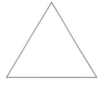

17 합동인 사각형 2개

18 합동인 삼각형 3개

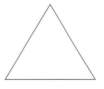

19 합동인 삼각형 6개

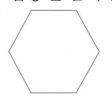

도형 이해하기

(20~26) 점선을 따라 잘랐을 때 잘린 도형이 모두 합동인 것에 ○표 하세요.

(27~33) 왼쪽 도형과 합동인 도형을 그려보세요.

20 ①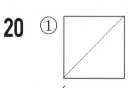

( )　　( )

27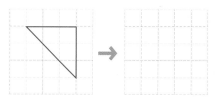

21 ①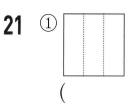

( )　　( )

28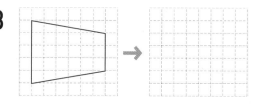

22 ① ② ③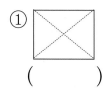

( )　( )　( )

29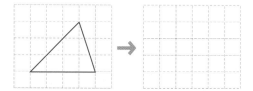

23 ① ② ③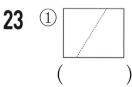

( )　( )　( )

30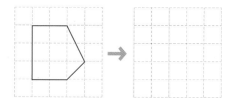

24 ① ② ③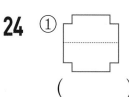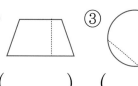

( )　( )　( )

31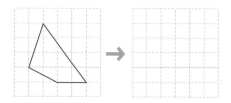

25 ① ② ③

( )　( )　( )

32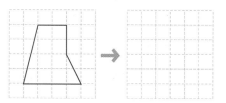

26 ① ② ③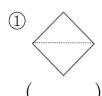

( )　( )　( )

33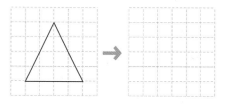

서술형 풀어보기

구조화 해서 풀어보아요

34 다음 직사각형을 점선을 따라 잘랐을 때 합동인 도형은 모두 몇 쌍일까요?

| 가 | 나 | 라 | 마 | 사 |
| | | 다 | 바 | 아 |

(풀이 과정)

(1) 점선을 따라 자른 도형까지 포개었을 때 완전히 겹쳐지는 도형을 찾으면 가와 ☐, 다와 ☐, 마와 ☐, 사와 ☐ 도형이 짝이 됩니다.

(2) 그러므로 합동인 도형은 모두 ☐ 쌍입니다.

💡 **(35~38) 풀이 과정을 쓰고 답을 구하세요.**

35 다음 두 도형이 서로 합동이 <u>아닌</u> 이유를 설명하세요.

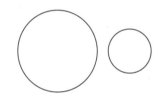

답 _____

37 정오각형을 서로 합동인 두 도형으로 자르는 방법은 모두 몇 가지인가요?

풀이 _____

답 _____ 가지

36 다음 육각형을 점선을 따라 잘랐을 때 만들어지는 두 도형이 서로 합동이 되는 점선을 모두 찾아 그 기호를 쓰세요.

풀이 _____

답 _____

38 정사각형을 점선을 따라 잘랐습니다. 서로 합동인 도형은 모두 몇 쌍일까요?

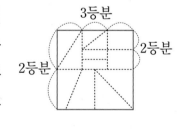

풀이 _____

답 _____ 쌍

🖐 **연마 Check** 칭찬이나 노력할 점을 써 주세요.

| 맞힌 개수 | 지도 의견 | | 확인란 |
| 개 | 나의 생각 | | |

합동인 도형의 성질

월 일

○ 대응점, 대응변, 대응각

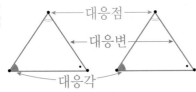

➡ 대응점: 합동인 두 도형을 완전히 포개었을 때 겹쳐지는 점
➡ 대응변: 합동인 두 도형을 완전히 포개었을 때 겹쳐지는 변
➡ 대응각: 합동인 두 도형을 완전히 포개었을 때 겹쳐지는 각

 핵심 포인트

• 서로 합동인 두 삼각형에서 대응점, 대응변, 대응각은 각각 3쌍씩 있습니다.

• 합동인 두 도형의 성질
① 합동인 두 도형에서 대응변의 길이는 서로 같습니다.
② 합동인 두 도형에서 대응각의 크기는 서로 같습니다.

⏳ **[01~02] 빈칸 안에 알맞은 말을 써넣으세요.**

01 합동인 두 도형을 완전히 포개었을 때 겹쳐지는 점을 ▢, 겹쳐지는 변을 ▢, 겹쳐지는 각을 ▢이라고 합니다.

02 ① 합동인 두 도형에서 ▢의 길이는 서로 같습니다.
② 합동인 두 도형에서 ▢의 크기는 서로 같습니다.

⏳ **[03~05] 합동인 두 삼각형입니다. 빈칸을 채우세요.**

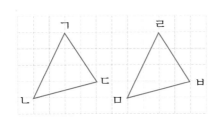

03 점 ㄴ의 대응점은 점 ▢입니다.

04 변 ㄴㄷ의 대응변은 변 ▢입니다.

05 각 ㄴㄷㄱ의 대응각은 각 ▢입니다.

⏳ **[06~09] 합동인 두 사각형입니다. 빈칸을 채우세요.**

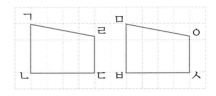

06 점 ㄷ의 대응점은 점 ▢입니다.

07 변 ㄴㄷ의 대응변은 변 ▢입니다.

08 각 ㄴㄱㄹ의 대응각은 각 ▢입니다.

09 합동인 두 사각형에서 대응점은 ▢쌍, 대응변은 ▢쌍, 대응각은 ▢쌍입니다.

10 두 삼각형은 합동입니다. 대응변끼리 바르게 짝지은 것을 모두 찾아 기호를 쓰세요.

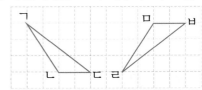

㉠ 변 ㄴㄷ과 변 ㄹㅁ ㉡ 변 ㄷㄱ과 변 ㅁㄹ
㉢ 변 ㅂㄹ과 변 ㄷㄱ ㉣ 변 ㅁㅂ과 변 ㄷㄱ

( )

도형 이해하기

정확하게 풀어보아요

(11~22) 두 사각형은 합동입니다. 물음에 답하세요.

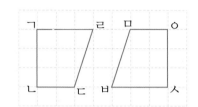

11 점 ㄱ의 대응점을 구하세요.
( )

12 변 ㄱㄹ의 대응변을 구하세요.
( )

13 각 ㄹㄱㄴ의 대응각을 구하세요.
( )

14 점 ㄴ의 대응점을 구하세요.
( )

15 변 ㄴㄷ의 대응변을 구하세요.
( )

16 각 ㄱㄴㄷ의 대응각을 구하세요.
( )

17 점 ㄷ의 대응점을 구하세요.
( )

18 변 ㄷㄹ의 대응변을 구하세요.
( )

19 각 ㄱㄹㄷ의 대응각을 구하세요.
( )

20 점 ㄹ의 대응점을 구하세요.
( )

21 변 ㄱㄴ의 대응변을 구하세요.
( )

22 각 ㄴㄷㄹ의 대응각을 구하세요.
( )

(23~34) 두 사각형은 합동입니다. 물음에 답하세요.

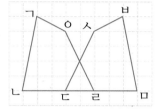

23 점 ㄱ의 대응점을 구하세요.
( )

24 변 ㄱㄴ의 대응변을 구하세요.
( )

25 각 ㄱㄴㄷ의 대응각을 구하세요.
( )

26 점 ㄴ의 대응점을 구하세요.
( )

27 변 ㄴㄹ의 대응변을 구하세요.
( )

28 각 ㄴㄹㅇ의 대응각을 구하세요.
( )

29 점 ㄷ의 대응점을 구하세요.
( )

30 변 ㄷㅅ의 대응변을 구하세요.
( )

31 각 ㄷㅅㅂ 대응각을 구하세요.
( )

32 점 ㅇ의 대응점을 구하세요.
( )

33 변 ㅇㄱ의 대응변을 구하세요.
( )

34 각 ㅇㄱㄴ의 대응각을 구하세요.
( )

📱 **(35~38)** 두 삼각형은 합동입니다. 물음에 답하세요.

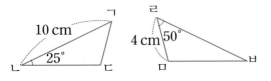

35 변 ㄱㄷ의 길이를 구하세요.

( )

36 각 ㄹㅂㅁ의 크기를 구하세요.

( )

37 변 ㄹㅂ의 길이를 구하세요.

( )

38 각 ㄴㄱㄷ의 크기를 구하세요.

( )

📱 **(39~42)** 두 삼각형은 합동입니다. 물음에 답하세요.

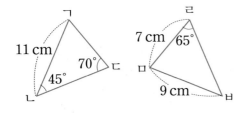

39 변 ㄱㄷ의 길이를 구하세요.

( )

40 각 ㄴㄱㄷ의 크기를 구하세요.

( )

41 변 ㄴㄷ의 길이를 구하세요.

( )

42 각 ㄹㅁㅂ의 크기를 구하세요.

( )

📱 **(43~46)** 두 사각형은 합동입니다. 물음에 답하세요.

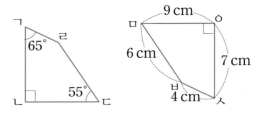

43 변 ㄱㄴ의 길이를 구하세요.

( )

44 각 ㅇㅁㅂ의 크기를 구하세요.

( )

45 변 ㄱㄹ의 길이를 구하세요.

( )

46 각 ㅂㅅㅇ의 크기를 구하세요.

( )

📱 **(47~50)** 두 사각형은 합동입니다. 물음에 답하세요.

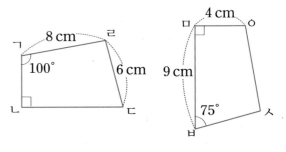

47 변 ㄱㄴ의 길이를 구하세요.

( )

48 각 ㄴㄷㄹ의 크기를 구하세요.

( )

49 변 ㄴㄷ의 길이를 구하세요.

( )

50 각 ㄷㄹㄱ의 크기를 구하세요.

( )

51 서로 합동인 삼각형 ㄷㄹㄴ과 삼각형 ㄱㄹㅁ을 그림과 같이 겹치지 않게 이어 붙였을 때 선분 ㄱㄴ의 길이를 구하세요.

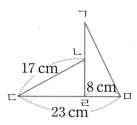

17 cm
8 cm
23 cm

(풀이 과정)

(1) 변 ㄷㄹ의 대응변은 변 ☐ 입니다.

(2) 변 ㅁㄹ의 대응변은 변 ☐ 입니다.

(3) 변 ㄷㄹ의 길이는 $23-8=$ ☐ (cm)입니다.

(4) 변 ㄴㄹ의 길이는 ☐ (cm)입니다.

(5) 따라서 선분 ㄱㄴ의 길이는 ☐ (cm)입니다.

💡 **(52~55) 풀이 과정을 쓰고 답을 구하세요.**

52 두 사각형은 합동이고 한 사각형의 둘레는 19cm라고 할 때, 변 ㅇㅅ의 길이를 구하세요.

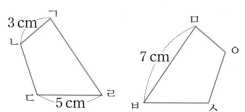

3 cm
5 cm
7 cm

풀이 _____

답 _____ cm

53 두 삼각형은 합동입니다. 각 ㄴㄱㄷ의 크기를 구하세요.

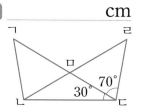

30° 70°

풀이 _____

답 _____

54 두 직사각형은 합동이고, 한 직사각형의 넓이는 98 cm²입니다. 변 ㅇㅅ의 길이를 구하세요.

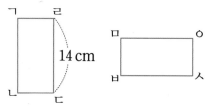

14 cm

풀이 _____

답 _____

55 두 삼각형은 합동이고 이등변삼각형입니다. 각 ㅁㄹㅂ의 크기를 구하세요.

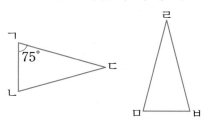

75°

풀이 _____

답 _____

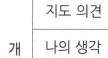

연마 Check   칭찬이나 노력할 점을 써 주세요.

맞힌 개수	지도 의견	
개	나의 생각	확인란

선대칭도형과 그 성질 ①

월   일

○ 한 직선을 따라 접어서 완전히 겹쳐지는 도형을 선대칭도형이라고 하며, 이때 그 직선을 대칭축이라고 합니다.

대칭축

● 핵심 포인트

・선대칭도형에서 대칭축의 수는 도형의 모양에 따라 달라집니다.

・선대칭도형에서 대칭축에 의해 나누어지는 두 도형은 서로 합동입니다.
・대칭축이 여러 개일 때 모든 대칭축은 한 점에서 만납니다.

○ 선대칭도형의 성질

① 대응변 길이와 대응각의 크기는 각각 같습니다.

② 대응점을 이은 선분은 대칭축과 수직으로 만납니다.

③ 대칭축은 대응점을 이은 선분을 둘로 똑같이 나누므로 각각의 대응점에서 대칭축까지의 거리는 같습니다.

---

01 선대칭도형을 모두 찾아 기호를 쓰세요.

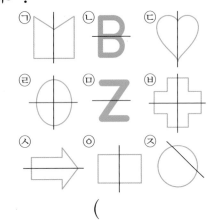

(   )

02 접었을 때 완전히 포개어지는 도형의 기호를 모두 찾아 쓰세요.

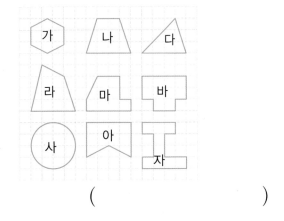

(   )

⏳ **(03~04)** 그림과 같이 반으로 접은 색종이를 그린 모양에 따라 오렸을 때 오린 모양을 보고 물음에 답하세요.

03 오린 모양은 접었을 때 완전히 [겹쳐집니다 / 겹쳐지지 않습니다].

04 오린 모양을 펼쳐 보면 왼쪽과 오른쪽 모양이 [같습니다 / 다릅니다].

⏳ **(05~07)** 빈칸에 알맞은 말을 써넣으세요.

05 한 직선을 따라 접어서 완전히 겹쳐지는 도형을 □□□□□이라고 하며, 이때 그 직선을 □□□이라고 합니다.

06 선대칭도형의 성질에서 □□□의 길이와 □□□의 크기는 각각 같습니다.

07 선대칭도형의 성질에서 대응점을 이은 선분은 대칭축과 □□으로 만납니다.

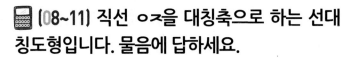

정확하게 풀어보아요

[08~11] 직선 ㅇㅈ을 대칭축으로 하는 선대칭도형입니다. 물음에 답하세요.

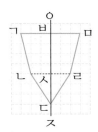

08 변 ㄴㄷ의 대응변을 구하세요.

( )

09 각 ㅂㄱㄴ의 대응각을 구하세요.

( )

10 선분 ㄴㄹ이 대칭축과 만나서 이루는 각의 크기를 구하세요. ( )

11 선분 ㄴㅅ과 길이가 같은 선분을 구하세요.

( )

[12~15] 직선 ㅅㅇ을 대칭축으로 하는 선대칭도형입니다. 물음에 답하세요.

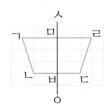

12 점 ㄱ의 대응점을 구하세요.

( )

13 변 ㄱㅁ의 대응변을 구하세요.

( )

14 각 ㄱㄴㅂ의 대응각을 구하세요.

( )

15 선분 ㄹㄱ이 대칭축과 만나서 이루는 각의 크기를 구하세요.

( )

[16~19] 직선 ㅇㅅ을 대칭축으로 하는 선대칭도형입니다. 물음에 답하세요.

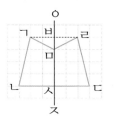

16 변 ㄱㄴ의 대응변을 구하세요.

( )

17 각 ㅁㄱㄴ의 대응각을 구하세요.

( )

18 선분 ㄴㄷ이 대칭축과 만나서 이루는 각의 크기를 구하세요. ( )

19 선분 ㄴㅅ과 길이가 같은 선분을 구하세요.

( )

[20~23] 직선 ㅈㅊ을 대칭축으로 하는 선대칭도형입니다. 물음에 답하세요.

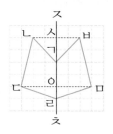

20 점 ㄷ의 대응점을 구하세요.

( )

21 변 ㄱㄴ의 대응변을 구하세요.

( )

22 각 ㄷㄹㄱ의 대응각을 구하세요.

( )

23 선분 ㄴㅂ이 대칭축과 만나서 이루는 각의 크기를 구하세요.

( )

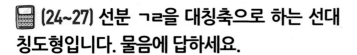

(24~27) 선분 ㄱㄹ을 대칭축으로 하는 선대칭도형입니다. 물음에 답하세요.

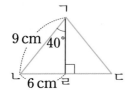

24 변 ㄱㄷ의 길이를 구하세요.

( )

25 각 ㄷㄱㄹ의 크기를 구하세요.

( )

26 변 ㄴㄷ의 길이를 구하세요.

( )

27 각 ㄱㄷㄹ의 크기를 구하세요.

( )

(28~31) 선분 ㄱㄹ을 대칭축으로 하는 선대칭도형입니다. 물음에 답하세요.

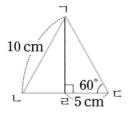

28 변 ㄱㄷ의 길이를 구하세요.

( )

29 각 ㄱㄴㄹ의 크기를 구하세요.

( )

30 변 ㄴㄹ의 길이를 구하세요.

( )

31 각 ㄴㄱㄹ의 크기를 구하세요.

( )

(32~35) 직선 ㅅㅇ을 대칭축으로 하는 선대칭도형입니다. 물음에 답하세요.

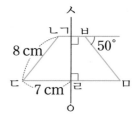

32 변 ㅂㅁ의 길이를 구하세요.

( )

33 각 ㄴㄷㄹ의 크기를 구하세요.

( )

34 변 ㅁㄹ의 길이를 구하세요.

( )

35 각 ㄱㄴㄷ의 크기를 구하세요.

( )

(36~39) 직선 ㅅㅇ을 대칭축으로 하는 선대칭도형입니다. 물음에 답하세요.

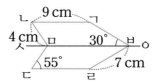

36 변 ㄷㄹ의 길이를 구하세요.

( )

37 각 ㄱㄴㅁ의 크기를 구하세요.

( )

38 선분 ㄷㅁ의 길이를 구하세요.

( )

39 각 ㅁㅂㄹ의 크기를 구하세요.

( )

서술형 풀어보기

구조화 해서 풀어보아요

40 선분 ㄱㄴ을 대칭축으로 하는 선대칭도형입니다. 이 도형의 둘레의 길이를 구하세요.

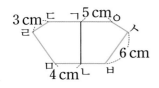

풀이 과정

(1) 변 ㄱㄷ의 대응변은 변 ☐ 이므로 ☐ (cm)입니다.

(2) 변 ㄹㅁ의 대응변은 변 ☐ 이므로 ☐ (cm)입니다.

(3) 변 ㄴㅂ의 대응변은 변 ☐ 이므로 ☐ (cm)입니다.

(4) 변 ㅇㅅ의 대응변은 변 ☐ 이므로 ☐ (cm)입니다.

(5) 따라서 이 선대칭도형의 둘레는 ☐ (cm)입니다.

💡 **(41~44) 풀이 과정을 쓰고 답을 구하세요.**

41 그림의 도형이 선대칭도형이 될 수 없는 이유를 쓰세요.

답 _____

43 직선 ㅇㅈ을 대칭축으로 하는 선대칭도형입니다. 선분 ㄹㅂ의 길이와 각 ㅁㄱㄴ의 크기를 구하세요.

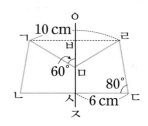

풀이 _____

답 _____

42 선분 ㄴㄹ을 대칭축으로 하는 선대칭도형입니다. 선분 ㄱㄷ의 길이가 12cm이고 선분 ㄴㄹ의 길이가 18cm일 때, 사각형 ㄱㄴㄷㄹ의 넓이를 구하세요.

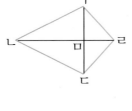

풀이 _____

답 _____ cm²

44 선분 ㄱㄹ을 대칭축으로 하는 선대칭도형입니다. 정오각형 ㄱㄴㄷㅁㅂ의 둘레가 50cm일 때 변 ㄷㄹ의 길이를 구하세요.

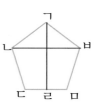

풀이 _____

답 _____ cm

🖐 연마 Check   칭찬이나 노력할 점을 써 주세요.

맞힌 개수		지도 의견		확인란
	개	나의 생각		

3 단계

선대칭도형과 그 성질 ②

○ 선대칭도형 그리기

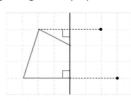 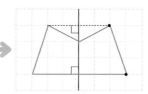

① 각 점에서 대칭축에 수선을 긋습니다.

② 각 점에서 대칭축까지의 거리가 같도록 수선 위에 각 점의 대응점을 찍습니다.

③ 대응점끼리 모두 이어 선대칭도형을 완성합니다.

핵심포인트

• 원의 대칭축

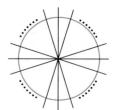

원의 중심을 지나는 어떤 직선을 따라 접어도 완전히 겹쳐지므로 원의 대칭축은 수없이 많습니다.

⏳ **(01~04) 물음에 답하세요.**

01 도형을 주어진 직선을 따라 접었을 때 완전히 겹쳐지지 <u>않는</u> 도형을 모두 찾아 기호를 쓰세요.

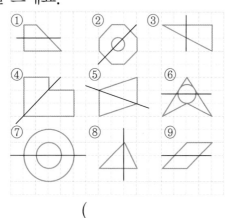

( )

02 다음 선대칭도형의 대칭축을 잘못 그린 것의 기호를 모두 찾아 쓰세요.

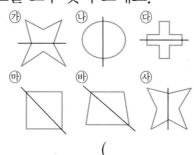

( )

03 선대칭도형이 안 되는 것의 기호를 모두 찾아 쓰세요.

( )

04 다음 선대칭도형의 대칭축이 가장 적은 것과 가장 많은 것의 기호를 모두 찾아 쓰세요.

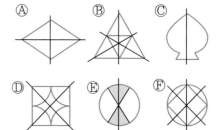

(1) 대칭축이 가장 적은 선대칭도형:

( )

(2) 대칭축이 가장 많은 선대칭도형:

( )

도형 이해하기

 (05~11) 선대칭도형의 대칭축을 그려보세요.

(12~18) 선대칭도형의 대칭축을 모두 찾아 그 기호를 쓰세요.

05

06

07

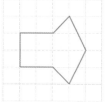

08

09

10

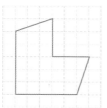

11

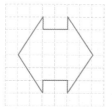

12

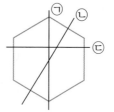

(   )

13

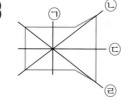

(   )

14

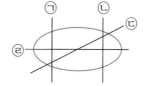

(   )

15

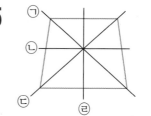

(   )

16

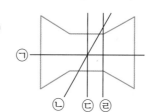

(   )

17

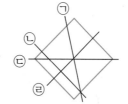

(   )

18

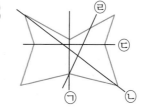

(   )

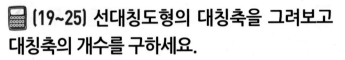 도형 이해하기

(19~25) 선대칭도형의 대칭축을 그려보고 대칭축의 개수를 구하세요.

(26~32) 선대칭도형이 되도록 그림을 완성하세요.

19

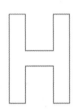

(   )

20

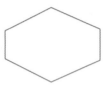

(   )

21

(   )

22

(   )

23

(   )

24

(   )

25

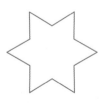

(   )

26

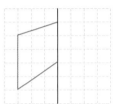

27

28

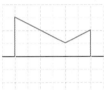

29

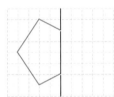

30

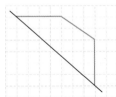

31

32

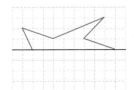

서술형 **풀어**보기

구조화 해서 풀어보아요

33 보기의 선대칭도형을 보고 대칭축이 많은 순서대로 기호를 나열하세요.

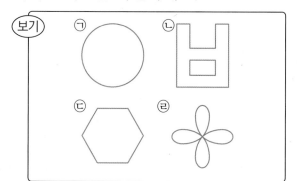

풀이 과정

(1) ㉠의 대칭축은 [ ] 많습니다.

(2) ㉡의 대칭축은 [ ]개입니다.

(3) ㉢의 대칭축은 [ ]개입니다.

(4) ㉣의 대칭축은 [ ]개입니다.

(5) 따라서 대칭축이 많은 순서대로 나열하면 [ ], [ ], [ ], [ ]입니다.

💡 **(34~37) 풀이 과정을 쓰고 답을 구하세요.**

34 그림의 도형이 선대칭도형이 될 수 없는 이유를 쓰세요.

답 _____

35 선대칭도형을 그리는 순서에 맞게 기호를 나열하세요.

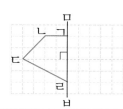

① 선분 ㄱㄴ의 길이와 같도록 점 ㄴ의 대응점 ㅅ을 찍습니다.

② 선분 ㄷㅇ의 길이와 같도록 점 ㄷ의 대응점을 찍고, 이 대응점을 ㅈ이라 합니다.

③ 점 ㄷ에서 대칭축 ㅁㅂ에 수선을 긋고, 대칭축과 만나는 점을 점 ㅇ이라고 합니다.

④ 점 ㄱ, 점 ㅅ, 점 ㅈ, 점 ㄹ을 차례로 이어 선대칭도형이 되도록 그립니다.

답 _____

36 다음 선대칭도형의 대칭축을 구하여 대칭축이 적은 순서대로 기호를 나열하세요.

풀이 _____

답 _____

37 직선 ㄱㄴ을 대칭축으로 하여 선대칭도형을 완성하였을 때 완성한 선대칭도형의 넓이를 구하세요.

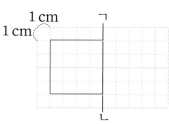

풀이 _____

답 _____ cm^2

🐾 **연마 Check** 칭찬이나 노력할 점을 써 주세요.

맞힌 개수	지도 의견		확인란
개	나의 생각		

17 일차 점대칭도형과 그 성질 ①

 월 일

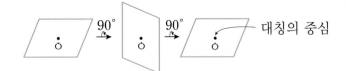

대칭의 중심

○ 한 도형을 어떤 점을 중심으로 180° 돌렸을 때 처음 도형과 완전히 겹쳐지면 이 도형을 점대칭도형이라고 하며, 이때 그 점을 대칭의 중심이라고 합니다.

○ 성질

① 대응변의 길이와 대응각의 크기는 각각 같습니다.

② 대칭의 중심은 대응점을 이은 선분을 둘로 똑같이 나누므로 각각의 대응점에서 대칭의 중심까지의 거리는 같습니다.

⏳ (01~02) 물음에 답하세요.

01 점대칭도형을 모두 찾아 기호를 쓰세요.

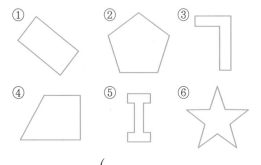

( )

02 점대칭도형을 모두 찾아 기호를 쓰세요.

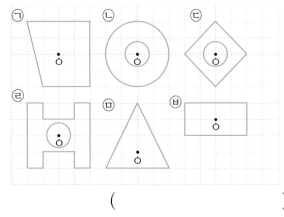

( )

⏳ (03~04) 오른쪽 도형을 180° 돌렸을 때 처음 도형과 어떤지 물음에 답하세요.

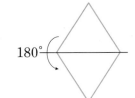

03 180° 돌린 모양은 처음 도형과 완전히 [겹쳐집니다 / 겹쳐지지 않습니다].

04 정사각형, 직사각형, 마름모, 평행사변형은 모두 [선대칭도형 / 점대칭도형]입니다.

⏳ (05~06) 빈칸에 알맞은 말을 써넣으세요.

05 한 도형을 어떤 점을 중심으로 180° 돌렸을 때 처음 도형과 완전히 겹쳐지면 이 도형을 □□□□□ 이라고 하며, 이때 그 점을 □□□□□ 이라고 합니다.

06 점대칭도형에서 대칭의 중심은 도형의 한 가운데에 위치하며 항상 □ 개뿐입니다.

도형 이해하기

(07~10) 다음 점대칭도형을 보고 물음에 답하세요.

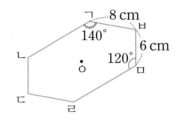

07 변 ㄷㄹ의 길이를 구하세요.

( )

08 각 ㄱㄴㄷ의 크기를 구하세요.

( )

09 변 ㄴㄷ의 길이를 구하세요.

( )

10 각 ㄷㄹㅁ의 크기를 구하세요.

( )

(11~14) 다음 점대칭도형을 보고 물음에 답하세요.

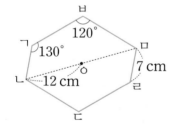

11 변 ㄱㄴ의 길이를 구하세요.

( )

12 각 ㄷㄹㅁ의 크기를 구하세요.

( )

13 변 ㅁㅇ의 길이를 구하세요.

( )

14 각 ㄴㄷㄹ의 크기를 구하세요.

( )

(15~18) 다음 점대칭도형을 보고 물음에 답하세요.

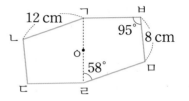

15 변 ㅁㄹ의 길이를 구하세요.

( )

16 각 ㄴㄷㄹ의 크기를 구하세요.

( )

17 변 ㄴㄷ의 길이를 구하세요.

( )

18 각 ㄴㄱㄹ의 크기를 구하세요.

( )

(19~22) 다음 점대칭도형을 보고 물음에 답하세요.

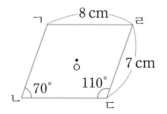

19 변 ㄱㄴ의 길이를 구하세요.

( )

20 각 ㄱㄹㄷ의 크기를 구하세요.

( )

21 변 ㄴㄷ의 길이를 구하세요.

( )

22 각 ㄴㄱㄹ의 크기를 구하세요.

( )

(23~28) 다음 점대칭도형의 둘레의 길이를 구하세요.

23

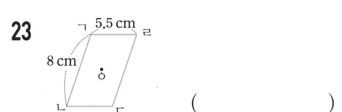

(   )

24

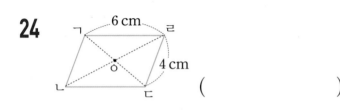

(   )

25

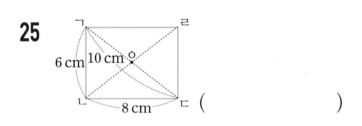

(   )

26

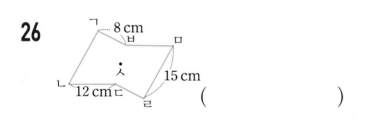

(   )

27

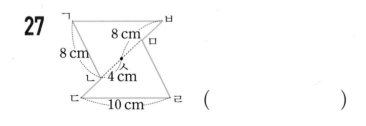

(   )

28

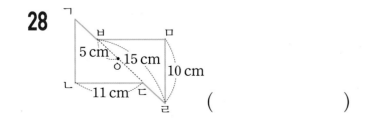

(   )

(29~33) 지시한 점을 대칭의 중심으로 하여 완성한 점대칭도형의 넓이를 구하세요.

29

대칭의 중심: ㅁ

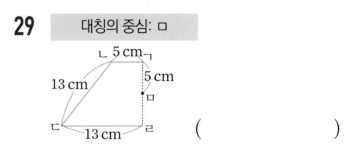

(   )

30

대칭의 중심: ㄹ

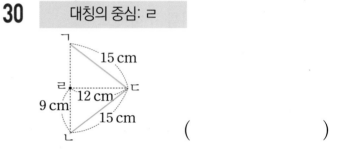

(   )

31

대칭의 중심: ㅈ

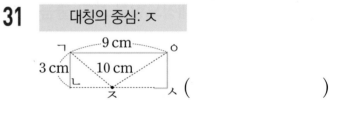

(   )

32

대칭의 중심: ㄹ

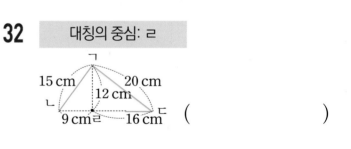

(   )

33

대칭의 중심: ㄹ

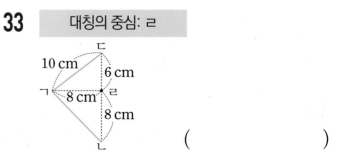

(   )

34 점 ㅇ을 대칭의 중심으로 하는 점대칭도형입니다. 선분 ㄱㅇ과 선분 ㄹㅇ의 길이가 같을 때, 각 ㉠의 크기를 구하세요.

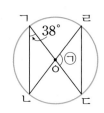

풀이 과정

(1) 선분 ㄱㅇ과 선분 ㄹㅇ의 길이가 같으므로 삼각형 ㅇㄱㄴ과 삼각형 ㅇㄷㄹ은 ☐ 삼각형입니다.

(2) 각 ㅇㄱㄴ=각 ㅇㄷㄹ=각 ㅇㄴㄱ=각 ㅇㄹㄷ= ☐ °

(3) 180°−(38°× ☐)= ☐ °이므로 각 ㉠의 크기는 ☐ °입니다.

💡 [35~38] 풀이 과정을 쓰고 답을 구하세요.

35 점 ㅇ을 대칭의 중심으로 하여 점대칭도형을 완성했을 때 완성한 점대칭도형의 둘레의 길이를 구하세요.

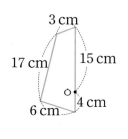

풀이 _____

답 _____ cm

37 점 ㅇ을 대칭의 중심으로 하는 점대칭도형의 일부분입니다. 완성한 점대칭도형의 둘레는 얼마인지 구하세요.

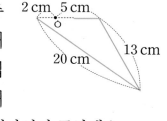

풀이 _____

답 _____ cm

36 점 ㅈ을 대칭의 중심으로 하는 점대칭도형입니다. 직사각형 ㄱㄴㅅㅇ의 넓이를 구하세요.

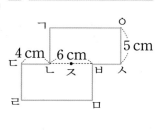

풀이 _____

답 _____ cm²

38 점 ㅇ을 대칭의 중심으로 하는 점대칭도형입니다. 이 점대칭도형의 둘레가 66cm일 때, 삼각형 ㄱㅂㅁ의 넓이를 구하세요.

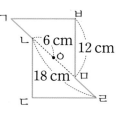

풀이 _____

답 _____ cm²

✋ 연마 Check   칭찬이나 노력할 점을 써 주세요.

맞힌 개수	지도 의견		확인란
개	나의 생각		

점대칭도형과 그 성질 ②

월   일

○ 점대칭 도형 그리기

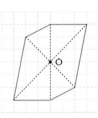

① 각 점에서 대칭의 중심을 지나는 직선을 긋습니다.
② 각 점에서 대칭의 중심까지의 거리가 같도록 직선 위에 각 점의 대응점을 찍습니다.
③ 대응점끼리 모두 이어 점대칭도형을 완성합니다.

핵심포인트

• 점대칭도형의 활용
 : 점대칭도형에서
① 각각의 대응변의 길이가 서로 같음을 이용합니다.
② 각각의 대응점에서 대칭의 중심까지의 거리가 같음을 이용합니다.

[01~02] 점대칭도형이 안 되는 것을 모두 찾아 기호를 쓰세요.

[03~04] 선대칭도형도 되고 점대칭도형도 되는 도형의 기호를 모두 찾아 쓰세요.

01

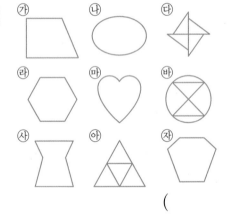

(   )

03

(   )

04

02

(   )

(   )

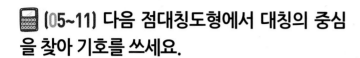

도형 이해하기

정확하게 풀어보아요

[05~11] 다음 점대칭도형에서 대칭의 중심을 찾아 기호를 쓰세요.

05
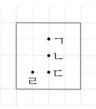

( )

06
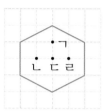

( )

07
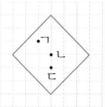

( )

08
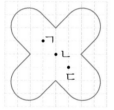

( )

09

( )

10

( )

11
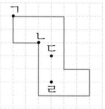

( )

[12~19] 다음 점대칭도형에서 대칭의 중심을 찾아 표시하세요.

12

13

14

15

16
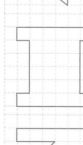

17

18

19

3단계

도형 이해하기

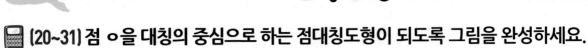

정확하게 풀어보아요

(20~31) 점 ㅇ을 대칭의 중심으로 하는 점대칭도형이 되도록 그림을 완성하세요.

20
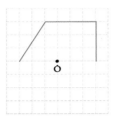

26
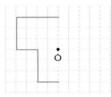

21
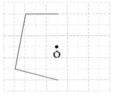

27
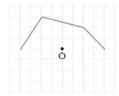

22
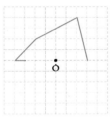

28
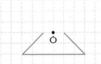

23
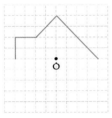

29
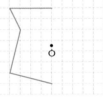

24

30

25
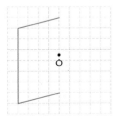

31

서술형 풀어보기

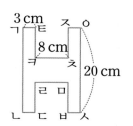

32 선대칭도형이면서 점대칭도형입니다. 도형의 둘레가 96cm일 때, 변 ㅁㅂ의 길이는 얼마인지 구하세요.

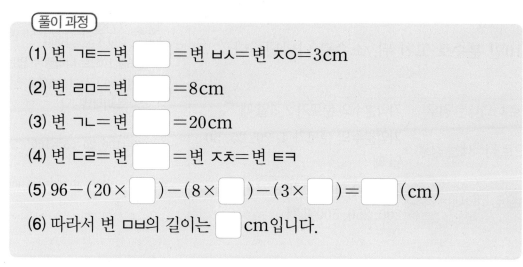

풀이 과정

(1) 변 ㄱㅌ=변 ☐ =변 ㅂㅅ=변 ㅈㅇ=3cm

(2) 변 ㄹㅁ=변 ☐ =8cm

(3) 변 ㄱㄴ=변 ☐ =20cm

(4) 변 ㄷㄹ=변 ☐ =변 ㅈㅊ=변 ㅌㅋ

(5) 96−(20×☐)−(8×☐)−(3×☐)=☐(cm)

(6) 따라서 변 ㅁㅂ의 길이는 ☐ cm입니다.

💡 **(33~36) 풀이 과정을 쓰고 답을 구하세요.**

33 정팔각형은 선대칭도형도 되고 점대칭도형도 됩니다. 변 ㄱㄴ의 대응변이 될 수 있는 변은 모두 몇 개인지 구하세요.

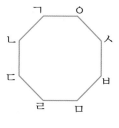

풀이 _____

답 _____ 개

34 오른쪽 도형은 선대칭도형이면서 점대칭도형입니다. 표의 빈칸을 채우세요. (대칭축: 선분 ㅂㄷ)

구분	선대칭도형	점대칭도형
점 ㄴ의 대응점		
변 ㄱㄴ의 대응변		
각 ㄱㄴㄷ의 대응각		

35 정오각형이 점대칭도형이 아닌 이유를 쓰세요.

답 _____

36 우표속의 도형은 선대칭도형과 점대칭도형 중에서 어떤 도형인지 쓰고, 그 이유를 쓰세요.

답 _____

🖐 **연마 Check** 칭찬이나 노력할 점을 써 주세요.

맞힌 개수	지도 의견		확인란
개	나의 생각		

분수를 소수로 나타내기

월   일

$\dfrac{1}{5}=0.2$

┌ 분모와 분자에 같은 수를 곱합니다.

$\dfrac{1}{5}=\dfrac{1\times 2}{5\times 2}=\dfrac{2}{10}=0.2$

➜ 분모가 10인 분수로 고친 뒤, 소수로 나타냅니다.

[더 알아보기]

분모를 10으로 나타내는 경우	기약분수의 분모가 2, 5일 때
분모를 100으로 나타내는 경우	기약분수의 분모가 4, 20, 25, 50일 때
분모를 1000으로 나타내는 경우	기약분수의 분모가 8, 40, 125, 200, 250, 500일 때

 핵심 포인트

• $\dfrac{1}{4}=\dfrac{1\times 25}{4\times 25}=\dfrac{25}{100}=0.25$

• $\dfrac{17}{200}=\dfrac{17\times 5}{200\times 5}=\dfrac{85}{1000}=0.085$

→ 분모를 10으로 나타낼 수 없는 경우엔 100 또는 1000으로 만들어 소수로 나타냅니다.

• $4\times 25=100,\ 20\times 5=100$

• $8\times 125=1000,\ 40\times 25=1000$

(01~08) 빈칸에 알맞은 수를 써넣으세요.

01 $\dfrac{1}{2}=\dfrac{1\times\boxed{}}{2\times\boxed{}}=\dfrac{\boxed{}}{10}=\boxed{}$

02 $\dfrac{2}{5}=\dfrac{2\times\boxed{}}{5\times\boxed{}}=\dfrac{\boxed{}}{10}=\boxed{}$

03 $\dfrac{3}{4}=\dfrac{3\times\boxed{}}{4\times\boxed{}}=\dfrac{\boxed{}}{100}=\boxed{}$

04 $\dfrac{3}{5}=\dfrac{3\times\boxed{}}{5\times\boxed{}}=\dfrac{\boxed{}}{10}=\boxed{}$

05 $\dfrac{1}{8}=\dfrac{1\times\boxed{}}{8\times\boxed{}}=\dfrac{\boxed{}}{1000}=\boxed{}$

06 $1\dfrac{1}{2}=\boxed{}+\dfrac{1\times\boxed{}}{2\times\boxed{}}=1+\dfrac{\boxed{}}{10}$

$=\boxed{}+\boxed{}=\boxed{}$

07 $\dfrac{4}{5}=\dfrac{4\times\boxed{}}{5\times\boxed{}}=\dfrac{\boxed{}}{10}=\boxed{}$

08 $1\dfrac{1}{4}=\boxed{}+\dfrac{1}{4}=1+\dfrac{1\times\boxed{}}{4\times\boxed{}}$

$=1+\dfrac{\boxed{}}{100}=\boxed{}+\boxed{}=\boxed{}$

📟 **(09~24) 빈칸에 알맞은 수를 써넣으세요.**

09 $3\dfrac{1}{5} = \boxed{} + \dfrac{1\times\boxed{}}{5\times\boxed{}} = \boxed{} + \dfrac{\boxed{}}{10}$

$\quad = \boxed{} + \boxed{} = \boxed{}$

10 $\dfrac{1}{20} = \dfrac{1\times\boxed{}}{20\times\boxed{}} = \dfrac{\boxed{}}{100} = \boxed{}$

11 $\dfrac{3}{50} = \dfrac{3\times\boxed{}}{50\times\boxed{}} = \dfrac{\boxed{}}{100} = \boxed{}$

12 $\dfrac{2}{25} = \dfrac{2\times\boxed{}}{25\times\boxed{}} = \dfrac{\boxed{}}{100} = \boxed{}$

13 $\dfrac{7}{8} = \dfrac{7\times\boxed{}}{8\times\boxed{}} = \dfrac{\boxed{}}{1000} = \boxed{}$

14 $\dfrac{9}{50} = \dfrac{9\times\boxed{}}{50\times\boxed{}} = \dfrac{\boxed{}}{100} = \boxed{}$

15 $\dfrac{7}{40} = \dfrac{7\times\boxed{}}{40\times\boxed{}} = \dfrac{\boxed{}}{1000} = \boxed{}$

16 $\dfrac{16}{25} = \dfrac{16\times\boxed{}}{25\times\boxed{}} = \dfrac{\boxed{}}{100} = \boxed{}$

17 $\dfrac{1}{125} = \dfrac{1\times\boxed{}}{125\times\boxed{}} = \dfrac{\boxed{}}{1000} = \boxed{}$

18 $\dfrac{19}{200} = \dfrac{19\times\boxed{}}{200\times\boxed{}} = \dfrac{\boxed{}}{1000} = \boxed{}$

19 $\dfrac{33}{500} = \dfrac{33\times\boxed{}}{500\times\boxed{}} = \dfrac{\boxed{}}{1000} = \boxed{}$

20 $4\dfrac{17}{20} = \boxed{} + \dfrac{\boxed{}}{20} = \boxed{} + \dfrac{17\times\boxed{}}{20\times\boxed{}}$

$\quad = \boxed{} + \dfrac{\boxed{}}{100} = \boxed{} + \boxed{} = \boxed{}$

21 $5\dfrac{47}{50} = \boxed{} + \dfrac{\boxed{}}{50} = \boxed{} + \dfrac{47\times\boxed{}}{50\times\boxed{}}$

$\quad = \boxed{} + \dfrac{\boxed{}}{100} = \boxed{} + \boxed{} = \boxed{}$

22 $9\dfrac{3}{8} = \boxed{} + \dfrac{\boxed{}}{8} = \boxed{} + \dfrac{3\times\boxed{}}{8\times\boxed{}}$

$\quad = 9 + \dfrac{\boxed{}}{1000} = \boxed{} + \boxed{} = \boxed{}$

23 $6\dfrac{233}{250} = \boxed{} + \dfrac{\boxed{}}{250} = \boxed{} + \dfrac{233\times\boxed{}}{250\times\boxed{}}$

$\quad = \boxed{} + \dfrac{\boxed{}}{1000} = \boxed{} + \boxed{} = \boxed{}$

24 $11\dfrac{11}{20} = \boxed{} + \dfrac{\boxed{}}{20} = \boxed{} + \dfrac{11\times\boxed{}}{20\times\boxed{}}$

$\quad = \boxed{} + \dfrac{\boxed{}}{100} = \boxed{} + \boxed{} = \boxed{}$

4단계

구조화 하기

(25~42) 두 수의 크기를 비교하여 ○ 안에 >, =, <를 알맞게 써넣으세요.

25 $0.7 \bigcirc \dfrac{4}{5}$

26 $0.33 \bigcirc \dfrac{1}{4}$

27 $0.25 \bigcirc \dfrac{1}{5}$

28 $0.54 \bigcirc \dfrac{9}{20}$

29 $0.77 \bigcirc \dfrac{5}{8}$

30 $0.6 \bigcirc \dfrac{171}{250}$

31 $\dfrac{14}{25} \bigcirc 0.5$

32 $\dfrac{99}{500} \bigcirc 0.18$

33 $\dfrac{41}{50} \bigcirc 0.85$

34 $\dfrac{57}{125} \bigcirc 0.23$

35 $\dfrac{22}{25} \bigcirc 0.9$

36 $\dfrac{183}{250} \bigcirc 0.72$

37 $1\dfrac{1}{8} \bigcirc 1.125$

38 $7\dfrac{3}{4} \bigcirc 7.55$

39 $5\dfrac{17}{25} \bigcirc 5.68$

40 $7\dfrac{411}{500} \bigcirc 7.93$

41 $21\dfrac{173}{200} \bigcirc 21.89$

42 $19\dfrac{393}{500} \bigcirc 19.77$

서술형 풀어보기

구조화 해서 풀어보아요

43 포크커틀릿을 만드는데 사용된 돼지고기 무게가 $1\frac{3}{8}$ kg라고 합니다. 소수로는 몇 kg일까요?

풀이 과정

(1) $1\frac{3}{8} = \boxed{} + \dfrac{\boxed{}}{8}$ 으로 나타낼 수 있습니다.

(2) $\dfrac{3}{8}$ 을 분모가 1000인 분수로 나타내면,

$$\frac{3}{8} = \frac{3 \times \boxed{}}{8 \times \boxed{}} = \frac{\boxed{}}{1000} = \boxed{}$$ 입니다.

(3) $1 + \boxed{} = \boxed{}$ 이므로 돼지고기의 무게를 소수로 나타내면 $\boxed{}$ kg입니다.

• 기약분수의 분모가 8이면 소수로 나타낼 때, 분모가 $\boxed{}$ 인 분수로 고쳐야 합니다.

💡 (44~47) 풀이 과정을 쓰고 답을 구하세요.

44 민재는 리본 $5\frac{9}{12}$ m를 사용해서 꽃다발을 포장하였습니다. 민재가 사용한 리본의 길이를 소수로 나타내보세요.

풀이 _____

답 _____ m

45 고구마 캐기 대회에서 현서는 $5\frac{18}{25}$ kg을, 다원이는 5.7 kg을 캤습니다. 누가 고구마를 더 많이 캤나요?

풀이 _____

답 _____

46 자동차를 타고 $23\frac{7}{8}$ km만큼 가서 휴게소에 들렀습니다. 휴게소까지 간 거리를 소수로 나타내세요.

풀이 _____

답 _____ km

47 수아네 가족이 하루에 사용한 물의 양을 보니 $17\frac{4}{5}$ L였습니다. 사용한 물의 양을 소수로 나타내보세요.

풀이 _____

답 _____ L

✊ 연마 Check   칭찬이나 노력할 점을 써 주세요.

맞힌 개수	지도 의견		확인란
개	나의 생각		

소수를 분수로 나타내기

월 일

○ $0.4 = \dfrac{2}{5}$

➡ 소수 한 자리 수는 분모가 10인 분수로, 소수 두 자리 수는 분모가 100인 분수로, 소수 세 자리 수는 분모가 1000인 분수로 만든 뒤, 기약분수로 나타냅니다.

$0.4 = \dfrac{4}{10} = \dfrac{2}{5}$

└ 약분하여 기약분수로 나타냅니다.

○ $1.4 = 1\dfrac{2}{5}$

➡ 1보다 작은 분수 부분만 소수로 나타낸 뒤, 자연수 부분과 더합니다.

$1.4 = 1 + 0.4 = 1 + \dfrac{4}{10} = 1 + \dfrac{2}{5} = 1\dfrac{2}{5}$

└ 기약분수로! ┘

⏳ **(01~15) 빈칸에 알맞은 수를 써넣으세요.**

01 $0.6 = \dfrac{\square}{10} = \square$

02 $0.11 = \square$

03 $0.07 = \square$

04 $0.9 = \square$

05 $0.8 = \dfrac{\square}{10} = \square$

06 $0.22 = \dfrac{\square}{100} = \square$

07 $0.25 = \dfrac{\square}{100} = \square$

08 $0.12 = \dfrac{\square}{100} = \square$

09 $0.82 = \dfrac{\square}{100} = \square$

10 $0.56 = \dfrac{\square}{100} = \square$

11 $0.32 = \dfrac{\square}{100} = \square$

12 $0.005 = \dfrac{\square}{1000} = \square$

13 $0.105 = \dfrac{\square}{1000} = \square$

14 $0.625 = \dfrac{\square}{1000} = \square$

15 $0.275 = \dfrac{\square}{1000} = \square$

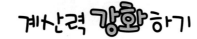

(16~31) 빈칸에 알맞은 수를 써넣으세요.

16 $2.3 = \boxed{} + \dfrac{\boxed{}}{10} = \boxed{}$

17 $1.6 = \boxed{} + 0.6 = \boxed{} + \dfrac{\boxed{}}{10}$

$= \boxed{} + \dfrac{\boxed{}}{5} = \boxed{}$

18 $2.07 = \boxed{} + 0.07 = \boxed{} + \dfrac{\boxed{}}{100}$

$= \boxed{}$

19 $5.25 = \boxed{} + 0.25 = \boxed{} + \dfrac{\boxed{}}{100}$

$= \boxed{} + \dfrac{\boxed{}}{4} = \boxed{}$

20 $3.8 = \boxed{} + 0.8 = \boxed{} + \dfrac{\boxed{}}{10}$

$= \boxed{} + \dfrac{\boxed{}}{5} = \boxed{}$

21 $3.125 = \boxed{} + \dfrac{\boxed{}}{1000} = \boxed{} + \dfrac{\boxed{}}{8}$

$= \boxed{}$

22 $4.44 = \boxed{} + \dfrac{\boxed{}}{100} = \boxed{} + \dfrac{\boxed{}}{25}$

$= \boxed{}$

23 $7.28 = \boxed{} + \dfrac{\boxed{}}{100} = \boxed{} + \dfrac{\boxed{}}{25}$

$= \boxed{}$

24 $3.025 = \boxed{} + \dfrac{\boxed{}}{1000} = \boxed{} + \dfrac{\boxed{}}{40}$

$= \boxed{}$

25 $1.055 = \boxed{} + \dfrac{\boxed{}}{1000} = \boxed{} + \dfrac{\boxed{}}{200}$

$= \boxed{}$

26 $2.725 = \boxed{} + \dfrac{\boxed{}}{1000} = \boxed{} + \dfrac{\boxed{}}{40}$

$= \boxed{}$

27 $5.24 = \boxed{} + \dfrac{\boxed{}}{100} = \boxed{} + \dfrac{\boxed{}}{25}$

$= \boxed{}$

28 $3.65 = \boxed{} + \dfrac{\boxed{}}{100} = \boxed{} + \dfrac{\boxed{}}{20}$

$= \boxed{}$

29 $2.76 = \boxed{} + \dfrac{\boxed{}}{100} = \boxed{} + \dfrac{\boxed{}}{25}$

$= \boxed{}$

30 $9.204 = \boxed{} + \dfrac{\boxed{}}{1000} = \boxed{} + \dfrac{\boxed{}}{250}$

$= \boxed{}$

31 $11.488 = \boxed{} + \dfrac{\boxed{}}{1000}$

$= \boxed{} + \dfrac{\boxed{}}{125} = \boxed{}$

구조화 하기

구조화 하기를 연습하면 서술형도 쉽게 풀어요

(32~49) 두 수의 크기를 비교하여 ○ 안에 >, =, <를 알맞게 써넣으세요.

32 $0.9 \bigcirc \dfrac{91}{100}$

33 $0.4 \bigcirc \dfrac{2}{5}$

34 $0.12 \bigcirc \dfrac{4}{25}$

35 $0.52 \bigcirc \dfrac{12}{25}$

36 $0.48 \bigcirc \dfrac{2}{5}$

37 $0.96 \bigcirc \dfrac{4}{5}$

38 $0.24 \bigcirc \dfrac{8}{25}$

39 $0.04 \bigcirc \dfrac{3}{50}$

40 $0.52 \bigcirc \dfrac{11}{25}$

41 $1.4 \bigcirc 1\dfrac{1}{4}$

42 $2.6 \bigcirc 2\dfrac{1}{5}$

43 $5.8 \bigcirc 5\dfrac{13}{25}$

44 $0.124 \bigcirc \dfrac{1}{8}$

45 $0.048 \bigcirc \dfrac{6}{25}$

46 $3.125 \bigcirc 3\dfrac{3}{16}$

47 $4.375 \bigcirc 4\dfrac{7}{24}$

48 $9.72 \bigcirc 9\dfrac{18}{25}$

49 $15.104 \bigcirc 15\dfrac{17}{125}$

서술형 **풀어**보기

구조화 해서 풀어보아요

50 100개의 곶감 가운데 28개를 먹었다면 전체의 몇이 남았는지 기약분수로 나타내세요.

풀이 과정

(1) 100개 가운데 28개는 소수로 [ ] 입니다. $\dfrac{28}{100}$ 을 기약분수로 나타내면, [ ] 입니다.

(2) 전체 곶감 100개 가운데 남은 곶감의 개수를 분수로 나타내면, $1 -$ [ ] = [ ] 입니다.

• 100개 가운데 28개는 $\dfrac{\boxed{}}{100}$ 이고, 소수로 나타내면 [ ] 입니다.

💡 **(51~54) 풀이 과정을 쓰고 답을 구하세요.**

51 부침개를 부치는데 식용유를 1.75L 사용했습니다. 사용한 식용유의 양을 기약분수로 나타내세요.

풀이 _____

답 _____ L

52 집에서 A문구점은 2.24km 떨어져 있고, B문구점은 $2\dfrac{11}{15}$ km 떨어져 있습니다. 집에서 가까운 문구점은 어느 문구점일까요?

풀이 _____

답 _____

53 다음 중 크기가 다른 수를 모두 골라 ○표를 하세요.

| $\dfrac{56}{100}$ | $\dfrac{13}{24}$ | $\dfrac{14}{25}$ | 0.56 | $\dfrac{28}{50}$ |

풀이 _____

54 민호는 $1\dfrac{3}{8}$ m의 리본을 사용하고, 지수는 1.75m의 리본을 사용했습니다. 누가 더 많은 리본을 사용했나요?

풀이 _____

답 _____

🐰 **연마 Check** 칭찬이나 노력할 점을 써 주세요.

맞힌 개수	지도 의견		확인란
개	나의 생각		

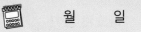

(소수)×(자연수) ①

월   일

○ 0.3×4의 계산

방법 ① 분수의 곱셈으로 계산

$$0.3 \times 4 = \frac{3}{10} \times 4 = \frac{12}{10} = 1.2$$

방법 ② 자연수의 곱셈을 이용한 계산

$$3 \times 4 = 12$$
$\frac{1}{10}$배 ↓   ↓ $\frac{1}{10}$배
$$0.3 \times 4 = 1.2$$

$$\begin{array}{r} 3 \\ \times\ 4 \\ \hline 1\ 2 \end{array} \rightarrow \begin{array}{r} 0.3 \\ \times\ \ 4 \\ \hline 1.2 \end{array}$$

➡ 곱해지는 수가 $\frac{1}{10}$배가 되면, 계산 결과도 $\frac{1}{10}$배가 됩니다.

핵심포인트

• 덧셈식을 이용하여 계산
➡ $0.3 + 0.3 + 0.3 + 0.3 = 1.2$

• $0.3 \times 4 = 4 \times 0.3 = 1.2$
➡ (소수)×(자연수)
= (자연수)×(소수)입니다.

⏳ (01~10) 빈칸에 알맞은 수를 써넣으세요.

01 $0.5 \times 5 = \dfrac{\boxed{}}{10} \times 5 = \dfrac{\boxed{}}{10} = \boxed{}$

02 $0.4 \times 7 = \dfrac{\boxed{}}{10} \times 7 = \dfrac{\boxed{}}{10} = \boxed{}$

03 $0.8 \times 4 = \dfrac{\boxed{}}{10} \times 4 = \dfrac{\boxed{}}{10} = \boxed{}$

04 $0.9 \times 6 = \dfrac{\boxed{}}{10} \times 6 = \dfrac{\boxed{}}{10} = \boxed{}$

05 $0.7 \times 5 = \dfrac{\boxed{}}{10} \times 5 = \dfrac{\boxed{}}{10} = \boxed{}$

06 $\frac{1}{10}$배
$5 \times 5 = 25 \rightarrow \boxed{} \times 5 = \boxed{}$
$\frac{1}{10}$배

07 $\frac{1}{10}$배
$2 \times 7 = 14 \rightarrow \boxed{} \times 7 = \boxed{}$
$\frac{1}{10}$배

08 $\frac{1}{10}$배
$5 \times 8 = 40 \rightarrow \boxed{} \times 8 = \boxed{}$
$\frac{1}{10}$배

09 $\frac{1}{10}$배
$6 \times 6 = 36 \rightarrow \boxed{} \times 6 = \boxed{}$
$\frac{1}{10}$배

10 $\frac{1}{10}$배
$9 \times 7 = 63 \rightarrow \boxed{} \times 7 = \boxed{}$
$\frac{1}{10}$배

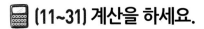

계산력 강화하기

정확하게 풀어보아요 ①

(11~31) 계산을 하세요.

11 0.5 × 9

12 0.6 × 4

13 0.5 × 6

14 0.4 × 9

15 0.2 × 6

16 0.6 × 3

17 0.3 × 9

18 0.7 × 3

19 0.2 × 8

20 0.7 × 7

21 0.8 × 5

22 0.9 × 5

23 0.4 × 4

24 0.8 × 3

25
$$\begin{array}{r} 0.3 \\ \times \quad 5 \\ \hline \end{array}$$

26
$$\begin{array}{r} 0.6 \\ \times \quad 7 \\ \hline \end{array}$$

27
$$\begin{array}{r} 0.8 \\ \times \quad 7 \\ \hline \end{array}$$

28
$$\begin{array}{r} 0.7 \\ \times \quad 4 \\ \hline \end{array}$$

29
$$\begin{array}{r} 0.8 \\ \times \quad 6 \\ \hline \end{array}$$

30
$$\begin{array}{r} 0.9 \\ \times \quad 6 \\ \hline \end{array}$$

31
$$\begin{array}{r} 0.4 \\ \times \quad 5 \\ \hline \end{array}$$

(32~49) 빈칸에 알맞은 수를 써넣으세요.

32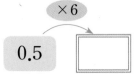
×6
0.5 □

38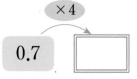
×4
0.7 □

44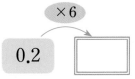
×6
0.2 □

33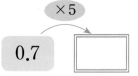
×5
0.7 □

39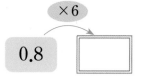
×6
0.8 □

45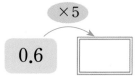
×5
0.6 □

34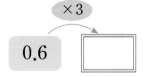
×3
0.6 □

40
×5
0.5 □

46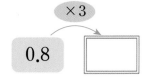
×3
0.8 □

35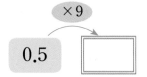
×9
0.5 □

41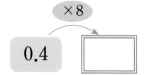
×8
0.4 □

47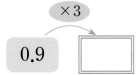
×3
0.9 □

36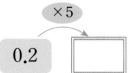
×5
0.2 □

42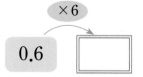
×6
0.6 □

48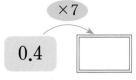
×7
0.4 □

37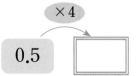
×4
0.5 □

43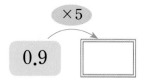
×5
0.9 □

49
×8
0.8 □

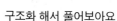 
50 한 곽에 0.3L씩 든 우유가 9곽 있습니다. 9곽의 우유는 모두 몇 L일까요?

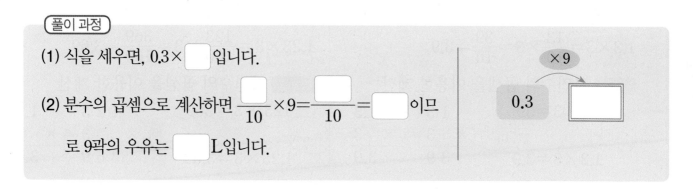

풀이 과정

(1) 식을 세우면, 0.3×□입니다.

(2) 분수의 곱셈으로 계산하면 $\frac{\square}{10}×9=\frac{\square}{10}=\square$이므로 9곽의 우유는 □L입니다.

×9

0.3 → □

💡 **(51~54) 풀이 과정을 쓰고 답을 구하세요.**

51 상자 1개의 무게가 0.9kg입니다. 같은 상자 8개의 무게는 몇 kg일까요?

풀이 _____

답 _____ kg

53 가로의 길이가 0.8m이고 세로가 5m인 직사각형의 넓이를 구해보세요.

풀이 _____

답 _____ m^2

52 하나에 0.7m인 끈 7개를 겹치지 않게 나란히 이으면 길이는 모두 몇 m가 될까요?

풀이 _____

답 _____ m

54 한 알의 무게가 0.3g인 알약 8개의 무게의 합은 몇 g일까요?

풀이 _____

답 _____ g

🖐 **연마 Check** 　칭찬이나 노력할 점을 써 주세요.

맞힌 개수	지도 의견		확인란
개	나의 생각		

22 일차 (소수)×(자연수) ②

○ 1.3×3의 계산

방법 ① 분수의 곱셈으로 계산

$$1.3 \times 3 = \frac{13}{10} \times 3 = \frac{39}{10} = 3.9$$

방법 ② 자연수의 곱셈을 이용한 계산

$13 \times 3 = 39$

$\frac{1}{10}$배 ↓   ↓ $\frac{1}{10}$배

$1.3 \times 3 = 3.9$

$$\begin{array}{r} 1\,3 \\ \times \quad 3 \\ \hline 3\,9 \end{array} \rightarrow \begin{array}{r} 1.3 \\ \times \quad 3 \\ \hline 3.9 \end{array}$$

○ 1.23×3의 계산

방법 ① 분수의 곱셈으로 계산

$$1.23 \times 3 = \frac{123}{100} \times 3 = \frac{369}{100} = 3.69$$

방법 ② 자연수의 곱셈을 이용한 계산

$123 \times 3 = 369$

$\frac{1}{100}$배 ↓   ↓ $\frac{1}{100}$배

$1.23 \times 3 = 3.69$

$$\begin{array}{r} 1\,2\,3 \\ \times \qquad 3 \\ \hline 3\,6\,9 \end{array} \rightarrow \begin{array}{r} 1.2\,3 \\ \times \qquad 3 \\ \hline 3.6\,9 \end{array}$$

⧗ (01~10) 빈칸에 알맞은 수를 써넣으세요.

01 $2.3 \times 4 = \dfrac{\boxed{}}{10} \times 4 = \dfrac{\boxed{}}{10} = \boxed{}$

02 $1.7 \times 5 = \dfrac{\boxed{}}{10} \times 5 = \dfrac{\boxed{}}{10} = \boxed{}$

03 $3.4 \times 6 = \dfrac{\boxed{}}{10} \times 6 = \dfrac{\boxed{}}{10} = \boxed{}$

04 $2.7 \times 3 = \dfrac{\boxed{}}{10} \times 3 = \dfrac{\boxed{}}{10} = \boxed{}$

05 $6.3 \times 4 = \dfrac{\boxed{}}{10} \times 4 = \dfrac{\boxed{}}{10} = \boxed{}$

06 $1.07 \times 4 = \dfrac{\boxed{}}{100} \times 4 = \dfrac{\boxed{}}{100} = \boxed{}$

07 $2.77 \times 2 = \dfrac{\boxed{}}{100} \times 2 = \dfrac{\boxed{}}{100} = \boxed{}$

08 $1.46 \times 5 = \dfrac{\boxed{}}{100} \times 5 = \dfrac{\boxed{}}{100} = \boxed{}$

09 $3.32 \times 5 = \dfrac{\boxed{}}{100} \times 5 = \dfrac{\boxed{}}{100} = \boxed{}$

10 $4.14 \times 3 = \dfrac{\boxed{}}{100} \times 3 = \dfrac{\boxed{}}{100} = \boxed{}$

(11~22) 계산을 하세요.

11
```
     2 . 4
  ×      5
```

12
```
     1 . 8
  ×      3
```

13
```
     1 . 6
  ×      4
```

14
```
     2 . 9
  ×      7
```

15
```
     3 . 7
  ×      2
```

16
```
     4 . 3
  ×      3
```

17
```
     5 . 2
  ×      5
```

18
```
     8 . 3
  ×      3
```

19
```
     1 . 0 3
  ×        3
```

20
```
     2 . 2 7
  ×        2
```

21
```
     3 . 2 5
  ×        3
```

22
```
     5 . 7 9
  ×        4
```

(23~34) 계산을 하세요.

23 2.5 × 4

24 3.2 × 8

25 1.6 × 7

26 2.4 × 8

27 3.5 × 6

28 4.2 × 4

29 2.7 × 5

30 4.6 × 5

31 1.92 × 2

32 2.54 × 5

33 4.85 × 3

34 8.12 × 4

구조화하기

구조화 하기를 연습하면 서술형도 쉽게 풀어요

📖 (35~46) 빈칸에 알맞은 수를 써넣으세요.

35

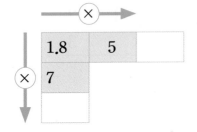

1.8	5	
7		

39

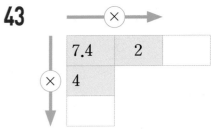

3.7	3	
8		

43

7.4	2	
4		

36

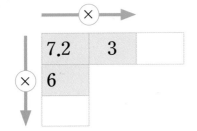

2.75	6	
5		

40

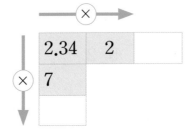

2.34	2	
7		

44

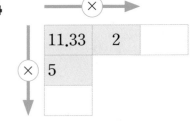

11.33	2	
5		

37

7.2	3	
6		

41

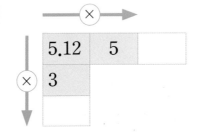

5.12	5	
3		

45

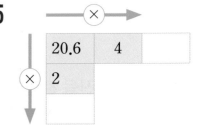

20.6	4	
2		

38

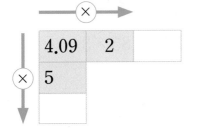

4.09	2	
5		

42

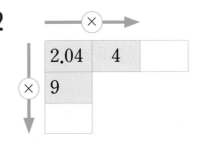

2.04	4	
9		

46

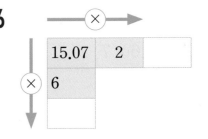

15.07	2	
6		

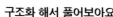
47 가로의 길이가 10.5cm이고 세로의 길이가 6cm인 직사각형의 넓이를 구해보세요.

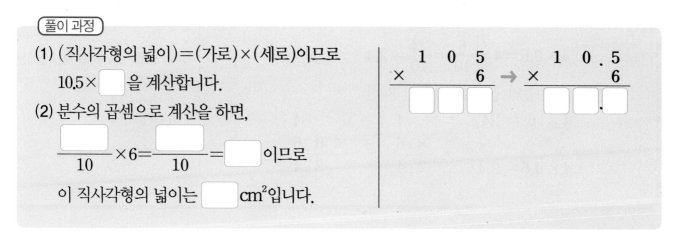

풀이 과정

(1) (직사각형의 넓이)=(가로)×(세로)이므로

10.5× ☐ 을 계산합니다.

(2) 분수의 곱셈으로 계산을 하면,

$\dfrac{☐}{10}×6=\dfrac{☐}{10}=☐$ 이므로

이 직사각형의 넓이는 ☐ cm²입니다.

```
    1 0 5          1 0 . 5
  ×     6   →    ×       6
  ☐ ☐ ☐          ☐ ☐ . ☐
```

💡 (48~51) 풀이 과정을 쓰고 답을 구하세요.

48 계산 결과가 더 큰 것의 기호를 쓰세요.

3.72×5	5.5×3
(가)	(나)

풀이 _____

답 _____

49 한 포대에 11.3kg씩 든 감자가 8포대 있다면, 8포대의 무게는 모두 몇 kg일까요?

풀이 _____

답 _____ kg

50 한 변의 길이가 8.72cm인 정사각형의 둘레의 길이를 구해보세요.

풀이 _____

답 _____ cm

51 밑변이 9.76cm이고, 높이가 7cm인 평행사변형의 넓이를 구해보세요.

풀이 _____

답 _____ cm²

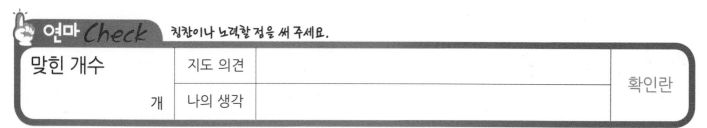

연마 Check   칭찬이나 노력할 점을 써 주세요.

맞힌 개수		지도 의견		확인란
	개	나의 생각		

23일차 (자연수)×(소수) ①

  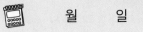

월 일

● 4×0.6의 계산

방법 ① 분수의 곱셈으로 계산

$$4 \times 0.6 = 4 \times \frac{6}{10} = \frac{24}{10} = 2.4$$

방법 ② 자연수의 곱셈을 이용한 계산

$$4 \times 6 = 24$$
$$\frac{1}{10}배 \downarrow \quad \downarrow \frac{1}{10}배$$
$$4 \times 0.6 = 2.4$$

$$\begin{array}{r} 4 \\ \times\ 6 \\ \hline 2\ 4 \end{array} \rightarrow \begin{array}{r} 4 \\ \times\ 0.6 \\ \hline 2.4 \end{array}$$

 핵심포인트

• $4 \times 0.6 = 0.6 \times 4$

• 4×0.6과 0.4×6의 계산 결과는 같을까요?
$4 \times 0.6 = 2.4$
$0.4 \times 6 = 2.4$

⌛ (01~10) 빈칸에 알맞은 수를 써넣으세요.

01 $3 \times 0.5 = 3 \times \dfrac{\boxed{}}{10} = \dfrac{\boxed{}}{10} = \boxed{}$

02 $2 \times 0.8 = 2 \times \dfrac{\boxed{}}{10} = \dfrac{\boxed{}}{10} = \boxed{}$

03 $4 \times 0.5 = 4 \times \dfrac{\boxed{}}{10} = \dfrac{\boxed{}}{10} = \boxed{}$

04 $6 \times 0.7 = 6 \times \dfrac{\boxed{}}{10} = \dfrac{\boxed{}}{10} = \boxed{}$

05 $7 \times 0.4 = 7 \times \dfrac{\boxed{}}{10} = \dfrac{\boxed{}}{10} = \boxed{}$

06 $2 \times 7 = 14 \rightarrow 2 \times \boxed{} = \boxed{}$ ($\frac{1}{10}$배)

07 $4 \times 4 = 16 \rightarrow 4 \times \boxed{} = \boxed{}$ ($\frac{1}{10}$배)

08 $5 \times 8 = 40 \rightarrow 5 \times \boxed{} = \boxed{}$ ($\frac{1}{10}$배)

09 $6 \times 6 = 36 \rightarrow 6 \times \boxed{} = \boxed{}$ ($\frac{1}{10}$배)

10 $9 \times 5 = 45 \rightarrow 9 \times \boxed{} = \boxed{}$ ($\frac{1}{10}$배)

계산력 강화하기

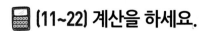 (11~22) 계산을 하세요.

11
$$\begin{array}{r} 8 \\ \times\ 0.7 \\ \hline \end{array}$$

15
$$\begin{array}{r} 7 \\ \times\ 0.3 \\ \hline \end{array}$$

19
$$\begin{array}{r} 1\ 2 \\ \times\ 0.2 \\ \hline \end{array}$$

12
$$\begin{array}{r} 7 \\ \times\ 0.5 \\ \hline \end{array}$$

16
$$\begin{array}{r} 9 \\ \times\ 0.3 \\ \hline \end{array}$$

20
$$\begin{array}{r} 1\ 1 \\ \times\ 0.4 \\ \hline \end{array}$$

13
$$\begin{array}{r} 4 \\ \times\ 0.7 \\ \hline \end{array}$$

17
$$\begin{array}{r} 5 \\ \times\ 0.5 \\ \hline \end{array}$$

21
$$\begin{array}{r} 1\ 5 \\ \times\ 0.3 \\ \hline \end{array}$$

14
$$\begin{array}{r} 8 \\ \times\ 0.6 \\ \hline \end{array}$$

18
$$\begin{array}{r} 9 \\ \times\ 0.7 \\ \hline \end{array}$$

22
$$\begin{array}{r} 1\ 3 \\ \times\ 0.4 \\ \hline \end{array}$$

(23~34) 계산을 하세요.

23 9×0.8

27 6×0.7

31 10×0.8

24 6×0.5

28 7×0.9

32 13×0.7

25 8×0.4

29 4×0.9

33 25×0.2

26 5×0.9

30 2×0.7

34 19×0.3

구조화 하기

구조화 하기를 연습하면 서술형도 쉽게 풀어요

(35~52) 빈칸에 알맞은 수를 써넣으세요.

35
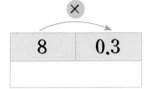

8	0.3

41
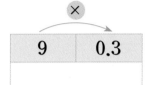

8	0.8

47
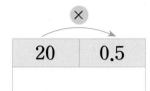

20	0.5

36

2	0.6

42

9	0.3

48
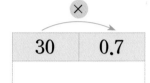

30	0.7

37

8	0.5

43

6	0.8

49

40	0.8

38

7	0.7

44
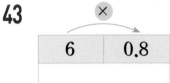

5	0.7

50
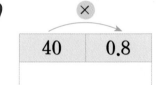

12	0.6

39

4	0.7

45
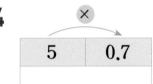

10	0.6

51
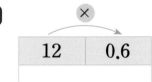

17	0.5

40
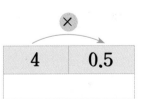

4	0.5

46
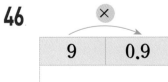

9	0.9

52
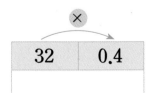

32	0.4

서술형 풀어보기

구조화 해서 풀어보아요

53 지민이네 토끼 한 마리의 무게는 4kg이고, 도헌이네 거북이 한 마리의 무게는 지민이네 토끼의 무게의 0.8배라고 합니다. 도헌이네 거북이의 무게는 몇 kg일까요?

풀이 과정

(1) (도헌이네 거북이의 무게)
= (지민이네 토끼 무게) × ☐ 입니다.

(2) 4×8= ☐ 이므로 4×0.8= ☐ 입니다.

(3) 그러므로 도헌이네 거북이의 무게는 ☐ kg입니다.

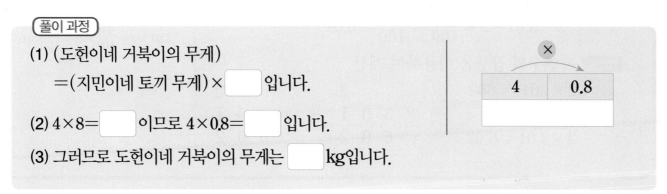

(54~57) 풀이 과정을 쓰고 답을 구하세요.

54 낚시를 가서 아빠는 2kg의 우럭을 잡고, 나는 아빠가 잡은 우럭의 0.9배의 우럭을 잡았습니다. 내가 잡은 우럭은 몇 kg일까요?

풀이 _____

답 _____ kg

56 정삼각형 A의 넓이는 $20cm^2$이고, 정삼각형 B의 넓이는 정삼각형 A넓이의 0.5배라고 합니다. 정삼각형 B의 넓이를 구해보세요.

풀이 _____

답 _____ cm^2

55 학교에서 꽃집까지의 거리는 6km입니다. 학교에서 빵집까지의 거리는 학교에서 꽃집까지 거리의 0.7배입니다. 학교에서 빵집까지의 거리를 구해보세요.

풀이 _____

답 _____ km

57 일주일 동안 1반은 27L의 물을 마시고, 2반은 1반이 마시는 물의 양의 0.6배를 마셨다고 합니다. 2반이 일주일 동안 마신 물은 몇 L일까요?

풀이 _____

답 _____ L

연마 Check 칭찬이나 노력할 점을 써 주세요.

맞힌 개수	지도 의견		확인란
개	나의 생각		

4단계

24일차 (자연수)×(소수) ②

● 2×3.01의 계산

방법 ① 분수의 곱셈으로 고쳐 계산

$$2 \times 3.01 = 2 \times \frac{301}{100} = \frac{602}{100} = 6.02$$

방법 ② 자연수의 곱셈을 이용하여 계산

$$2 \times 301 = 602$$
$$\frac{1}{100}배 \downarrow \qquad \downarrow \frac{1}{100}배$$
$$2 \times 3.01 = 6.02$$

$$\begin{array}{r} 2 \\ \times\ 3\ 0\ 1 \\ \hline 6\ 0\ 2 \end{array} \rightarrow \begin{array}{r} 2 \\ \times\ 3.0\ 1 \\ \hline 6.0\ 2 \end{array}$$

핵심포인트

· $2 \times 3.01 = 3.01 \times 2$

· $3.01 \times 2 = \frac{301}{100} \times 2 = \frac{602}{100} = 6.02$

⧖ **(01~10) 빈칸에 알맞은 수를 써넣으세요.**

01 $2 \times 0.45 = 2 \times \dfrac{\boxed{}}{100} = \dfrac{\boxed{}}{100} = \boxed{}$

02 $4 \times 0.57 = 4 \times \dfrac{\boxed{}}{100} = \dfrac{\boxed{}}{100} = \boxed{}$

03 $2 \times 1.25 = 2 \times \dfrac{\boxed{}}{100} = \dfrac{\boxed{}}{100} = \boxed{}$

04 $3 \times 2.04 = 3 \times \dfrac{\boxed{}}{100} = \dfrac{\boxed{}}{100} = \boxed{}$

05 $4 \times 1.49 = 4 \times \dfrac{\boxed{}}{100} = \dfrac{\boxed{}}{100} = \boxed{}$

06 $3 \times 125 = 375 \rightarrow 3 \times \boxed{} = \boxed{}$ ($\frac{1}{100}$배)

07 $2 \times 339 = 678 \rightarrow 2 \times \boxed{} = \boxed{}$ ($\frac{1}{100}$배)

08 $5 \times 207 = 1035 \rightarrow 5 \times \boxed{} = \boxed{}$ ($\frac{1}{100}$배)

09 $6 \times 235 = 1410 \rightarrow 6 \times \boxed{} = \boxed{}$ ($\frac{1}{100}$배)

10 $4 \times 158 = 632 \rightarrow 4 \times \boxed{} = \boxed{}$ ($\frac{1}{100}$배)

계산력 강화하기

정확하게 풀어보아요 ②

📟 (11~22) 계산을 하세요.

11
```
       2
×  0. 7 5
```

15
```
       5
×  2. 7 6
```

19
```
     1 0
×  1. 7 5
```

12
```
       3
×  1. 0 9
```

16
```
       7
×  1. 6 1
```

20
```
     2 0
×  3. 1 4
```

13
```
       4
×  2. 2 7
```

17
```
       6
×  2. 5 4
```

21
```
     1 4
×  1. 5 3
```

14
```
       2
×  3. 1 7
```

18
```
       5
×  4. 5 6
```

22
```
     1 8
×  5. 2 5
```

📟 (23~34) 계산을 하세요.

23 4×0.78

27 3×2.96

31 11×0.72

24 2×1.26

28 5×3.73

32 15×1.29

25 3×1.57

29 6×8.24

33 18×2.43

26 5×2.41

30 4×7.25

34 20×3.93

(자연수)×(소수) ② **105**

(35~44) 빈칸에 알맞은 수를 써넣으세요.

35

3	1.84	
2.92	5	

40

10	2.27	
8.92	4	

36

5	1.08	
2.55	4	

41

20	7.34	
0.75	6	

37

6	3.39	
5.28	4	

42

15	1.62	
6.35	7	

38

3	2.07	
1.85	7	

43

22	1.07	
3.16	4	

39

4	6.24	
3.97	9	

44

31	2.65	
1.92	3	

45 밑변의 길이가 20cm인 평행사변형의 높이는 밑변 길이의 1.25배라고 합니다. 이 평행사변형의 높이와 넓이를 구해보세요.

[풀이 과정]

(1) 이 평행사변형의 높이는 밑변의 1.25배이므로, 높이를 구하는 식은 20× ☐ 입니다.

(2) 계산을 하면 높이는 ☐ cm입니다.

(3) 그러므로 (평행사변형의 넓이)=20× ☐ = ☐ cm² 입니다.

• (평행사변형의 넓이)
  =(밑변)×(높이)

• 20× 125 = ☐

↓ $\frac{1}{100}$ 배   ↓ $\frac{1}{100}$ 배

20× ☐ = ☐

💡 **(46~49) 풀이 과정을 쓰고 답을 구하세요.**

46 학교에서 집까지 거리는 학교에서 수영장까지의 거리의 1.94배라고 합니다. 학교에서 수영장까지의 거리가 3km일 때, 학교에서 집까지의 거리를 구해보세요.

[풀이] _____

[답] _____ km

47 A우유는 2000원에 2L라고 합니다. 같은 가격에 B우유는 A우유 양의 1.48배라고 할 때, B우유는 2000원에 몇 L를 살 수 있을까요?

[풀이] _____

[답] _____ L

48 동생의 몸무게는 42kg이고, 내 몸무게는 동생의 1.07배입니다. 내 몸무게는 몇 kg일까요?

[풀이] _____

[답] _____ kg

49 형은 쌀을 24kg을 샀고, 동생은 형이 산 쌀의 무게보다 2.45배를 더 샀습니다. 동생이 산 쌀은 몇 kg일까요?

[풀이] _____

[답] _____ kg

✋ 연마 *Check*   칭찬이나 노력할 점을 써 주세요.

맞힌 개수	지도 의견		확인란
개	나의 생각		

곱의 소수점의 위치

월   일

◎ 1.234×10, 1.234×100, 1.234×1000

1.234	10	12.34
1.234	100	123.4
1.234	1000	1234

➡ 곱하는 수의 0의 개수만큼 소수점이 오른쪽으로 이동합니다.

→ 1.234×10000을 하면, 0의 개수가 4개라서 소수점이 오른쪽으로 4번 이동합니다. 소수점을 더 이상 옮길 수 없을 때엔, 오른쪽에 0을 채워넣습니다.

→ 12340

◎ 123×0.1, 123×0.01, 123×0.001

123	0.1	12.3
123	0.01	1.23
123	0.001	0.123

➡ 곱하는 수의 소수점 아래 자릿수만큼 소수점이 왼쪽으로 이동합니다.

→ 123×0.0001을 하면, 소수점이 왼쪽으로 4번 이동하게 됩니다. 소수점을 더 이상 옮길 수 없을 때엔, 왼쪽에 0을 채워넣습니다. → 0.0123

⏳ **(01~06) 빈칸에 알맞은 수를 써넣으세요.**

01
$0.24 \times 10 = \dfrac{\boxed{}}{100} \times 10 = \boxed{}$

$0.24 \times 100 = \dfrac{\boxed{}}{100} \times 100 = \boxed{}$

$0.24 \times 1000 = \dfrac{\boxed{}}{100} \times 1000 = \boxed{}$

02
$1.375 \times 10 = \dfrac{\boxed{}}{1000} \times 10 = \boxed{}$

$1.375 \times 100 = \dfrac{\boxed{}}{1000} \times 100 = \boxed{}$

$1.375 \times 1000 = \dfrac{\boxed{}}{1000} \times 1000 = \boxed{}$

03
$4.29 \times 10 = \dfrac{\boxed{}}{100} \times 10 = \boxed{}$

$4.29 \times 100 = \dfrac{\boxed{}}{100} \times 100 = \boxed{}$

$4.29 \times 1000 = \dfrac{\boxed{}}{100} \times 1000 = \boxed{}$

04
$518 \times 0.1 = 518 \times \dfrac{1}{\boxed{}} = \boxed{}$

$518 \times 0.01 = 518 \times \dfrac{1}{\boxed{}} = \boxed{}$

$518 \times 0.001 = 518 \times \dfrac{1}{\boxed{}} = \boxed{}$

05
$720 \times 0.1 = 720 \times \dfrac{1}{\boxed{}} = \boxed{}$

$720 \times 0.01 = 720 \times \dfrac{1}{\boxed{}} = \boxed{}$

$720 \times 0.001 = 720 \times \dfrac{1}{\boxed{}} = \boxed{}$

06
$1207 \times 0.1 = 1207 \times \dfrac{1}{\boxed{}} = \boxed{}$

$1207 \times 0.01 = 1207 \times \dfrac{1}{\boxed{}} = \boxed{}$

$1207 \times 0.001 = 1207 \times \dfrac{1}{\boxed{}} = \boxed{}$

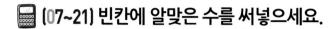

(07~21) 빈칸에 알맞은 수를 써넣으세요.

07 $2.67 \times 10 =$ ☐

$2.67 \times 100 =$ ☐

$2.67 \times 1000 =$ ☐

12 $10.45 \times 10 =$ ☐

$10.45 \times 100 =$ ☐

$10.45 \times 1000 =$ ☐

17 $31.54 \times 0.1 =$ ☐

$31.54 \times 0.01 =$ ☐

$31.54 \times 0.001 =$ ☐

08 $3.05 \times 10 =$ ☐

$3.05 \times 100 =$ ☐

$3.05 \times 1000 =$ ☐

13 $11.585 \times 10 =$ ☐

$11.585 \times 100 =$ ☐

$11.585 \times 1000 =$ ☐

18 $510.3 \times 0.1 =$ ☐

$510.3 \times 0.01 =$ ☐

$510.3 \times 0.001 =$ ☐

09 $0.625 \times 10 =$ ☐

$0.625 \times 100 =$ ☐

$0.625 \times 1000 =$ ☐

14 $24.832 \times 10 =$ ☐

$24.832 \times 100 =$ ☐

$24.832 \times 1000 =$ ☐

19 $25.21 \times 0.2 =$ ☐

$25.21 \times 0.02 =$ ☐

$25.21 \times 0.002 =$ ☐

10 $0.109 \times 10 =$ ☐

$0.109 \times 100 =$ ☐

$0.109 \times 1000 =$ ☐

15 $183 \times 0.1 =$ ☐

$183 \times 0.01 =$ ☐

$183 \times 0.001 =$ ☐

20 $854 \times 0.4 =$ ☐

$854 \times 0.04 =$ ☐

$854 \times 0.004 =$ ☐

11 $0.58 \times 10 =$ ☐

$0.58 \times 100 =$ ☐

$0.58 \times 1000 =$ ☐

16 $419 \times 0.1 =$ ☐

$419 \times 0.01 =$ ☐

$419 \times 0.001 =$ ☐

21 $90.5 \times 0.3 =$ ☐

$90.5 \times 0.03 =$ ☐

$90.5 \times 0.003 =$ ☐

구조화 하기

구조화 하기를 연습하면 서술형도 쉽게 풀어요

📖 (22~36) 빈칸에 알맞은 수를 써넣으세요.

22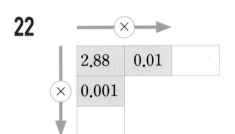

	×	→
2.88	0.01	
0.001		

27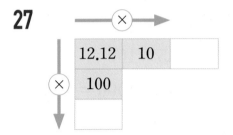

	×	→
12.12	10	
100		

32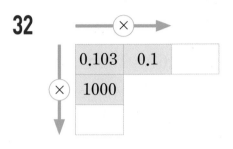

	×	→
0.103	0.1	
1000		

23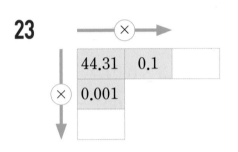

	×	→
44.31	0.1	
0.001		

28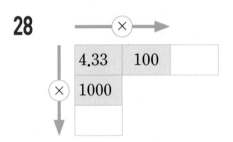

	×	→
4.33	100	
1000		

33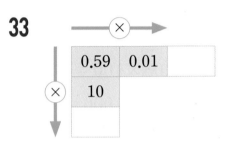

	×	→
0.59	0.01	
10		

24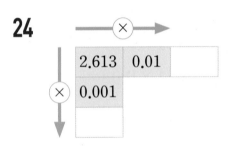

	×	→
2.613	0.01	
0.001		

29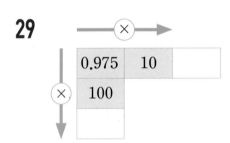

	×	→
0.975	10	
100		

34

	×	→
3.804	0.001	
100		

25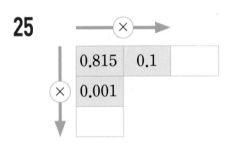

	×	→
0.815	0.1	
0.001		

30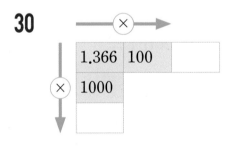

	×	→
1.366	100	
1000		

35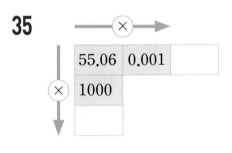

	×	→
55.06	0.001	
1000		

26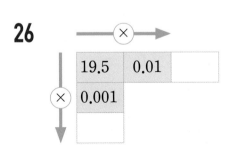

	×	→
19.5	0.01	
0.001		

31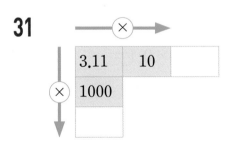

	×	→
3.11	10	
1000		

36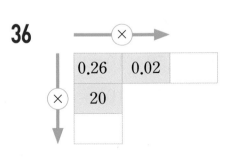

	×	→
0.26	0.02	
20		

37 한 통에 1.84 kg인 분유를 100통을 사면 모두 몇 kg일까요?

> (풀이 과정)
>
> (1) 식을 세우면 1.84 × ☐ 입니다.
>
> (2) 1.84 × 10은 1.84에서 소수점이
> [왼쪽으로 / 오른쪽으로] 한 번 이동하므로 ☐ 입니다.
>
> (3) 그러므로 1.84 × 100은 1.84에서 소수점이
> [왼쪽으로 / 오른쪽으로] 두 번 이동한 ☐ (kg)입니다.

		×→
×↓	1.84	10 ☐
	100	
	☐	

💡 **(38~41) 풀이 과정을 쓰고 답을 구하세요.**

38 올해 A농장의 귤 수확량은 B농장의 100배입니다. A농장에서 103.85t의 귤을 수확했다면, B농장의 수확량은 몇 t일까요?

풀이 _____

답 _____ t

39 현서는 파란 물감을 0.82g을 사용했습니다. 민재는 현서보다 파란 물감을 10배를 더 많이 사용했습니다. 민재가 쓴 파란 물감은 몇 g일까요?

풀이 _____

답 _____ g

40 한 병에 1.205L씩 담긴 우유가 있습니다. 100병에 담긴 우유의 양은 모두 몇 L일까요?

풀이 _____

답 _____ L

41 424 × 8은 3392입니다. ㉠~㉢가운데 가장 큰 수는 무엇인지 그 수를 써보세요.

- 424 × ㉠ = 33.92
- 424 × 80 = ㉡
- 424 × 0.008 = ㉢

풀이 _____

답 _____

👍 **연마 Check** 칭찬이나 노력할 점을 써 주세요.

맞힌 개수	지도 의견		확인란
☐ 개	나의 생각		

(소수)×(소수) ①

월   일

○ 0.4 × 0.6의 계산

방법 ① 분수의 곱셈으로 계산

$$0.4 \times 0.6 = \frac{4}{10} \times \frac{6}{10} = \frac{24}{100} = 0.24$$

방법 ② 자연수의 곱셈을 이용하여 계산

$$4 \times 6 = 24$$
$\frac{1}{10}$배 ↓ ↓$\frac{1}{10}$배 $\frac{1}{100}$배

$$0.4 \times 0.6 = 0.24$$

$$\begin{array}{r} 4 \\ \times\ 6 \\ \hline 2\,4 \end{array} \rightarrow \begin{array}{r} 0.4 \\ \times\ 0.6 \\ \hline 0.2\,4 \end{array}$$

○ 1.3 × 2.4의 계산

방법 ① 분수의 곱셈으로 계산

$$1.3 \times 2.4 = \frac{13}{10} \times \frac{24}{10} = \frac{312}{100} = 3.12$$

방법 ② 자연수의 곱셈을 이용하여 계산

$$13 \times 24 = 312$$
$\frac{1}{10}$배 ↓ ↓$\frac{1}{10}$배 $\frac{1}{100}$배

$$1.3 \times 2.4 = 3.12$$

$$\begin{array}{r} 1\,3 \\ \times\ 2\,4 \\ \hline 3\,1\,2 \end{array} \rightarrow \begin{array}{r} 1.3 \\ \times\ 2.4 \\ \hline 3.1\,2 \end{array}$$

⧖ (01~10) 빈칸에 알맞은 수를 써넣으세요.

01 $0.5 \times 0.7 = \dfrac{\square}{10} \times \dfrac{\square}{10}$
$= \dfrac{\square}{100} = \square$

02 $0.3 \times 0.7 = \dfrac{\square}{10} \times \dfrac{\square}{10}$
$= \dfrac{\square}{100} = \square$

03 $0.5 \times 0.5 = \dfrac{\square}{10} \times \dfrac{\square}{10}$
$= \dfrac{\square}{100} = \square$

04 $0.8 \times 0.6 = \dfrac{\square}{10} \times \dfrac{\square}{10}$
$= \dfrac{\square}{100} = \square$

05 $0.7 \times 0.7 = \dfrac{\square}{10} \times \dfrac{\square}{10}$
$= \dfrac{\square}{100} = \square$

06 $1.2 \times 0.8 = \dfrac{\square}{10} \times \dfrac{\square}{10}$
$= \dfrac{\square}{100} = \square$

07 $0.4 \times 1.3 = \dfrac{\square}{10} \times \dfrac{\square}{10}$
$= \dfrac{\square}{100} = \square$

08 $1.5 \times 0.9 = \dfrac{\square}{10} \times \dfrac{\square}{10}$
$= \dfrac{\square}{100} = \square$

09 $1.2 \times 1.3 = \dfrac{\square}{10} \times \dfrac{\square}{10}$
$= \dfrac{\square}{100} = \square$

10 $2.1 \times 4.2 = \dfrac{\square}{10} \times \dfrac{\square}{10}$
$= \dfrac{\square}{100} = \square$

(11~22) 계산을 하세요.

11
```
    0 . 6
  × 0 . 9
```

15
```
    1 . 5
  × 0 . 4
```

19
```
    2 . 8
  × 1 . 2
```

12
```
    0 . 4
  × 0 . 8
```

16
```
    2 . 2
  × 0 . 6
```

20
```
    1 . 6
  × 1 . 3
```

13
```
    0 . 7
  × 0 . 3
```

17
```
    4 . 2
  × 0 . 5
```

21
```
    2 . 3
  × 2 . 3
```

14
```
    0 . 8
  × 0 . 5
```

18
```
    3 . 9
  × 0 . 7
```

22
```
    4 . 8
  × 5 . 2
```

(23~34) 계산을 하세요.

23 0.2×0.7

27 1.3×0.3

31 2.6×9.3

24 0.4×0.9

28 3.9×0.5

32 4.5×10.5

25 0.9×0.5

29 2.4×0.7

33 8.2×21.2

26 0.6×0.5

30 4.6×0.5

34 13.2×2.5

(35~49) 빈칸에 알맞은 수를 써넣으세요.

35 ×

0.5	0.6

40 ×

5.4	0.2

45 ×

1.3	2.3

36 ×

0.6	0.7

41 ×

3.7	0.3

46 ×

5.2	1.8

37 ×

0.3	0.3

42 ×

2.4	0.9

47 ×

10.2	1.8

38 ×

0.6	0.3

43 ×

4.1	0.5

48 ×

4.3	9.5

39 ×

0.7	0.2

44 ×

3.6	0.4

49 ×

12.7	2.1

서술형 풀어보기

구조화 해서 풀어보아요

50 현아는 키가 1.6m입니다. 현아 동생의 키는 현아 키의 0.8배입니다. 현아 동생의 키는 몇 m 일까요?

풀이 과정

(1) (현아 동생의 키)＝(현아의 키)×0.8이므로

□ × □ 을 계산하면 됩니다.

(2) 분수로 계산을 하면

$1.6×0.8=\dfrac{□}{10}×\dfrac{□}{10}=\dfrac{□}{100}=$ □ 입니다.

(3) 그러므로 현아 동생의 키는 □ m입니다.

1.6	0.8

💡 **(51~54) 풀이 과정을 쓰고 답을 구하세요.**

51 가로의 길이가 0.8km이고, 세로의 길이가 0.5km인 직사각형 모양의 텃밭이 있습니다. 이 텃밭의 넓이를 구해보세요.

풀이 _____

답 _____ km²

52 태형이가 쓴 색테이프는 5.7m이고, 도헌이는 태형이가 쓴 색테이프의 1.6배를 썼다고 할 때, 도헌이가 쓴 색테이프의 길이를 구해보세요.

풀이 _____

답 _____ m

53 농장 A에서 수확한 사과는 10.8t이고, 농장 B에서 수확한 사과의 무게는 농장 A의 3.2배라고 합니다. B농장에서 수확한 사과의 무게는 몇 t일까요?

풀이 _____

답 _____ t

54 자연수의 곱셈을 이용하여 ㉠에 알맞은 수를 써넣으세요.

$142×43=6106 \to 14.2×㉠=61.06$

풀이 _____

답 _____

🖐 **연마 Check** 칭찬이나 노력할 점을 써 주세요.

맞힌 개수	지도 의견		확인란
개	나의 생각		

● 3.2×1.25의 계산

방법 ① 분수의 곱셈으로 고쳐 계산

$$3.2 \times 1.25 = \frac{32}{10} \times \frac{125}{100} = \frac{4000}{1000} = 4$$

방법 ② 자연수의 곱셈을 이용하여 계산

$$32 \times 125 = 4000$$

$\frac{1}{10}$배↓ ↓$\frac{1}{100}$배 $\frac{1}{1000}$배

$$3.2 \times 1.25 = 4$$

$$\begin{array}{r} 3\ 2 \\ \times\ 1\ 2\ 5 \\ \hline 4\ 0\ 0\ 0 \end{array} \rightarrow \begin{array}{r} 3\ .2 \\ \times\ 1\ .2\ 5 \\ \hline 4 \end{array}$$

핵심포인트

$$\begin{array}{r} 3\ 2 \\ \times\ 1\ 2\ 5 \\ \hline 1\ 6\ 0 \\ 6\ 4\ \\ 3\ 2\ \ \\ \hline 4\ 0\ 0\ 0 \end{array}$$

⏳ (01~10) 빈칸에 알맞은 수를 써넣으세요.

01 $1.8 \times 0.04 = \dfrac{\boxed{}}{10} \times \dfrac{4}{\boxed{}}$

$= \dfrac{\boxed{}}{1000} = \boxed{}$

02 $1.4 \times 3.12 = \dfrac{\boxed{}}{10} \times \dfrac{\boxed{}}{100}$

$= \dfrac{4368}{\boxed{}} = \boxed{}$

03 $5.2 \times 0.13 = \dfrac{\boxed{}}{10} \times \dfrac{13}{\boxed{}}$

$= \dfrac{676}{\boxed{}} = \boxed{}$

04 $4.5 \times 0.25 = \dfrac{\boxed{}}{10} \times \dfrac{25}{\boxed{}}$

$= \dfrac{1125}{\boxed{}} = \boxed{}$

05 $2.6 \times 1.02 = \dfrac{\boxed{}}{10} \times \dfrac{102}{\boxed{}}$

$= \dfrac{2652}{\boxed{}} = \boxed{}$

06 $3.13 \times 1.4 = \dfrac{\boxed{}}{100} \times \dfrac{14}{\boxed{}}$

$= \dfrac{4382}{\boxed{}} = \boxed{}$

07 $7.07 \times 2.3 = \dfrac{\boxed{}}{100} \times \dfrac{23}{\boxed{}}$

$= \dfrac{16261}{\boxed{}} = \boxed{}$

08 $6.12 \times 4.7 = \dfrac{\boxed{}}{100} \times \dfrac{47}{\boxed{}}$

$= \dfrac{28764}{\boxed{}} = \boxed{}$

09 $5.18 \times 6.1 = \dfrac{\boxed{}}{100} \times \dfrac{61}{\boxed{}}$

$= \dfrac{31598}{\boxed{}} = \boxed{}$

10 $3.47 \times 2.3 = \dfrac{\boxed{}}{100} \times \dfrac{23}{\boxed{}}$

$= \dfrac{7981}{\boxed{}} = \boxed{}$

🖩 (11~24) 계산 결과를 비교하여 ○ 안에 >, =, <를 알맞게 써넣으세요.

11 3.24×1.7 ○ 1.48×3.6

12 4.2×1.65 ○ 1.97×4.1

13 5.34×2.2 ○ 2.86×5.2

14 7.2×3.14 ○ 3.5×7.1

15 2.55×4.8 ○ 5.2×3.24

16 4.7×3.32 ○ 3.4×4.82

17 2.98×5.4 ○ 5.52×2.1

18 6.27×3.2 ○ 3.04×6.3

19 4.7×2.65 ○ 2.7×4.62

20 5.5×1.08 ○ 1.28×4.8

21 6.4×2.52 ○ 2.5×6.35

22 8.8×1.24 ○ 2.45×4.3

23 3.68×2.8 ○ 6.54×1.4

24 4.15×1.7 ○ 2.66×2.1

(25~34) 빈칸에 알맞은 수를 써넣으세요.

25

28 ×142	2.8 ×1.42

30

19 ×208	1.9 ×2.08

26

16 ×117	1.6 ×1.17

31

52 ×163	5.2 ×1.63

27

436 × 14	4.36 × 1.4

32

73 ×212	7.3 ×2.12

28

129 × 45	1.29 × 4.5

33

365 × 24	3.65 × 2.4

29

312 × 24	31.2 × 2.4

34

425 × 26	4.25 × 2.6

서술형 풀어보기 구조화 해서 풀어보아요

35 다리 A는 7.14km이고, 다리 B의 길이는 다리 A의 길이의 3.5배라고 합니다. 다리 B의 길이를 구해보세요.

풀이 과정

(1) (다리 B의 길이)＝(다리 A의 길이)×3.5이므로

　　7.14× [   ] 를 계산하면 됩니다.

(2) 분수의 곱셈으로 고쳐 계산을 하면

$$7.14 \times 3.5 = \frac{\boxed{}}{100} \times \frac{\boxed{}}{10} = \frac{\boxed{}}{\boxed{}} = \boxed{}$$

　　입니다.

(3) 그러므로 다리 B의 길이는 [   ] km입니다.

714 × 35	7.14 × 3.5

💡 **(36~39) 풀이 과정을 쓰고 답을 구하세요.**

36 주하의 몸무게는 38.5kg입니다. 주하 누나의 몸무게는 주하보다 1.24배 더 나갑니다. 주하 누나의 몸무게는 몇 kg일까요?

풀이 _____

답 _____ kg

37 한 시간에 9.4L의 물이 나오는 수도꼭지를 2.55시간을 틀면 모두 몇 L의 물을 받을 수 있을까요?

풀이 _____

답 _____ L

38 가로가 6.8m이고 세로가 1.35m인 직사각형 모양의 칠판이 있습니다. 이 칠판의 넓이를 구해보세요.

풀이 _____

답 _____ m²

39 A 노트북의 무게는 0.98kg이고, B 노트북의 무게는 A 노트북의 무게보다 1.4배 더 무겁다고 합니다. B 노트북의 무게는 몇 kg일까요?

풀이 _____

답 _____ kg

🖐 연마 Check 칭찬이나 노력할 점을 써 주세요.

맞힌 개수	지도 의견		확인란
개	나의 생각		

직육면체

월 일

○ 직육면체: 직사각형 6개로 둘러싸인 도형

모서리 → 꼭짓점 / 면

면: 직육면체에 선분으로 둘러싸인 부분(6개)
모서리: 면과 면이 만나는 선분(12개)
꼭짓점: 모서리와 모서리가 만나는 점(8개)

○ 정육면체: 정사각형 6개로 둘러싸인 도형

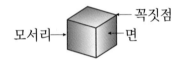
모서리 → 꼭짓점 / 면

• 특징: ① 6개의 면의 모양과 크기가 모두 같습니다.
② 12개의 모서리의 길이가 모두 같습니다.

➡ 정육면체는 직육면체라 할 수 있지만 직육면체는 정육면체라고 할 수 없습니다.

○ 직육면체의 성질

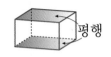
밑면 / 평행 / 옆면

성질 ① 직육면체의 평행한 면
① 서로 마주보고 있는 면은 평행합니다.
② 서로 평행한 면은 모두 3쌍입니다.

성질 ② 직육면체의 수직인 면
① 한 꼭짓점에서 만나는 3면은 모두 직각입니다.
② 서로 만나는 면은 수직입니다.
③ 한 면과 수직인 면은 모두 4개입니다.

⌛ **(01~04) 빈칸에 알맞은 것을 써넣으세요.**

01 직사각형 모양의 면 ☐개로 둘러싸인 도형을 ☐라고 합니다.

02
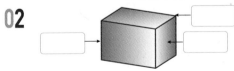

03 직육면체의 면은 ☐개, 모서리는 ☐개, 꼭짓점은 ☐개입니다.

04
보이는 면의 수	보이는 모서리의 수	보이는 꼭짓점의 수

⌛ **(05~07) 빈칸 안에 알맞은 말을 쓰세요. (보이지 않는 꼭짓점은 ㅁ입니다.)**

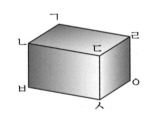

05 면 ㄱㄴㅂㅁ과 면 ☐처럼 계속 늘여도 만나지 않는 두 면을 서로 ☐하다고 합니다.

06 면 ㄱㄴㄷㄹ과 마주 보고 있는 면은 면 ☐입니다.

07 직육면체에서 서로 ☐한 면은 모두 3쌍입니다.

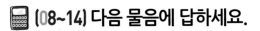

도형 이해하기

(08~14) 다음 물음에 답하세요.

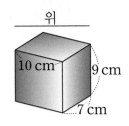

위

10 cm　9 cm

7 cm

08 직육면체를 위에서 본 모양은 어떤 도형입니까?　(　　　　　)

09 보이는 모서리는 보이지 않는 모서리보다 몇 개 더 많습니까?　(　　　　　)

10 보이지 않는 면은 몇 개입니까?　(　　　　　)

11 보이는 꼭짓점은 몇 개입니까?　(　　　　　)

12 직육면체에서 보이는 모서리의 길이의 합은 몇 cm입니까?　(　　　　　)

13 직육면체에서 보이지 않는 모서리의 길이의 합은 몇 cm입니까?　(　　　　　)

14 직육면체의 면, 모서리, 꼭짓점의 수의 합은 몇 개입니까?　(　　　　　)

(15~21) 직육면체를 보고 물음에 답하세요. (보이지 않는 꼭짓점은 ㅁ입니다.)

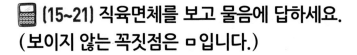

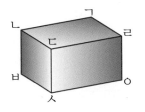

ㄴ　ㄱ
ㄷ　ㄹ
ㅂ　ㅇ
ㅅ

15 면 ㄱㄴㄷㄹ과 평행한 면을 쓰세요.　(　　　　　)

16 면 ㄴㅂㅅㄷ과 평행한 면을 쓰세요.　(　　　　　)

17 면 ㄷㅅㅇㄹ과 평행한 면을 쓰세요.　(　　　　　)

18 서로 평행한 면은 모두 몇 쌍인지 구하세요.　(　　　　　)

19 면 ㄱㅁㅇㄹ과 서로 마주보고 있는 면을 쓰세요.　(　　　　　)

20 면 ㄱㄴㅂㅁ과 서로 마주보고 있는 면을 쓰세요.　(　　　　　)

21 면 ㅁㅂㅅㅇ과 서로 마주보고 있는 면을 쓰세요.　(　　　　　)

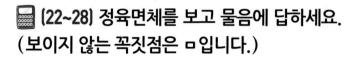

도형 이해하기

정확하게 풀어보아요

(22~28) 정육면체를 보고 물음에 답하세요. (보이지 않는 꼭짓점은 ㅁ입니다.)

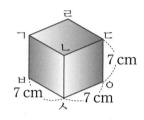

22 면 ㄱㄴㄷㄹ과 평행한 면을 쓰세요.
( )

23 면 ㄱㄴㄷㄹ과 평행한 면의 모서리의 길이의 합을 구하세요.
( )

24 면 ㄱㅂㅅㄴ과 평행한 면을 쓰세요.
( )

25 면 ㄱㅂㅅㄴ과 평행한 면의 모서리의 길이의 합을 구하세요.
( )

26 면 ㄱㅂㅁㄹ과 평행한 면을 쓰세요.
( )

27 면 ㄱㅂㅁㄹ과 평행한 면의 모서리의 길이의 합을 구하세요.
( )

28 정육면체의 각 면의 모서리의 길이의 합은 모두 [같습니다 / 다릅니다].

(29~35) 직육면체와 정육면체에 대한 설명입니다. 맞으면 ○표, 틀리면 ×표 하세요.

29 정육면체의 면의 모양은 모두 직사각형입니다.
( )

30 직육면체의 면의 모양과 크기는 모두 같습니다.
( )

31 직육면체의 모서리의 길이는 다를 수 있습니다.
( )

32 직육면체는 정육면체라고 할 수 있습니다.
( )

33 정육면체의 꼭짓점은 12개입니다.
( )

34 직육면체의 모서리는 10개입니다.
( )

35 정육면체의 보이는 면의 개수는 4개입니다.
( )

36 다음 그림과 같이 정육면체 모양의 주사위가 있습니다. 모든 모서리의 길이의 합이 36cm라고 할 때, 한 모서리의 길이를 구하세요.

(풀이 과정)

(1) 정육면체 모든 모서리의 길이의 합은 [ ]cm입니다.

(2) 정육면체 모든 모서리의 개수는 [ ]개입니다.

(3) 주사위의 한 모서리의 길이는 [ ]cm입니다.

(모든 모서리의 길이의 합)
÷(모든 모서리의 [ ])
=(한 모서리의 길이)
=[ ]÷[ ]=[ ]

💡 **[37~40] 풀이 과정을 쓰고 답을 구하세요.**

37 직육면체와 정육면체에 대한 설명 중 틀린 것을 찾아 그 기호를 쓰세요.

> ㉠ 직육면체의 면의 모양은 모두 정사각형입니다.
> ㉡ 정육면체의 면의 모양과 크기는 모두 같습니다.
> ㉢ 정육면체는 직육면체라고 할 수 있습니다.

풀이 _____

답 _____

38 정육면체 모양의 주사위에서 서로 평행한 두 면의 눈의 수의 합은 7입니다. 눈의 수가 2인 면과 서로 마주보는 면의 눈의 수를 구하세요.

풀이 _____

답 _____

39 오른쪽 직육면체 상자의 겉면을 색연필로 색칠하려고 합니다. 서로 평행한 면끼리 같은 색을 칠하려고 하면 몇 가지 색의 물감이 필요할까요?

풀이 _____

답 _____ 가지

40 오른쪽 그림의 직육면체에서 모든 모서리의 개수와 보이는 모서리의 개수의 차를 구해 보세요.

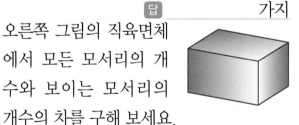

풀이 _____

답 _____ 개

🔔 **연마 Check**   칭찬이나 노력할 점을 써 주세요.

맞힌 개수	지도 의견		확인란
개	나의 생각		

○ 직육면체의 겨냥도: 직육면체 모양을 잘 알 수 있도록 나타낸 그림

➡ 직육면체에서 서로 평행한 모서리의 길이는 같습니다.

보이는 모서리는 실선으로 그립니다.
보이지 않는 모서리는 점선으로 그립니다.

○ 직육면체의 겨냥도에서 각 부분의 수

	보이는 부분	보이지 않는 부분	전체
면의 수(개)	3	3	6
모서리의 수(개)	9	3	12
꼭짓점의 수(개)	7	1	8

○ 직육면체의 전개도: 직육면체의 모서리를 잘라 펼친 그림

① 점 ㄱ과 만나는 점: 점 ㄷ, 점 ㅋ
② 선분 ㄱㄴ과 겹치는 선분: 선분 ㄴㄷ
③ 서로 평행한 면: 가와 바, 나와 라, 다와 마 ➡ 3쌍
④ 면 나와 수직인 면: 가, 다, 마, 바 ➡ 4개
⑤ 한 꼭짓점에서 만나는 면은 모두 3개입니다.

⏳ (01~06) 직육면체를 보고 빈칸에 알맞은 수나 말을 써넣으세요.

01 보이는 면은 ☐개입니다.

02 보이지 않는 꼭짓점은 ☐개입니다.

03 보이지 않는 모서리는 ☐개입니다.

04 직육면체 전개도에는 모양과 크기가 같은 면이 ☐쌍 있습니다.

05 직육면체 전개도에는 한 면과 수직인 면이 ☐개 있습니다.

06 직육면체 전개도에는 한 꼭짓점에서 만나는 면은 모두 ☐개입니다.

07 직육면체의 겨냥도를 바르게 그린 것의 기호를 쓰세요.

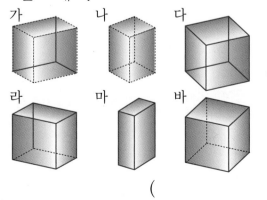

(   )

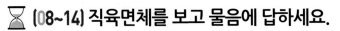

(08~14) 직육면체를 보고 물음에 답하세요.

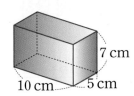

7 cm
10 cm   5 cm

08 직육면체에서 길이가 5cm인 모서리는 모두 몇 개인지 구하세요.

(   )

09 직육면체에서 길이가 7cm인 모서리는 모두 몇 개인지 구하세요.

(   )

10 직육면체에서 길이가 10cm인 모서리는 모두 몇 개인지 구하세요.

(   )

11 직육면체에서 모든 모서리의 길이의 합은 얼마인지 구하세요.

(   )

12 직육면체의 겨냥도에서 보이는 모서리의 길이의 합은 얼마인지 구하세요.

(   )

13 직육면체의 겨냥도에서 보이지 않는 모서리의 길이의 합은 얼마인지 구하세요.

(   )

14 직육면체를 위에서 바라보았을 때 보이는 직사각형의 모서리의 길이의 합이 얼마인지 구하세요.

(   )

(15~20) 정육면체의 전개도를 보고 물음에 답하세요.

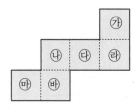

15 면 ㉮와 평행한 면을 쓰세요.

(   )

16 면 ㉮와 수직인 면을 모두 찾아 쓰세요.

(   )

17 면 ㉯와 평행한 면을 쓰세요.

(   )

18 면 ㉯와 수직인 면을 모두 찾아 쓰세요.

(   )

19 면 ㉰와 평행한 면을 구하세요.

(   )

20 면 ㉰와 수직인 면을 모두 찾아 쓰세요.

(   )

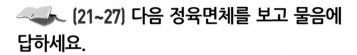

정확하게 풀어보아요

[21~27] 다음 정육면체를 보고 물음에 답하세요.

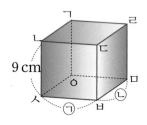

21 ㄱ, ㄴ에 알맞은 수를 쓰세요.

ㄱ: ▢ cm, ㄴ: ▢ cm

22 정육면체의 겨냥도에서 보이지 않는 모서리의 길이의 합은 얼마인지 구하세요.

( )

23 정육면체의 보이는 모서리의 길이의 합은 얼마인지 구하세요.

( )

24 모서리의 길이의 합은 얼마인지 구하세요.

( )

25 면 ㄱㄴㄷㄹ과 평행인 면의 모서리의 길이의 합이 얼마인지 구하세요.

( )

26 면 ㄴㅅㅂㄷ과 평행인 면의 모서리의 길이의 합이 얼마인지 구하세요.

( )

27 면 ㄱㄴㅅㅇ과 평행인 면의 모서리의 길이의 합이 얼마인지 구하세요.

( )

[28~34] 다음 전개도를 접어서 직육면체를 만들었을 때, 물음에 답하세요.

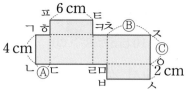

28 Ⓐ, Ⓑ, Ⓒ의 길이를 구하세요.

Ⓐ: ▢ cm, Ⓑ: ▢ cm, Ⓒ: ▢ cm

29 면 ㄱㄴㄷㅎ과 평행한 면을 구하세요.

( )

30 면 ㅍㅎㅋㅌ과 만나는 모서리가 없는 면을 구하세요. ( )

31 점 ㄴ과 만나는 점을 찾아 쓰세요.

( )

32 점 ㅌ과 만나는 점을 찾아 쓰세요.

( )

33 선분 ㅊㅈ과 겹치는 선분을 구하세요.

( )

34 선분 ㄹㅁ과 겹치는 선분을 구하세요.

( )

서술형 풀어보기

구조화 해서 풀어보아요

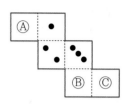

35 주사위 전개도입니다. 마주보는 두 면의 눈의 수의 합이 7일 때, 전개도의 Ⓐ, Ⓑ, ⓒ의 값을 구하세요.

풀이 과정

(1) 눈의 수가 1인 면과 평행인 면은 ☐이므로 ☐의 값은 ☐입니다.

(2) 눈의 수가 2인 면과 평행인 면은 ☐이므로 ☐의 값은 ☐입니다.

(3) 눈의 수가 3인 면과 평행인 면은 ☐이므로 ☐의 값은 ☐입니다.

💡 **(36~39) 풀이 과정을 쓰고 답을 구하세요.**

36 전개도를 접어서 직육면체를 만들었을 때 두 면 사이의 관계가 다른 하나를 구하세요.

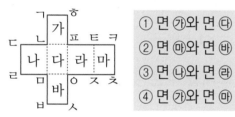

① 면 ㉮와 면 ㉤
② 면 ㉫와 면 ㉯
③ 면 ㉯와 면 ㉣
④ 면 ㉮와 면 ㉫

풀이 _____

답 _____

37 정육면체의 겨냥도에서 보이지 않는 한 모서리의 길이가 8 cm입니다. 보이는 모서리의 길이의 합을 구하세요.

풀이 _____

답 _____ cm

38 직육면체에서 보이는 모서리의 수를 Ⓐ, 보이지 않는 면의 수를 Ⓑ, 보이는 꼭짓점의 수를 ⓒ라고 할 때 Ⓐ－Ⓑ＋ⓒ의 값을 구하세요.

풀이 _____

답 _____

39 직육면체 모양의 상자를 반으로 나누는 선을 그을 때 그 선의 길이를 구하세요.

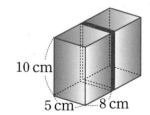

10 cm
5 cm   8 cm

풀이 _____

답 _____ cm

👆 **연마** *Check*   칭찬이나 노력할 점을 써 주세요.

맞힌 개수	지도 의견		확인란
개	나의 생각		

○ 평균＝(자료 값의 합)÷(자료의 수)
➡ 각 자료의 값을 모두 더해서 자료의 수로 나눈 값을 그 자료를 대표하는 값

핵심포인트
• 평균은 각 자료의 값이 크고 작음의 차이가 나지 않도록 고르게 한 값입니다.

[01~03] 우재네 모둠이 한 학기동안 각자 모아온 칭찬 스티커 수를 나타낸 표입니다.

이름	우재	아현	태우	하랑
칭찬 스티커 개수	19	18	21	22

01 (우재네 모둠이 모은 칭찬 스티커 개수의 합)

＝19＋18＋□＋□＝□

02 우재네 모둠은 □명입니다.

03 우재네 모둠의 칭찬 스티커 개수의 평균은 □개입니다.

[04~05] 수영과 준희가 딱지치기를 한 결과, 준희가 7개, 수영이는 3개를 가지게 되었습니다.

04 7과 3의 평균은 □입니다.

05 수영과 준희가 딱지를 똑같이 나눠 가지려면 준희의 딱지 □개를 수영에게 주면 됩니다.

[06~08] 지은이의 중간고사 과목별 점수를 나타낸 표입니다.

과목	국어	수학	영어	과학	사회
점수	80	75	90	80	75

06 (과목별 점수의 합)

＝□＋□＋90＋80＋75＝□

07 과목의 수는 □입니다.

08 중간고사 점수의 평균은 □점입니다.

[09~11] 병헌이가 코인노래방에 가서 노래를 불러서 받은 점수를 나타낸 표입니다.

횟수	1	2	3	4	5
점수	84	96	85	74	86

09 (받은 노래의 점수의 합)

＝84＋96＋□＋□＋86＝□

10 노래를 부른 횟수는 □입니다.

11 노래방에서 받은 점수의 평균은 □점입니다.

[12~14] 태희가 볼링장에 가서 쓰러뜨린 볼링 핀 수를 나타낸 표입니다.

회	1	2	3	4	5	6	7	8
쓰러뜨린 볼링핀 수(개)	7	3	4	6	0	10	8	2

12 (쓰러뜨린 볼링핀 개수의 합)

＝7＋3＋4＋6＋0＋10＋□＋□

＝□

13 볼링한 횟수는 □회입니다.

14 쓰러뜨린 볼링핀 개수의 평균은 □개입니다.

🖩 (15~28) 다음 자료의 평균을 구하세요.

15 2 3 4 7
→ ☐

22 2 4 7 10 12
→ ☐

16 2 4 5 13
→ ☐

23 6 6 8 17 18
→ ☐

17 7 6 11 8
→ ☐

24 6 8 10 11 15
→ ☐

18 4 7 8 13
→ ☐

25 5 9 12 13 21
→ ☐

19 6 13 15 22
→ ☐

26 10 12 14 18 21
→ ☐

20 7 8 11 14
→ ☐

27 9 11 14 15 16
→ ☐

21 5 10 17 24
→ ☐

28 9 11 15 17 23
→ ☐

6단계

📱 **(29~42)** 다음 자료의 평균을 구하세요.

29　　2　6　7　9

→ ☐

30　　5　9　6　4

→ ☐

31　　9　7　4　8

→ ☐

32　　6　8　14　16

→ ☐

33　　9　13　16　18

→ ☐

34　　12　18　26　32

→ ☐

35　　24　28　40　44

→ ☐

36　　3　5　6　10　11

→ ☐

37　　3　17　15　6　9

→ ☐

38　　9　10　16　20　20

→ ☐

39　　10　16　19　23　27

→ ☐

40　　13　19　21　25　32

→ ☐

41　　16　20　22　22　25

→ ☐

42　　21　27　33　35　34

→ ☐

43 모둠의 100m 달리기 기록을 나타낸 표입니다. 모둠의 100m 달리기 기록의 평균을 구하세요.

이름	은채	지후	하윤	소은	찬희	태우	지민
초	19	16	23	18	15	16	19

풀이 과정

(1) (모둠의 100m 기록의 합) = 19 + 16 + 23 + ☐ + ☐ + 16 + 19 = ☐

(2) 모둠의 수는 ☐ 명입니다.

(3) (모둠의 100m 기록 평균) = ☐ ÷ ☐ = ☐ 초입니다.

💡 (44~47) 풀이 과정을 쓰고 답을 구하세요.

44 지난주 약품창고의 실내온도를 나타낸 표입니다. 약품창고의 월요일부터 금요일까지 실내온도의 평균을 구하세요.

요일	월	화	수	목	금	토	일
온도(℃)	19	22	20	21	23	19	21

풀이 _____

답 _____ ℃

45 모둠의 키를 나타낸 표입니다. 모둠의 키의 평균을 구하세요.

이름	윤호	서현	현우	상민	유리
키(cm)	132	127	131	134	126

풀이 _____

답 _____ cm

46 모둠의 윗몸일으키기 횟수를 기록한 표입니다. 모둠이 윗몸일으키기 횟수의 평균을 구하세요.

이름	유진	다현	나영	종석	재욱
횟수	25	35	23	47	50

풀이 _____

답 _____ 회

47 다희가 지난 일주일 동안 걸은 걸음의 표를 보고, 평균을 구하세요.

요일	월	화	수	목	금	토	일
걸음 수	6500	5000	7500	6000	8000	8500	8900

풀이 _____

답 _____ 걸음

연마 Check 칭찬이나 노력할 점을 써 주세요.

맞힌 개수	지도 의견		확인란
개	나의 생각		

여러 가지 방법으로 평균 구하기

월 일

○ 줄넘기 기록의 평균 구하기

회	1회	2회	3회	4회
기록(개)	17개	21개	17개	13개

방법① 기준값을 정하여 구하기

17개를 기준으로 정하고 21개에서 4개를 13개에 주면 모두 17개가 됩니다.

➔ 줄넘기 기록의 평균은 17개입니다.

방법② 식을 이용하여 구하기

(줄넘기 기록의 평균)

$$= \frac{17+21+17+13}{4} = \frac{68}{4}$$

$$= 17(개)$$

⏳ (01~03) 연마초등학교 5학년의 학생 수를 반별로 적은 표입니다.

5학년	1반	2반	3반	4반
학생 수	25명	24명	23명	24명

01 1반은 2반보다 ☐ 명이 더 많습니다.

02 3반은 2반보다 ☐ 명이 더 적습니다.

03 5학년 반별마다 학생 수의 평균은 ☐ 명입니다.

⏳ (04~06) 수지의 기록을 기준으로 10분 동안 팔굽혀펴기의 평균을 구하려고 합니다.

이름	수지	태연	채영	지아
팔굽혀펴기	32 번	30 번	34 번	32 번

04 태연은 수지보다 ☐ 번 더 적게 했습니다.

05 채영이는 수지보다 ☐ 번 더 많이 했습니다.

06 팔굽혀펴기의 평균은 ☐ 번입니다.

⏳ (07~11) 빈칸을 채우세요

| 19 | 29 | 24 | 29 | 19 |

07 24를 ☐ 으로 정합니다.

08 19는 기준값보다 ☐ 작습니다.

09 29는 기준값보다 ☐ 큽니다.

10 자료의 평균은 ☐ 입니다.

11 (자료의 평균)

$$= \frac{19+29+24+☐+☐}{☐} = ☐$$

12 다음 설명이 맞으면 ○표, 틀리면 ✕표 하세요.

자료 값의 합이 더 클수록 평균도 항상 더 큽니다.

(   )

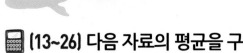

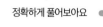

(13~26) 다음 자료의 평균을 구하세요.

13　　5　6　8　9
→ ☐

20　　7　10　9　12　17
→ ☐

14　　6　9　5　12
→ ☐

21　　9　6　13　18　24
→ ☐

15　　5　11　9　11
→ ☐

22　　10　17　23　24　36
→ ☐

16　　9　10　12　21
→ ☐

23　　7　19　27　30　32
→ ☐

17　　12　15　19　22
→ ☐

24　　17　23　27　30　38
→ ☐

18　　20　26　29　33
→ ☐

25　　25　28　36　38　43
→ ☐

19　　31　39　42　48
→ ☐

26　　18　33　37　43　44
→ ☐

6단계

계산력 강화하기

정확하게 풀어보아요

📟 (27~40) 다음 자료의 평균을 구하세요.

27
| 6 | 10 | 11 | 17 | 16 |

→ ☐

28
| 8 | 6 | 17 | 16 | 18 |

→ ☐

29
| 13 | 12 | 19 | 22 | 29 |

→ ☐

30
| 9 | 13 | 23 | 25 | 40 |

→ ☐

31
| 1 | 19 | 22 | 28 | 40 |

→ ☐

32
| 24 | 26 | 29 | 34 | 42 |

→ ☐

33
| 31 | 38 | 43 | 42 | 46 |

→ ☐

34
| 3 | 5 | 7 | 9 | 11 | 13 |

→ ☐

35
| 4 | 8 | 10 | 12 | 15 | 17 |

→ ☐

36
| 10 | 10 | 13 | 17 | 19 | 21 |

→ ☐

37
| 11 | 12 | 14 | 18 | 21 | 26 |

→ ☐

38
| 13 | 17 | 20 | 22 | 26 | 34 |

→ ☐

39
| 6 | 7 | 10 | 11 | 12 | 14 |

→ ☐

40
| 4 | 8 | 9 | 13 | 17 | 21 |

→ ☐

서술형 풀어보기

구조화 해서 풀어보아요

41 도원이네 모둠의 줄넘기 기록입니다. 도원이네 모둠의 줄넘기 기록의 평균은 21번입니다. 빈칸을 채우세요.

〈줄넘기 횟수〉		
20	18	16
26	22	24

[풀이 과정]

(1) 기록을 2개씩 묶어 평균 21번이 되려면 기록 2개의 합이 ☐ 가 되어야 합니다.

(2) 평균 21번이 되도록 기록을 2개씩 묶으면, (20, ☐), (18, ☐), (☐ , ☐) 입니다.

(3) 식을 두 가지로 세워 평균을 구하면,

① $\dfrac{20+18+16+\boxed{}+\boxed{}+\boxed{}}{6}=21$(번), ② $\dfrac{\boxed{}+\boxed{}+\boxed{}}{6}=21$(번)

💡 **(42~45) 풀이 과정을 쓰고 답을 구하세요.**

42 두 종이테이프 길이의 평균을 구하세요.

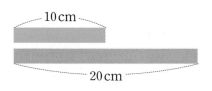

10 cm
20 cm

풀이 _____

답 _____ cm

43 A주머니에는 공이 57개, B주머니에는 공이 89개가 들어 있습니다. 두 주머니의 공의 개수가 같아지려면 B주머니에서 A주머니로 공을 몇 개 옮겨야 할까요?

풀이 _____

답 _____ 개

44 소희가 월요일에는 동화책을 27쪽을, 화요일, 수요일, 목요일, 금요일에는 모두 128쪽을 읽었습니다. 소희가 5일 동안 읽은 동화책은 하루 평균 몇 쪽일까요?

풀이 _____

답 _____ 쪽

45 현서네 반 남학생 10명의 키의 합은 1330 cm이고 여학생 13명의 키의 합은 1591 cm입니다. 현서네 반 전체 학생들의 키의 평균을 구하세요.

풀이 _____

답 _____ cm

👍 **연마** *Check* 칭찬이나 노력할 점을 써 주세요.

맞힌 개수	지도 의견		확인란
개	나의 생각		

32일차 평균을 이용하여 문제 해결하기

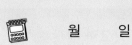

월 일

○ 평균 비교하기

➡ 각 자료의 평균을 구한 뒤, 자료 안에서 평균보다 큰지, 작은지 자료의 대소 비교를 할 수 있습니다.

㉠ 지민이의 수학 점수가 95점이고, 5과목 점수의 평균이 88점이면 수학 점수는 평균 점수보다 7점 높습니다.

○ 평균을 이용하여 자료의 값 구하기

(자료의 값을 모두 더한 수)=(평균)×(자료의 수)

핵심포인트

· 평균을 이용하여 모르는 자료의 값 구하기

(모르는 자료의 값)
= (자료의 값을 모두 더한 수)
  −(아는 자료의 값의 합)

 **[01~03]** 지연이네 모둠의 같이 살고 있는 가족구성원을 나타낸 표입니다.

이름	지연	수현	다희	재민	주영
구성원 수(명)	5	4	3	2	6

01 모둠의 평균 가족구성원의 수를 구하세요.

$$\frac{5+4+3+\boxed{}+\boxed{}}{\boxed{}}=\frac{\boxed{}}{\boxed{}}=\boxed{}(명)$$

02 가족구성원 수가 가장 많은 사람은 누구이며, 평균 구성원의 수보다 몇 명 더 많은지 구하세요. (,)

03 가족구성원 수가 가장 적은 사람은 누구이며, 평균 구성원의 수보다 몇 명 더 적은지 구하세요. (,)

[04~06] 5학년과 6학년의 학급별로 휴대전화를 가지고 있는 학생 수를 나타낸 표입니다.

반	1반	2반	3반	4반	5반
5학년(명)	20	17	18	16	19
6학년(명)	24	21	23	25	22

04 휴대전화를 가지고 있는 5학년 학생 수의 평균을 구하세요.

$$\frac{20+17+18+\boxed{}+\boxed{}}{\boxed{}}=\frac{\boxed{}}{\boxed{}}$$

$$=\boxed{}(명)$$

05 휴대전화를 가지고 있는 6학년 학생 수의 평균을 구하세요.

$$\frac{24+21+23+\boxed{}+\boxed{}}{\boxed{}}=\frac{\boxed{}}{\boxed{}}$$

$$=\boxed{}(명)$$

06 휴대전화를 가지고 있는 평균 학생 수가 더 많은 학년을 쓰세요.

( )

(07~20) 다음 자료의 평균을 보고 빈칸의 숫자를 구하세요.

07
| 5 | 5 | | 25 | 25 |

→ 평균: 15

08
| 6 | 8 | 9 | | 20 |

→ 평균: 11

09
| 8 | | 11 | 14 | 22 |

→ 평균: 13

10
| 4 | 8 | 16 | 26 | |

→ 평균: 16

11
| | 14 | 24 | 28 | 43 |

→ 평균: 23

12
| 6 | 7 | 16 | | 19 |

→ 평균: 13

13
| 18 | | 23 | 26 | 29 |

→ 평균: 23

14
| 6 | 8 | 14 | 18 | 19 | |

→ 평균: 13

15
| 3 | 9 | 13 | | 20 | 22 |

→ 평균: 14

16
| 5 | 11 | 16 | 18 | | 25 |

→ 평균: 16

17
| | 10 | 17 | 27 | 31 | 33 |

→ 평균: 21

18
| 9 | | 15 | 23 | 24 | 26 |

→ 평균: 18

19
| 10 | 12 | | 24 | 27 | 31 |

→ 평균: 20

20
| 14 | 18 | 25 | | 35 | 35 |

→ 평균: 26

계산력 강화하기

정확하게 풀어보아요

(21~34) 다음 자료의 평균을 보고 빈칸의 숫자를 구하세요.

21

| 5 | 8 | 9 | | 16 |

→ 평균: 10

22

| 6 | 10 | 13 | 17 | |

→ 평균: 13

23

| 7 | | 16 | 18 | 24 |

→ 평균: 15

24

| | 17 | 19 | 23 | 30 |

→ 평균: 20

25

| 15 | 19 | | 29 | 36 |

→ 평균: 24

26

| 25 | 29 | 34 | | 39 |

→ 평균: 33

27

| 20 | 35 | 41 | 43 | |

→ 평균: 37

28

| 4 | 6 | 12 | | 17 | 24 |

→ 평균: 13

29

| 7 | | 13 | 21 | 22 | 24 |

→ 평균: 16

30

| 6 | 8 | | 25 | 29 | 31 |

→ 평균: 19

31

| | 18 | 20 | 25 | 27 | 33 |

→ 평균: 22

32

| 12 | 12 | 26 | 26 | | 34 |

→ 평균: 23

33

| 14 | 18 | 21 | 22 | 27 | |

→ 평균: 22

34

| 17 | 18 | | 30 | 31 | 32 |

→ 평균: 26

서술형 풀어보기

구조화 해서 풀어보아요

35 4월 한 달 동안 진호와 요한이의 블로그 방문자 수는 각각 690명, 810명입니다. 한 달 동안 하루 평균 방문자 수를 구하고, 누가 하루 평균 방문자 수가 더 많은지 구하세요.

풀이 과정

(1) 진호와 요한이의 블로그의 4월 동안 방문자 수는 각각 ☐명, ☐명입니다.

(2) 4월은 ☐일 입니다.

(3) 진호의 하루 평균 방문자 수는 $\dfrac{\boxed{}}{\boxed{}}$ = ☐명이고, 요한이의 하루 평균 방문자 수는

$\dfrac{\boxed{}}{\boxed{}}$ = ☐명입니다.

(4) 따라서 ☐ 보다 ☐ 이의 블로그의 하루 평균 방문자 수가 ☐명 더 많습니다.

💡 **(36~37) 풀이 과정을 쓰고 답을 구하세요.**

36 준호의 오래 매달리기 기록을 나타낸 표입니다. 평균 11초가 나왔다고 할 때, 준호의 4회 기록(초)을 구하세요.

회	1회	2회	3회	4회	5회
기록(초)	8	12	11		11

풀이 _____

답 _____ 초

37 채연이와 은혁이의 5분 동안 줄넘기 기록을 나타낸 표입니다. 누구의 줄넘기 평균 개수가 더 많은지 구하세요.

회	1회	2회	3회	4회
채연	40개	35개	50개	43개
은혁	46개	50개	39개	37개

풀이 _____

답 _____ 의 평균 개수가 _____ 보다 _____ 개 더 많습니다.

👆 **연마 Check** 칭찬이나 노력할 점을 써 주세요.

맞힌 개수		지도 의견		확인란
	개	나의 생각		

사건이 일어날 가능성

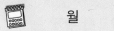

월   일

- 일이 일어날 가능성을 말로 표현하기
➡ 가능성은 어떠한 상황에서 특정한 사건이 일어나길 기대할 수 있는 정도를 말합니다.

  가능성의 정도는 '불가능하다, ~아닐 것 같다, 반반이다, ~일 것 같다, 확실하다' 등으로 표현할 수 있습니다.

- 일이 일어날 가능성을 수로 나타내기
➡ 사건이 일어날 가능성은 $0, \frac{1}{4}, \frac{1}{2}, \frac{3}{4}, 1$과 같은 수로 표현할 수 있습니다.

불가능하다	가능성이 낮다	가능성이 반반이다	가능성이 높다	확실하다
0	$\frac{1}{4}$	$\frac{1}{2}$	$\frac{3}{4}$	1

핵심포인트

- 일기예보를 보고 비가 올 가능성 알아보기

날짜	어제	오늘	내일	모레
날씨	맑음	구름 조금	비	흐림

- 맑음: 날씨가 맑고 비가 오지 않는다.
- 구름 조금: 구름이 있지만 해가 보이고 비가 오지 않는다.
- 비: 비가 온다.
- 흐림: 구름이 아주 많아 해가 보이지 않지만 비는 오지 않는다.

⌛ (01~07) 사건이 일어날 가능성에 대하여 알맞은 곳에 ○표 하세요.

사건	불가능하다	반반이다	확실하다
01 동전을 던지면 숫자면이 나올 것입니다.			
02 어제가 토요일이면 내일은 화요일입니다.			
03 주사위를 던지면 짝수가 나옵니다.			
04 한국에서는 동쪽에서 해가 뜹니다.			
05 청군, 백군 시합에서 청군이 될 것입니다.			
06 닭의 새끼는 병아리입니다.			
07 호랑이가 쑥과 마늘을 먹고 인간이 됩니다.			

⌛ (08~10) 사건이 일어날 가능성을 수직선에 점(·)으로 나타내세요.

08 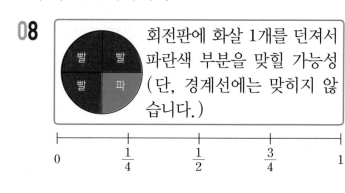 회전판에 화살 1개를 던져서 파란색 부분을 맞힐 가능성 (단, 경계선에는 맞히지 않습니다.)

0	$\frac{1}{4}$	$\frac{1}{2}$	$\frac{3}{4}$	1

09 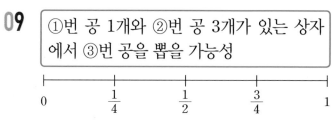 ①번 공 1개와 ②번 공 3개가 있는 상자에서 ③번 공을 뽑을 가능성

0	$\frac{1}{4}$	$\frac{1}{2}$	$\frac{3}{4}$	1

10 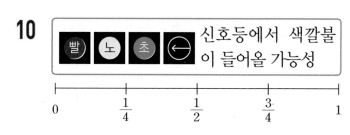 신호등에서 색깔불이 들어올 가능성

0	$\frac{1}{4}$	$\frac{1}{2}$	$\frac{3}{4}$	1

(11~16) 사건이 일어날 가능성을 보기에서 골라 말로 표현하세요.

보기　불가능하다　반반이다　확실하다

날짜	오늘		내일		모레	
	오전	오후	오전	오후	오전	오후
날씨	흐림	구름 조금	맑음	구름 조금	흐림	비

11 내일 오전에 비가 올 가능성을 구하세요.
（　　　　　）

12 모레 오후에 비가 올 가능성을 구하세요.
（　　　　　）

13 오늘 오후에 햇빛이 있을 가능성을 구하세요. （　　　　　）

지갑에 100원 동전 1개와 50원 동전 1개가 있습니다.

14 지갑에서 동전 1개를 꺼냈을 때 100원이 나올 가능성을 구하세요.
（　　　　　）

15 지갑에서 동전 2개를 꺼냈을 때 150원이 될 가능성을 구하세요.
（　　　　　）

16 지갑에서 동전 1개를 꺼냈을 때 500원이 될 가능성을 구하세요.
（　　　　　）

(17~19) 정육면체 주사위를 던졌을 때, 사건이 일어날 가능성을 숫자로 나타내세요.

17 주사위를 1번 던져서 눈의 개수가 2의 배수가 나올 가능성을 구하세요.
（　　　　　）

18 주사위를 1번 던져서 눈의 개수가 6 이하의 숫자가 나올 가능성을 구하세요.
（　　　　　）

19 주사위를 2번 던져서 나온 눈의 개수의 합이 1일 가능성을 구하세요.
（　　　　　）

(20~22) 상자 안에 검은색 바둑돌 3개, 흰색 바둑돌 1개가 있습니다. 사건이 일어날 가능성을 숫자로 나타내세요.

20 상자에서 바둑돌 1개를 꺼낼 때 흰색일 가능성을 구하세요. （　　　　　）

21 상자에서 바둑돌 1개를 꺼낼 때 검은색일 가능성을 구하세요. （　　　　　）

22 상자에서 바둑돌 1개를 꺼낼 때 노란색일 가능성을 구하세요. （　　　　　）

6 단계

[23~24] 다음과 같은 6장의 숫자 카드를 숫자가 보이지 않게 뒤집어 놓았습니다. 사건이 일어날 가능성을 말로 표현하세요.

| 2 | 3 | 5 | 6 | 8 | 9 |

23 숫자가 보이게 숫자 카드 한 장을 뒤집었을 때 뒤집은 숫자 카드의 숫자가 3의 배수일 가능성을 구하세요.

(   )

24 숫자가 보이게 숫자 카드 한 장을 뒤집었을 때 뒤집은 숫자 카드의 숫자가 4일 가능성을 구하세요. (   )

[25~26] 연필꽂이에 노란색 연필 3자루, 빨간색 연필 3자루가 꽂혀 있습니다. 사건이 일어날 가능성을 말로 표현하세요.

25 연필꽂이에 색연필 한자루를 꺼낼 때 꺼낸 색연필이 분홍색일 가능성을 구하세요.

(   )

26 연필꽂이에 색연필 한자루를 꺼낼 때 꺼낸 색연필이 노란색일 가능성을 구하세요.

(   )

[27~28] 사건이 일어날 가능성을 수로 표현하세요.

어느 쇼핑몰에서 진행하고 있는 룰렛이벤트입니다. (단, 경계선에 멈추지 않습니다.)

27 현서가 룰렛을 돌렸을 때 무료 배송을 뽑을 가능성을 구하세요.

(   )

28 동준이가 룰렛을 돌렸을 때 꽝이 아닌 것을 뽑을 가능성을 구하세요.

(   )

[29~30] 상자 안에 포도맛 사탕 3개, 레몬맛 사탕 3개 들어 있습니다. 사건이 일어날 가능성을 수로 표현하세요.

29 진주가 상자에서 사탕 1개를 꺼냈을 때 포도맛 사탕일 가능성을 구하세요.

(   )

30 진수가 상자에서 사탕 1개를 꺼냈을 때 딸기맛 사탕일 가능성을 구하세요.

(   )

서술형 풀어보기

구조화 해서 풀어보아요

31 회전판을 돌렸을 때 화살이 빨간색에 멈출 가능성이 높은 것부터 차례로 기호를 쓰세요. (단, 경계선에서 멈추지 않습니다.)

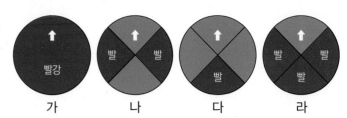

(풀이 과정)

(1) 빨간색에만 멈추는 회전판 '가'를 1개로 잡으면

☐   ☐   ☐   ☐

| 0 | $\frac{1}{4}$ | $\frac{1}{2}$ | $\frac{3}{4}$ | 1 |

(2) 그러므로 가능성이 높은 것부터 차례로 쓰면 ☐ , ☐ , ☐ , ☐ 입니다.

(32~35) 풀이 과정을 쓰고 답을 구하세요.

32 상자에 파란색 공 4개, 노란색 공 4개가 들어있습니다. 상자에서 공 한 개를 꺼냈을 때 꺼낸 공이 파란색일 가능성을 수로 표현하세요.

풀이 _____

답 _____

33 현서가 3번 카드를 뽑아 과학관에 가게 될 가능성을 수로 나타내세요.

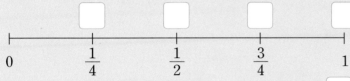

풀이 _____

답 _____

34 학교에서 박물관까지 가는 방법은 다음 그림과 같습니다. 학교에서 지하철을 타고 박물관까지 갈 가능성을 수로 나타내세요.

풀이 _____

답 _____

35 1부터 10까지의 수가 적힌 10장의 카드 중 1장을 뽑았습니다. 뽑은 수 카드에 적힌 수가 0일 가능성을 말로 나타내세요.

답 _____

연마 Check 칭찬이나 노력할 점을 써 주세요.

맞힌 개수	지도 의견	
개	나의 생각	확인란

5-2
부모님/선생님 가이드

- 공부를 하면서 꼭 알아야 할 내용과, 문제 풀이 시간을 참고하여 아이의 학습 활동에 도움을 줄 수 있습니다.

단계	대단원명	일차	소단원명	학습 내용	문제 풀이 시간	부모님/ 선생님 체크	페이지
1단계	1. 수의 범위와 어림하기	1일차	(1) 이상과 이하	이상과 이하의 의미를 알고 수직선에 나타낼 수 있습니다.			12
		2일차	(2) 초과와 미만	초과와 미만의 의미를 알고 수직선에 나타낼 수 있습니다.			16
		3일차	(3) 올림 알아보기	올림에 대해 알고 각 자리 수에 맞게 올림을 할 수 있습니다.			20
		4일차	(4) 버림 / 반올림 알아보기	버림과 반올림에 대해 알고 각 자리 수에 맞게 버림 및 반올림을 할 수 있습니다.			24
2단계	2. 분수의 곱셈	5일차	(1) (진분수)×(자연수)	약분을 도중에, 아니면 계산 마지막에 하는 등의 두 가지 방법의 풀이 방법을 이용하여 (진분수)×(자연수)를 계산합니다.			28
		6일차	(2) (대분수)×(자연수)	대분수를 가분수로 고쳐 계산하거나, 곱셈의 분배법칙을 이용해 (대분수)×(자연수)를 계산합니다.			32
		7일차	(3) (자연수)×(진분수)	(진분수)×(자연수)와 계산 결과가 같습니다. 곱셈의 교환법칙을 깨닫습니다.			36
		8일차	(4) (자연수)×(대분수)	(대분수)×(자연수)와 계산 결과가 같습니다. 곱셈의 교환법칙을 깨닫습니다.			40
		9일차	(5) (단위분수)×(단위분수) / (진분수)×(진분수)	분모는 분모끼리, 분자는 분자끼리 곱셈합니다.			44
		10일차	(6) 대분수×(대분수)	대분수를 가분수로 고쳐, 약분 과정을 거친 뒤 계산결과가 가분수가 되면 대분수로 고칩니다.			48
		11일차	(7) 세 분수의 곱셈①	차례로 두 개씩 곱하는 방법으로 풀어봅니다. 한꺼번에 세 개의 분수를 곱하는 방법으로도 풀어봅니다. 세 분수를 한꺼번에 곱하면서 약분이 발생할 때, 실수하지 않도록 주의합니다.			52
		12일차	세 분수의 곱셈②				56

초등 5·2

연산마스터
계산력 강화
학부모 가이드북

10권

KILE 학력평가원

이상과 이하

월 일

- 7 이상인 수: 7보다 크거나 같은 수
- 7, 7.5, 8, 8.3, 10 등과 같이 7보다 크거나 같은 수

➡ 기준이 되는 수에 ●으로 표시하고 오른쪽으로 선을 그어 나타냅니다.

- 6 이하인 수: 6보다 작거나 같은 수
- 6, 5.5, 5, 4.8 등과 같이 6보다 작거나 같은 수

➡ 기준이 되는 수에 ●으로 표시하고 왼쪽으로 선을 그어 나타냅다.

핵심 포인트
- ★ 이상인 수, ★ 이하인 수에는 ★이 포함됩니다.
- 수직선에 ●으로 표시되어 있으면 그 수는 범위에 포함됩니다.
- 수직선에 수의 범위나타내기

	점 표시	화살표 방향
이상	●	오른쪽 →
이하	●	← 왼쪽

[01~06] 빈칸을 채우세요.

4보다 크거나 같은 수
➡ 4 이상 인 수

3보다 작거나 같은 수
➡ 3 이하 인 수

5 이상인 수
➡ 5보다 크거나 같은 수

2 이하인 수
➡ 2보다 작거나 같은 수

➡ 8 이하 인 수

➡ 10 이상 인 수

[07~10] 다음 수의 범위에 맞는 수를 모두 쓰세요.

23	24	25	26	27	28
29	30	31	32	33	34

07 30 이상인 수
(30, 31, 32, 33, 34)

08 28 이하인 수
(23, 24, 25, 26, 27, 28)

09 26 이상이고 31 이하인 수
(26, 27, 28, 29, 30, 31)

10 29 이상이고 34 이하인 수
(29, 30, 31, 32, 33, 34)

계산력 강화하기
정확하게 풀어보아요

[11~24] 빈칸을 채우고 수의 범위를 수직선에 나타내세요.

11 5 이상이고 8 이하인 수

12 11 이상이고 14 이하인 수

13 1보다 크거나 같고 3보다 작거나 같은 수

14 7보다 크거나 같고 10보다 작거나 같은 수

15 4보다 크거나 같고 7 이하인 수

16 10 이상이고 15보다 작거나 같은 수

17 6.5 이상이고 10.5 이하인 수

18 9 이상이고 13 이하인 수

19 3보다 크거나 같고 6보다 작거나 같은 수

20 11보다 크거나 같고 15보다 작거나 같은 수

21 12보다 크거나 같고 15.5보다 작거나 같은 수

22 15 이상이고 19보다 작거나 같은 수

23 23보다 크거나 같고 26 이하인 수

24 4 이상이고 6 이하인 수

계산력 강화하기
정확하게 풀어보아요

[25~38] 수직선에 나타낸 수의 범위를 보고 빈칸에 알맞은 말을 쓰세요.

25 ➡ 5 이상이고 9 이하인 수

32 ➡ 9.5 이상 이고 12.5 이하 인 수

26 ➡ 7 이상이고 12 이하인 수

33 ➡ 0 이상 이고 3.5 이하 인 수

27 ➡ 1 이상이고 4 이하인 수

34 ➡ 2.5 이상이고 6.5 이하 인 수

28 ➡ 10 이상이고 15 이하인 수

35 ➡ 13.5 이상 이고 16.5 이하 인 수

29 ➡ 8 이상이고 13 이하인 수

36 ➡ 5.5 이상 이고 9.5 이하인 수

30 ➡ 14 이상이고 17 이하인 수

37 ➡ 14 이상 이고 18.5 이하 인 수

31 ➡ 3 이상이고 7 이하인 수

38 ➡ 8.5 이상이고 10 이하 인 수

사고력 확장 서술형 풀어보기
구조화 해서 풀어보아요

39 공을 던져 인형을 맞춰 넘어뜨리면, 넘어뜨린 개수에 따라 다음과 같이 상품을 줄 때, 현서는 5개를, 도원이는 8개의 인형을 각각 넘어뜨렸습니다. 두 사람이 받을 상품을 각각 쓰세요.

넘어뜨린 개수	상품
3 이하	없음
4 이상 6 이하	야광봉
7 이상 9 이하	열쇠고리
10 이상	곰인형

풀이 과정
(1) 현서는 5개 넘어뜨렸으므로 4 이상 6 이하의 상품을 받고, 도원이는 8개를 넘어뜨렸으므로 7 이상 9 이하의 상품을 받습니다.
(2) 그러므로 현서는 야광봉 을, 도원이는 열쇠고리 를 받습니다.

[40~43] 풀이 과정을 쓰고 답을 구하세요.

40 태희네 반 친구들이 1분 동안 줄넘기를 한 개수입니다. 35개 이하인 학생은 모두 몇 명일까요?

이름	기록	이름	기록	이름	기록
태희	40	민아	27	나연	26
지만	38	유리	23	수연	34

풀이 35 이하인 수를 찾아보면 27, 23, 26, 34
답 4 명

41 로드 FC의 웰터급은 몸무게가 77kg 이하의 체급입니다. 민재의 몸무게가 80kg 이라고 할 때, 웰터급 시합에 나가려면 최소 몇 kg 이상을 체중감량해야 할까요?

풀이 80−77=3
답 3kg 이상

42 다음은 어느 뷔페의 가격표입니다. 승호네 가족이 계산해야 할 금액은 얼마일까요?

나이	금액	〈승호네 가족〉
4세 이상 7세 이하	5900	아빠: 40세
8세 이상 16세 이하	12900	엄마: 40세
17세 이상 60세 이하	23900	누나: 10세
61세 이상	15900	승호: 7세

풀이 23900+23900+12900+5900
=66,600
답 66,600 원

43 연마초등학교 5학년 학생들이 소풍을 가기 위해 승객 45명 정원인 버스 5대를 빌린다고 합니다. 소풍가려고 하는 5학년 학생은 몇 명 이상 몇 명 이하인가요?

풀이 최대: 45×5=225
최소: 45×4+1=181
답 181명 이상 255명 이하

엄마 Check 칭찬이나 노력할 점을 써 주세요.

맞힌 개수		지도 의견		확인란
	개	나의 생각		

초과와 미만

월 일

● 11 초과인 수: 11보다 큰 수
➡ 11.2, 12, 13.4 등과 같이 11보다 큰 수

➡ 기준이 되는 수에 ○으로 표시하고 오른쪽으로 선을 그어 나타냅니다.

● 13 미만인 수: 13보다 작은 수
➡ 12.8, 12, 10.8, 9 등과 같이 13보다 작은 수

➡ 기준이 되는 수에 ○으로 표시하고 왼쪽으로 선을 그어 나타냅니다.

핵심포인트

• ★ 초과인 수, ★ 미만인 수에는 ★이 포함되지 않습니다.

• 수직선에 ○으로 표시되어 있으면 그 수는 범위에 포함되지 않습니다.

• 수직선에 수의 범위 나타내기

	점 표시	화살표 방향
초과	○	오른쪽 →
미만	○	← 왼쪽

⏳ [01~06] 빈칸을 채우세요.

01 12보다 큰 수
→ 12 [초과]인 수

02 17보다 작은 수
→ 17 [미만]인 수

03 15 미만인 수
→ 15보다 [작은] 수

04 9 초과인 수
→ 9보다 [큰] 수

05
→ [7] 초과인 수

06
→ [16] 미만인 수

⏳ [07~10] 범위에 맞는 수를 <보기>에서 찾아 모두 쓰세요.

<보기>
24 25 26 27 28
29 30 31 32 33
34 35 36 37 38

07 34 초과인 수
(35, 36, 37, 38)

08 28 미만인 수
(24, 25, 26, 27)

09 31보다 작은 수
(24, 25, 26, 27, 28, 29, 30)

10 32보다 큰 수
(33, 34, 35, 36, 37, 38)

계산력 강화하기

정확하게 풀어보아요

🖩 [11~24] 다음 수의 범위를 수직선에 나타내세요.

11 6 초과이고 9 미만인 수

12 7 초과 10 미만인 수

13 12보다 크고 17보다 작은 수

14 14보다 크고 18보다 작은 수

15 0보다 크고 5 미만인 수

16 24 초과이고 28보다 작은 수

17 7.5 초과이고 10.5 미만인 수

18 2 이상이고 5 미만인 수

19 16 초과이고 19 이하인 수

20 26보다 크고 28보다 작거나 같은 수

21 35보다 크거나 같고 40보다 작은 수

22 6 초과이고 11보다 작거나 같은 수

23 13보다 크거나 같고 17 미만인 수

24 19.5 초과이고 24.5 이하인 수

초과와 미만 1

계산력 강화하기

정확하게 풀어보아요

🖩 [25~38] 수직선에 나타낸 수의 범위를 보고 빈칸에 알맞은 말을 쓰세요.

25
→ 9 [초과]이고 14 [미만]인 수

26
→ 15 [초과]이고 17 [미만]인 수

27
→ 2보다 [큰] 수이고 6보다 [작은] 수

28
→ 31보다 [큰] 수이고 34보다 [작은] 수

29
→ 27보다 [큰] 수이고 30 [미만]인 수

30
→ 17 [초과]이고 21보다 [작은] 수

31
→ 7.5 [초과]이고 11.5 [미만]인 수

32
→ 16 [이상]이고 19 [미만]인 수

33
→ 7 [초과]이고 11 [이하]인 수

34
→ 34보다 [크거나] 같고 38보다 [작은] 수

35
→ 28보다 [큰] 수이고 34보다 [작거나] 같은 수

36
→ 8 [이상]이고 13 [미만]인 수

37
→ 22보다 [큰] 수이고 25 [이하]인 수

38
→ 1.5보다 [큰] 수이고 5.5보다 [작거나] 같은 수

사고력 확장 | 서술형 풀어보기

구조화 해서 풀어보아요

39 오른쪽은 TV 드라마 프로그램이 시작할 때 나오는 화면입니다. 지호네 가족 가운데 이 드라마를 볼 수 있는 사람을 모두 쓰세요.

15
이 프로그램은 15세 미만의 어가 시청하기에 부적절합니다.

(지호네 가족)
할아버지: 60세, 아버지: 50세, 어머니: 47세, 언니: 19세, 오빠: 15세, 지호: 14세, 동생: 13세

(풀이 과정)
(1) 15세 미만이므로 [15]세보다 어린 사람은 이 프로그램을 볼 수 없습니다.
(2) 그러므로 [할아버지], [아버지], [어머니], [언니], [오빠]가 이 프로그램을 시청할 수 있습니다

💡 [40~43] 풀이 과정을 쓰고 답을 구하세요.

40 아래 주차장에 1시간 33분 동안 주차한 주차요금은 얼마일까요?

연마주차장 주차요금
• 기본 60분 이하 무료
• 60분 초과하는 경우 5분 마다 500원씩 부과

풀이 60분 이하는 무료이므로 33분만 계산합니다. 33은 30~35 범위에 있으므로 500×7=3500원

답 3500 원

41 5월 최고 기온을 나타낸 표입니다. 27℃ 미만을 기록한 지역명을 쓰세요.

서울	28.8℃	부천	29.1℃	부산	24.6℃
인천	27.7℃	대구	34.5℃	제주	21.5℃

답 부산, 제주

42 키가 120 cm 초과인 사람만 탈 수는 놀이기구에 탈 수 없는 사람들을 <보기>에서 모두 찾아 쓰세요.

<보기>
120cm, 130cm, 118cm, 123c

풀이 120cm 초과인 수이므로 120cm는 되지 않습니다.

답 118 cm, 120

43 택배로 보내야 할 물건의 무게가 3때 택배요금을 구하세요.

무게(kg)	택배요금(원)
2kg 이하	3500(원)
2kg 초과 5kg 이하	4500(원)
5kg 초과	5500(원)

풀이 3kg은 2 초과 5 이하 범위이므로

답 4500

연마 Check 칭찬이나 노력할 점을 써 주세요.

맞힌 개수	지도 의견	
개	나의 생각	

확인

초과와 미만 1

올림하기: 구하려는 자리 아래 수를 올려서 나타내는
방법

핵심포인트

➡ 구하려는 자리 미만의 수가 0이 아니면, 구하려는
자리에 1을 더하고 그 아래 자리 숫자를 모두 0으로 나
타내면 됩니다.

• 십의 자리까지 나타내기: 256 → 260
　　　└ 십의 자리 아래수(일의 자리)가 0이
　　　　 아니면 10으로 봅니다.

• 백의 자리까지 나타내기: 2019 → 2100
　　　└ 백의 자리 아래수 19를 100으로 봅니다.

• 일의 자리까지 나타내기: 4.7 → 5
　　　└ 일의 자리 아래수(소수 첫째 자리)가
　　　　 0이 아니면 1로 봅니다.

• 소수 둘째 자리까지 나타내기: 5.188 → 5.19
　　└ 소수 둘째 자리 아래수(소수 셋째 자리)가
　　　 0이 아니면 0.01로 봅니다.

• 백의 자리까지 나타낼 때, 백의 자리
아래수(십의 자리)가 0인 경우 올리
지 않습니다.
　2000 → 2100(×)
　2000 → 2000(○)

1~06) 올림하여 주어진 자리까지 나타내세요.

십의 자리까지
1784 → 1790

04 소수 첫째 자리까지
2.03 → 2.1

백의 자리까지
2038 → 2100

05 소수 둘째 자리까지
1.683 → 1.69

일의 자리까지
1.49 → 2

06 천의 자리까지
2468 → 3000

계산력 강화하기
정확하게 풀어보아요

07~16) 수를 올림하여 주어진 자리까지 나타내세요.

		천의 자리까지	백의 자리까지	십의 자리까지
07	7802	8000	7900	7810
08	4743	5000	4800	4750
09	5617	6000	5700	5620
10	3248	4000	3300	3250
11	1571	2000	1600	1580
12	2884	3000	2900	2890
13	8656	9000	8700	8660
14	6414	7000	6500	6420
15	4857	5000	4900	4860
16	2735	3000	2800	2740

구조화 하기를 연습하면 서술형도 쉽게 풀어요

17~37) 다음 수를 올림하여 주어진 자리까지 나타내세요.

 백의 자리까지
786
800

24 만의 자리까지
12357
20000

31 소수 첫째 자리까지
8.33
8.4

 십의 자리까지
497.2
500

25 천의 자리까지
5543
6000

32 소수 둘째 자리까지
3.532
3.54

 일의 자리까지
2.68
3

26 백의 자리까지
452
500

33 일의 자리까지
6.7
7

소수 첫째 자리까지
0.75
0.8

27 십의 자리까지
714
720

34 십의 자리까지
335
340

소수 둘째 자리까지
7.874
7.88

28 일의 자리까지
6.89
7

35 백의 자리까지
63515
63600

만의 자리까지
34678
40000

29 소수 첫째 자리까지
11.047
11.1

36 천의 자리까지
84063
85000

천의 자리까지
61772
62000

30 소수 둘째 자리까지
5.368
5.37

37 만의 자리까지
64567
70000

사고력 확장 | 서술형 풀어보기
구조화 해서 풀어보아요

38 현서네 학교는 입학식 선물로 신입생 134명에게 크레파스를 1통씩 선물하려고 합니다. 크레파스 공장에서 크레파스를 한 상자에 20통씩 담아서 판다면 최소 몇 상자를 사야 할까요?

풀이 과정

(1) 134를 십의 자리까지 올림하여 나타내면 140 입니다.

(2) 한 상자에 20통씩 들어있으므로 최소 7 상자를 사야 합니다.

39~42) 풀이 과정을 쓰고 답을 구하세요.

39 도원이네 학교 학생 289명이 3D 영화를 관람하려고 합니다. 이 관람관에 한 번에 최대 100명씩 들어갈 수 있다면, 도원이네 학교 학생들 모두가 3D 영화를 관람할 수 있으려면 적어도 몇 번에 나누어 보아야 할까요?

풀이 289를 백의 자리까지 올림하여 나타내면 300입니다. 300÷100=3

답 3 번

40 5663장의 색종이를 10장씩 봉투에 넣으려고 합니다. 색종이를 모두 넣기 위해 필요한 봉투는 적어도 몇 개 이상일까요?

풀이 5663을 십의 자리까지 올림하여 나타내면 5670입니다.

답 567 개

41 사과를 10 kg 단위로 1박스씩 포장하려고 합니다. 1박스에 11개보다 많거나 같고 13개보다는 적거나 같게 들어간다고 할 때, 포장한 박스가 8개라고 하면 사과는 몇 백개쯤 되는지 어림해보세요.

한 상자에 들어있는 사과가 11개일 때는 11×8=88, 13개일 때는 13×8=104입니다. (88+104)÷2=96이므로 100개쯤 된다고 어림할 수 있습니다.

답 100 개쯤

42 올림하여 십의 자리까지 나타내면 560이 될 수 있는 수의 범위는 몇 이상 몇 이하일까요?

풀이 일의 자리에서 올림하여 560이 되는 수는 551 이상 560 이하인 수입니다.

답 551 이상 560 이하

 연마 Check 칭찬이나 노력할 점을 써 주세요.

맞힌 개수	지도 의견		
개	나의 생각		확인란

● **버림:** 구하려는 자리 미만의 수를 버려서 나타냅니다.

➜ 구하려는 자리 아래 숫자를 모두 0으로 나타냅니다.

• 십의 자리까지 나타내기

➜ 십의 자리 미만을 버림하기

13579 → 13570
└ 십의 자리 미만의 수를 0으로 봅니다.

• 백의 자리까지 나타내기

➜ 백의 자리 미만을 버림하기

13579 → 13500
└ 백의 자리 미만의 수를 0으로 봅니다.

● **반올림:** 구하려는 자리 바로 아래 자리의 숫자가 0, 1, 2, 3, 4이면 버리고, 5, 6, 7, 8, 9이면 올립니다.

• 1235를 십의 자리에서 반올림

➜ 십의 자리 수가 1~4인 경우이므로 버림하여 백의 자리까지 나타냅니다.

1235 → 1200
└ 십의 자리 숫자가 3이므로 버립니다.

• 1235를 일의 자리에서 반올림

➜ 일의 자리 수가 5 이상이므로 올림하여 십의 자리까지 나타냅니다.

1235 → 1240
└ 일의 자리 숫자가 5이므로 올립니다.

⏳ **(01~04) 버림하여 백의 자리까지 쓰세요.**

01 1784 → 1 [7] [0] [0]

02 386 → [3] [0] [0]

03 120 → [1] [0] [0]

04 758 → [7] [0] [0]

⏳ **(05~08) 반올림하여 십의 자리까지 쓰세요.**

05 1784 → 17 [8] [0]

06 386 → 3 [9] [0]

07 122 → 1 [2] [0]

08 758 → 7 [6] [0]

⏳ **(09~12) 버림하여 나타내세요.**

		천의 자리까지	백의 자리까지	십의 자리까지
09	5341	5000	5300	5340
10	3697	3000	3600	3690
11	2789	2000	2700	2780
12	4233	4000	4200	4230

⏳ **(13~16) 반올림하여 나타내세요**

		백의 자리까지	십의 자리까지	일의 자리까지
13	157.72	200	160	158
14	2168.35	2200	2170	2168
15	543.96	500	540	544
16	321.13	300	320	321

🖥 **(17~37) 버림하여 주어진 자리까지 나타내세요.**

17 백의 자리까지
786
700

18 십의 자리까지
497.2
490

19 일의 자리까지
2.68
2

20 소수 첫째 자리까지
0.75
0.7

21 소수 둘째 자리까지
7.874
7.87

22 만의 자리까지
34678
30000

23 천의 자리까지
61772
61000

24 만의 자리까지
12357
10000

25 천의 자리까지
5543
5000

26 백의 자리까지
452
400

27 십의 자리까지
714
710

28 일의 자리까지
8.89
8

29 소수 첫째 자리까지
5.368
5.3

30 소수 둘째 자리까지
11.047
11.04

31 소수 첫째 자리까지
8.33
8.3

32 소수 둘째 자리까지
3.532
3.53

33 일의 자리까지
6.7
6

34 십의 자리까지
3635
3630

35 백의 자리까지
63515
63500

36 천의 자리까지
84763
84000

37 만의 자리까지
64567
60000

🐋 **(38~58) 수를 반올림하여 주어진 자리까지 나타내세요.**

38 백의 자리까지
786
800

39 십의 자리까지
497.2
500

40 일의 자리까지
12.68
13

41 소수 첫째 자리까지
0.75
0.8

42 소수 둘째 자리까지
7.874
7.87

43 만의 자리까지
34678
30000

44 천의 자리까지
61772
62000

45 만의 자리까지
12357
10000

46 천의 자리까지
5543
6000

47 백의 자리까지
452
500

48 십의 자리까지
714
710

49 일의 자리까지
2.49
2

50 소수 첫째 자리까지
11.047
11

51 소수 둘째 자리까지
5.368
5.37

52 소수 첫째 자리까지
8.33
8.3

53 소수 둘째 자리까지
3.532
3.53

54 일의 자리까지
6.7
7

55 십의 자리까지
335
340

56 백의 자리까지
63515
63500

57 천의 자리까지
84763
85000

58 만의 자리까지
64567
60000

59 756개의 달걀을 30개씩 1판으로 포장하려고 합니다. 모두 몇 판으로 포장되나요?

풀이 과정

(1) 756을 십의 자리까지 버림하여 나타내면 [750] 입니다. [750] 을 30으로 나누 [25] 입니다.

(2) 한 판에 달걀 30개이므로 [25] 판으로 포장됩니다.

💡 **(60~63) 풀이 과정을 쓰고 답을 구하세요.**

60 버림하여 십의 자리까지 나타내면 730이 될 수 있는 수의 범위는 몇 이상 몇 미만인가요?

풀이 일의 자리에서 버림하여 730이 되는 수는 730 이상 740 미만인 수입니다.

답 _730_ 이상 _740_ 미만

61 선물 상자 1개를 포장하는데 리본 1m가 필요합니다. 리본 237cm로 선물 상자를 몇 개까지 포장할 수 있을까요?

풀이 1m=100cm이므로 237에서 백의 자리 미만 숫자를 버림하면 200입니다.

답 _2_ 개

62 십의 자리에서 반올림하였을 때 500 는 자연수 중에서 가장 작은 수와 가 수를 각각 구하세요.

풀이 십의 자리에서 반올림하였을 때 되는 자연수는 450, 451, 452, … 549입니다.

답 가장 작은 수: _450_ 가장 큰 수:

63 일의 자리에서 반올림하였을 때 510 는 자연수는 모두 몇 개일까요?

풀이 505, 506, 507, 508, 509, 510, 511, 512, 513, 514입니다.

답 _10_

🚗 **연마 Check** 칭찬이나 노력할 점을 써 주세요.

맞힌 개수	지도 의견	
개	나의 생각	

확인

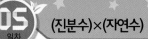

05 일차 (진분수)×(자연수)

월 일

○ $\frac{2}{9}×3$의 계산

방법① 분자에 자연수를 곱한 뒤 약분하기

$\frac{2}{9}×3=\frac{2×3}{9}=\frac{6}{9}=\frac{2}{3}$ 또는 $\frac{2}{9}×3=\frac{2×\overset{1}{\cancel{3}}}{\cancel{9}_3}=\frac{2}{3}$

방법② 분모와 자연수를 약분한 다음 분자에 자연수 곱하기

$\frac{2}{\cancel{9}_3}×\overset{1}{\cancel{3}}=\frac{2×1}{3}=\frac{2}{3}$

핵심 포인트

· $\frac{▲}{●}×★=\frac{▲×★}{●}$

· 계산 결과가 가분수이면 대분수로 나타냅니다.

1~10) 방법① 로 계산하세요.

$\frac{2}{5}×3=\frac{2×\boxed{3}}{5}=\frac{\boxed{6}}{5}=1\frac{1}{5}$

06 $\frac{3}{4}×2=\frac{3×\boxed{2}}{4}=\frac{\boxed{3}}{2}=1\frac{1}{2}$

$\frac{4}{7}×3=\frac{4×\boxed{3}}{7}=\frac{\boxed{12}}{7}=1\frac{5}{7}$

07 $\frac{5}{6}×4=\frac{5×\boxed{4}}{6}=\frac{\boxed{10}}{3}=3\frac{1}{3}$

$\frac{5}{6}×5=\frac{5×\boxed{5}}{6}=\frac{\boxed{25}}{6}=4\frac{1}{6}$

08 $\frac{5}{8}×6=\frac{5×\boxed{6}}{8}=\frac{\boxed{15}}{4}=3\frac{3}{4}$

$\frac{3}{5}×4=\frac{3×\boxed{4}}{5}=\frac{\boxed{12}}{5}=2\frac{2}{5}$

09 $\frac{2}{9}×6=\frac{2×\boxed{6}}{9}=\frac{\boxed{4}}{3}=1\frac{1}{3}$

$\frac{3}{8}×5=\frac{3×\boxed{5}}{8}=\frac{\boxed{15}}{8}=1\frac{7}{8}$

10 $\frac{5}{6}×10=\frac{5×\boxed{10}}{6}=\frac{\boxed{25}}{3}=8\frac{1}{3}$

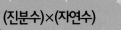

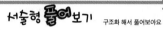
계산력 강화하기 정확하게 풀어요

(11~34) 방법② 로 계산하세요.

11 $\frac{3}{8}×6=\frac{9}{4}=2\frac{1}{4}$

19 $\frac{9}{10}×12=\frac{54}{5}=10\frac{4}{5}$

27 $\frac{9}{14}×10=\frac{45}{7}=6\frac{3}{7}$

12 $\frac{7}{9}×3=\frac{7}{3}=2\frac{1}{3}$

20 $\frac{5}{24}×14=\frac{35}{12}=2\frac{11}{12}$

28 $\frac{11}{12}×4=\frac{11}{3}=3\frac{2}{3}$

13 $\frac{3}{10}×6=\frac{9}{5}=1\frac{4}{5}$

21 $\frac{3}{14}×7=\frac{3}{2}=1\frac{1}{2}$

29 $\frac{7}{15}×12=\frac{28}{5}=5\frac{3}{5}$

14 $\frac{7}{8}×4=\frac{7}{2}=3\frac{1}{2}$

22 $\frac{5}{12}×9=\frac{15}{4}=3\frac{3}{4}$

30 $\frac{7}{8}×10=\frac{35}{4}=8\frac{3}{4}$

15 $\frac{1}{12}×10=\frac{5}{6}$

23 $\frac{7}{12}×4=\frac{7}{3}=2\frac{1}{3}$

31 $\frac{5}{6}×14=\frac{35}{3}=11\frac{2}{3}$

16 $\frac{3}{8}×12=\frac{9}{2}=4\frac{1}{2}$

24 $\frac{16}{21}×7=\frac{16}{3}=5\frac{1}{3}$

32 $\frac{13}{15}×9=\frac{39}{5}=7\frac{4}{5}$

17 $\frac{7}{10}×8=\frac{28}{5}=5\frac{3}{5}$

25 $\frac{11}{15}×6=\frac{22}{5}=4\frac{2}{5}$

33 $\frac{11}{24}×10=\frac{55}{12}=4\frac{7}{12}$

18 $\frac{5}{9}×15=\frac{25}{3}=8\frac{1}{3}$

26 $\frac{3}{16}×6=\frac{9}{8}=1\frac{1}{8}$

34 $\frac{17}{20}×8=\frac{34}{5}=6\frac{4}{5}$

고력 확장

구조화 하기 구조화 하기를 연습하면 서술형도 쉽게 풀어요

🌱 (35~49) 빈칸에 알맞은 수를 써넣으세요.

 $\frac{2}{3}$ → ×5 → $3\frac{1}{3}$

40 $\frac{4}{9}$ → ×15 → $6\frac{2}{3}$

45 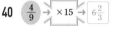 $\frac{8}{15}$ → ×10 → $5\frac{1}{3}$

 $\frac{4}{5}$ → ×4 → $3\frac{1}{5}$

41 $\frac{3}{10}$ → ×12 → $3\frac{3}{5}$

46 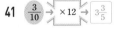 $\frac{11}{16}$ → ×14 → $9\frac{5}{8}$

 $\frac{7}{9}$ → ×12 → $9\frac{1}{3}$

42 $\frac{5}{8}$ → ×20 → $12\frac{1}{2}$

47 $\frac{11}{18}$ → ×9 → $5\frac{1}{2}$

 $\frac{3}{10}$ → ×6 → $1\frac{4}{5}$

43 $\frac{7}{12}$ → ×16 → $9\frac{1}{3}$

48 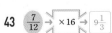 $\frac{7}{10}$ → ×15 → $10\frac{1}{2}$

 $\frac{5}{12}$ → ×8 → $3\frac{1}{3}$

44 $\frac{5}{14}$ → ×7 → $2\frac{1}{2}$

49 $\frac{17}{20}$ → ×30 → $25\frac{1}{2}$

서고력 확장

서술형 풀어보기 구조화 해서 풀어보아요

50 $\frac{7}{15}$이 12개인 수는 얼마일까요?

풀이 과정

(1) $\frac{7}{15}$이 12개이므로 $\frac{7}{15}×\boxed{12}$ 를 계산합니다.

(2) 계산을 하면 $5\frac{3}{5}$ 입니다.

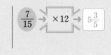 $\frac{7}{15}$ → ×12 → $5\frac{3}{5}$

❓ (51~54) 풀이 과정을 쓰고 답을 구하세요.

51 $\frac{3}{8}$ kg의 사과가 10개 있다면, 모두 몇 kg 일까요?

풀이 $\frac{3}{8}×10=\frac{15}{4}=3\frac{3}{4}$

답 $3\frac{3}{4}$ kg

53 $\frac{7}{24}$ km의 거리를 4번 왕복했다면 모두 몇 km를 이동했을까요?

풀이 $\frac{7}{24}×8=\frac{7}{3}=2\frac{1}{3}$

답 $2\frac{1}{3}$ km

52 12명에게 각각 $\frac{5}{14}$ L의 우유를 주려고 합니다. 몇 L의 우유가 필요할까요?

풀이 $\frac{5}{14}×12=\frac{30}{7}=4\frac{2}{7}$

답 $4\frac{2}{7}$ L

54 식빵 하나를 만드는데 $\frac{11}{24}$ kg의 밀가루가 필요하다면, 12개의 식빵을 만드는데 필요한 밀가루는 몇 kg일까요?

풀이 $\frac{11}{24}×12=\frac{11}{2}=5\frac{1}{2}$

답 $5\frac{1}{2}$ kg

엄마 Check 칭찬이나 노력할 점을 써 주세요.

맞힌 개수	지도 의견		확인란
개	나의 생각		

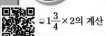

□ $1\frac{3}{4}\times2$의 계산

방법① 대분수의 자연수 부분과 진분수 부분에 각각 자연수를 곱하기

$$1\frac{3}{4}\times2=(1\times2)+\left(\frac{3}{4}\times2\right)=2+\frac{3}{2}$$
$$=2+1\frac{1}{2}=3\frac{1}{2}$$

방법② 대분수를 가분수로 고친 뒤 곱하기

$$1\frac{3}{4}\times2=\frac{7}{4}\times2=\frac{7}{2}=3\frac{1}{2}$$
가분수로!

[01~08] 방법① 로 계산하세요.

01 $2\frac{2}{3}\times4=(2\times\boxed{4})+\left(\frac{2}{3}\times\boxed{4}\right)$
$=\boxed{8}+\frac{\boxed{8}}{3}=\boxed{8}+2\frac{\boxed{2}}{3}=10\frac{2}{3}$

05 $3\frac{2}{9}\times6=(3\times\boxed{6})+\left(\frac{2}{9}\times\boxed{6}\right)$
$=\boxed{18}+\frac{\boxed{4}}{3}=\boxed{18}+1\frac{\boxed{1}}{3}=19\frac{1}{3}$

02 $1\frac{5}{6}\times8=(1\times\boxed{8})+\left(\frac{5}{6}\times\boxed{8}\right)$
$=\boxed{8}+\frac{\boxed{20}}{3}=\boxed{8}+6\frac{\boxed{2}}{3}=14\frac{2}{3}$

06 $4\frac{5}{12}\times8=(4\times\boxed{8})+\left(\frac{5}{12}\times\boxed{8}\right)$
$=\boxed{32}+\frac{\boxed{10}}{3}=\boxed{32}+3\frac{\boxed{1}}{3}=35\frac{1}{3}$

03 $2\frac{3}{8}\times6=(2\times\boxed{6})+\left(\frac{3}{8}\times\boxed{6}\right)$
$=\boxed{12}+\frac{\boxed{9}}{4}=\boxed{12}+2\frac{\boxed{1}}{4}=14\frac{1}{4}$

07 $2\frac{7}{15}\times10=(2\times\boxed{10})+\left(\frac{7}{15}\times\boxed{10}\right)$
$=\boxed{20}+\frac{\boxed{14}}{3}=\boxed{20}+2\frac{\boxed{2}}{3}=24\frac{2}{3}$

04 $3\frac{2}{5}\times3=(3\times\boxed{3})+\left(\frac{2}{5}\times\boxed{3}\right)$
$=9+\frac{\boxed{6}}{5}=\boxed{9}+1\frac{\boxed{1}}{5}=10\frac{1}{5}$

08 $2\frac{3}{16}\times12=(2\times\boxed{12})+\left(\frac{3}{16}\times\boxed{12}\right)$
$=\boxed{24}+\frac{\boxed{9}}{4}=\boxed{24}+2\frac{\boxed{1}}{4}=26\frac{1}{4}$

계산력 강화하기
정확하게 풀어요

[09~24] 방법② 로 계산하세요.

09 $1\frac{3}{5}\times2=\frac{8}{5}\times2=\frac{16}{5}=3\frac{1}{5}$

17 $4\frac{5}{12}\times3=\frac{53}{12}\times3=\frac{53}{4}=13\frac{1}{4}$

10 $2\frac{1}{6}\times3=\frac{13}{6}\times3=\frac{13}{2}=6\frac{1}{2}$

18 $5\frac{2}{9}\times6=\frac{47}{9}\times6=\frac{94}{3}=31\frac{1}{3}$

11 $3\frac{2}{3}\times2=\frac{11}{3}\times2=\frac{22}{3}=7\frac{1}{3}$

19 $2\frac{9}{10}\times4=\frac{29}{10}\times4=\frac{58}{5}=11\frac{3}{5}$

12 $4\frac{2}{7}\times3=\frac{30}{7}\times3=\frac{90}{7}=12\frac{6}{7}$

20 $4\frac{1}{12}\times9=\frac{49}{12}\times9=\frac{147}{4}=36\frac{3}{4}$

13 $3\frac{5}{8}\times2=\frac{29}{8}\times2=\frac{29}{4}=7\frac{1}{4}$

21 $3\frac{3}{20}\times5=\frac{63}{20}\times5=\frac{63}{4}=15\frac{3}{4}$

14 $1\frac{7}{9}\times6=\frac{16}{9}\times6=\frac{32}{3}=10\frac{2}{3}$

22 $2\frac{7}{16}\times8=\frac{39}{16}\times8=\frac{39}{2}=19\frac{1}{2}$

15 $4\frac{3}{4}\times2=\frac{19}{4}\times2=\frac{19}{2}=9\frac{1}{2}$

23 $2\frac{11}{15}\times10=\frac{41}{15}\times10=\frac{82}{3}=27\frac{1}{3}$

16 $5\frac{3}{10}\times5=\frac{53}{10}\times5=\frac{53}{2}=26\frac{1}{2}$

24 $5\frac{3}{14}\times7=\frac{73}{14}\times7=\frac{73}{2}=36\frac{1}{2}$

사고력 확장 구조화하기
구조화 하기를 연습하면 서술형도 쉽게 풀어요

[25~39] 빈칸에 알맞은 수를 써넣으세요.

25  $2\frac{1}{3}$ → ×5 → $11\frac{2}{3}$

30  $3\frac{1}{6}$ → ×4 → $12\frac{2}{3}$

35  $2\frac{3}{16}$ → ×20 → $43\frac{3}{4}$

26 $3\frac{4}{5}$ → ×2 → $7\frac{3}{5}$

31 $4\frac{5}{8}$ → ×10 → $46\frac{1}{4}$

36  $3\frac{3}{22}$ → ×11 → $34\frac{1}{2}$

27 $2\frac{5}{6}$ → ×10 → $28\frac{1}{3}$

32 $4\frac{2}{9}$ → ×12 → $50\frac{2}{3}$

37 $2\frac{7}{25}$ → ×20 → $45\frac{3}{5}$

28 $2\frac{3}{7}$ → ×3 → $7\frac{2}{7}$

33 $5\frac{1}{12}$ → ×9 → $45\frac{3}{4}$

38 $3\frac{11}{36}$ → ×6 → $19\frac{5}{6}$

29 $4\frac{3}{8}$ → ×4 → $17\frac{1}{2}$

34 $4\frac{2}{15}$ → ×10 → $41\frac{1}{3}$

39 $2\frac{6}{35}$ → ×10 → $21\frac{5}{7}$

사고력 확장 서술형 풀어보기
구조화 해서 풀어보아요

40 딸기 한 상자의 무게가 $1\frac{4}{15}$ kg일 때, 딸기 9상자의 무게를 구해보세요.

(풀이 과정)

(1) 식을 쓰면, $1\frac{4}{15}\times\boxed{9}$ 입니다.

(2) 계산하면 $\boxed{11\frac{2}{5}}$ 이므로 딸기 9상자의 무게는 $\boxed{11\frac{2}{5}}$ kg입니다.

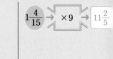 $1\frac{4}{15}$ → ×9 → $11\frac{2}{5}$

[41~44] 풀이 과정을 쓰고 답을 구하세요.

41 현서는 $2\frac{5}{16}$ km의 거리를 매일 왕복해서 걸었습니다. 4일을 걸으면 모두 몇 km를 걷게 될까요?

(풀이) 하루에 2회씩 4일 동안이므로
$2\frac{5}{16}\times8=16+\frac{5}{2}=18\frac{1}{2}$입니다.

답 $18\frac{1}{2}$ km

43 한 변의 길이가 $3\frac{11}{18}$ cm인 정삼각형 레의 길이를 구해보세요.

(풀이) $3\frac{11}{18}\times3=9+\frac{11}{6}=10\frac{5}{6}$

답 $10\frac{5}{6}$

42 다음 수 가운데 가장 큰 수와 가장 작은 수의 곱을 구해보세요.

| 6 | $5\frac{3}{8}$ | $6\frac{1}{12}$ | 4 |

(풀이) 가장 큰 수는 $6\frac{1}{12}$이고, 가장 작은 수는 4
이므로 $6\frac{1}{12}\times4=24+\frac{1}{3}=24\frac{1}{3}$입니다.

답 $24\frac{1}{3}$

44 선생님이 한 모둠에 실험용 알코 $1\frac{3}{20}$ L씩 나눠주셨습니다. 모둠이 12개라고 할 때, 나눠준 알코올은 모 L일까요?

(풀이) $1\frac{3}{20}\times12=12+\frac{9}{5}=13\frac{4}{5}$

답 $13\frac{4}{5}$

연매 Check
책정이나 노력할 점을 써 주세요.

맞힌 개수		지도 의견	
	개	나의 생각	확인

07 일차 (자연수)×(진분수)

월 일

○ $15 \times \frac{3}{10}$ 의 계산

방법 ① 자연수를 분자에 곱한 뒤 약분

$$15 \times \frac{3}{10} = \frac{15 \times 3}{10} = \frac{45}{10} = \frac{9}{2} = 4\frac{1}{2}$$

(약분)

방법 ② 자연수와 분모를 먼저 약분한 다음 자연수를 분자에 곱하기

$$\underset{2}{\overset{3}{15}} \times \frac{3}{10} = \frac{3 \times 3}{2} = \frac{9}{2} = 4\frac{1}{2}$$

핵심 포인트

· $15 \times \frac{3}{10}$ 과 $\frac{3}{10} \times 15$ 의 계산 결과는 같을까요?

→ $15 \times \frac{3}{10} = \frac{9}{2} = 4\frac{1}{2}$

→ $\frac{3}{10} \times 15 = \frac{9}{2} = 4\frac{1}{2}$

$\frac{△}{●} \times ★ = ★ \times \frac{△}{●}$

→ (자연수)×(진분수) = (진분수)×(자연수)

· 계산 결과가 가분수이면 대분수로 고칩니다.

[01~05] 방법 ① 로 계산하세요.

$6 \times \frac{4}{5} = \frac{\boxed{6} \times 4}{5} = \frac{\boxed{24}}{5} = 4\frac{\boxed{4}}{5}$

$3 \times \frac{6}{7} = \frac{\boxed{3} \times 6}{7} = \frac{\boxed{18}}{7} = 2\frac{\boxed{4}}{7}$

$5 \times \frac{3}{4} = \frac{\boxed{5} \times 3}{4} = \frac{\boxed{15}}{4} = 3\frac{\boxed{3}}{4}$

$7 \times \frac{5}{8} = \frac{\boxed{7} \times 5}{8} = \frac{\boxed{35}}{8} = 4\frac{\boxed{3}}{8}$

$12 \times \frac{7}{10} = \frac{\boxed{12} \times 7}{10} = \frac{\boxed{84}}{10}$
$= \frac{\boxed{42}}{5} = 8\frac{\boxed{2}}{5}$

[06~10] 방법 ② 로 계산하세요.

06 $4 \times \frac{5}{6} = \frac{\boxed{2} \times 5}{3} = \frac{\boxed{10}}{3} = 3\frac{\boxed{1}}{3}$

07 $6 \times \frac{7}{8} = \frac{\boxed{3} \times 7}{4} = \frac{\boxed{21}}{4} = 5\frac{\boxed{1}}{4}$

08 $6 \times \frac{7}{10} = \frac{\boxed{3} \times 7}{5} = \frac{\boxed{21}}{5} = 4\frac{\boxed{1}}{5}$

09 $8 \times \frac{5}{12} = \frac{\boxed{2} \times 5}{3} = \frac{\boxed{10}}{3} = 3\frac{\boxed{1}}{3}$

10 $10 \times \frac{3}{28} = \frac{\boxed{5} \times 3}{14} = \frac{\boxed{15}}{14} = 1\frac{\boxed{1}}{14}$

계산력 강화하기

정확하게 풀어보아요

🖩 **[11~26]** 계산을 하세요.

11 $6 \times \frac{4}{9} = \frac{2 \times 4}{3} = \frac{8}{3} = 2\frac{2}{3}$

12 $8 \times \frac{9}{10} = \frac{4 \times 9}{5} = \frac{36}{5} = 7\frac{1}{5}$

13 $7 \times \frac{5}{14} = \frac{5}{2} = 2\frac{1}{2}$

14 $12 \times \frac{6}{15} = \frac{4 \times 6}{5} = \frac{24}{5} = 4\frac{4}{5}$

15 $9 \times \frac{7}{12} = \frac{3 \times 7}{4} = \frac{21}{4} = 5\frac{1}{4}$

16 $15 \times \frac{7}{20} = \frac{3 \times 7}{4} = \frac{21}{4} = 5\frac{1}{4}$

17 $11 \times \frac{17}{22} = \frac{17}{2} = 8\frac{1}{2}$

18 $16 \times \frac{7}{24} = \frac{2 \times 7}{3} = \frac{14}{3} = 4\frac{2}{3}$

19 $3 \times \frac{5}{7} = \frac{3 \times 5}{7} = \frac{15}{7} = 2\frac{1}{7}$

20 $4 \times \frac{4}{5} = \frac{4 \times 4}{5} = \frac{16}{5} = 3\frac{1}{5}$

21 $2 \times \frac{7}{8} = \frac{2 \times 7}{8} = \frac{14}{8} = \frac{7}{4} = 1\frac{3}{4}$

22 $5 \times \frac{3}{10} = \frac{5 \times 3}{10} = \frac{15}{10} = \frac{3}{2} = 1\frac{1}{2}$

23 $6 \times \frac{3}{10} = \frac{6 \times 3}{10} = \frac{18}{10} = \frac{9}{5} = 1\frac{4}{5}$

24 $10 \times \frac{5}{12} = \frac{50}{12} = \frac{25}{6} = 4\frac{1}{6}$

25 $12 \times \frac{2}{15} = \frac{24}{15} = \frac{8}{5} = 1\frac{3}{5}$

26 $15 \times \frac{3}{20} = \frac{45}{20} = \frac{9}{4} = 2\frac{1}{4}$

구조화 하기

구조화 하기를 연습하면 서술형도 쉽게 풀어요

🐟 **[27~41]** 빈칸에 알맞은 수를 써넣으세요.

$4 \rightarrow \boxed{\times \frac{5}{7}} \rightarrow 2\frac{6}{7}$

32 $6 \rightarrow \boxed{\times \frac{5}{16}} \rightarrow 1\frac{7}{8}$

37 $15 \rightarrow \boxed{\times \frac{7}{18}} \rightarrow 5\frac{5}{6}$

$8 \rightarrow \boxed{\times \frac{11}{12}} \rightarrow 7\frac{1}{3}$

33 $10 \rightarrow \boxed{\times \frac{13}{18}} \rightarrow 7\frac{2}{9}$

38 $16 \rightarrow \boxed{\times \frac{6}{20}} \rightarrow 4\frac{4}{5}$

$6 \rightarrow \boxed{\times \frac{7}{15}} \rightarrow 2\frac{4}{5}$

34 $12 \rightarrow \boxed{\times \frac{4}{15}} \rightarrow 3\frac{1}{5}$

39 $7 \rightarrow \boxed{\times \frac{10}{21}} \rightarrow 3\frac{1}{3}$

$2 \rightarrow \boxed{\times \frac{23}{26}} \rightarrow 1\frac{10}{13}$

35 $9 \rightarrow \boxed{\times \frac{8}{15}} \rightarrow 4\frac{4}{5}$

40 $24 \rightarrow \boxed{\times \frac{13}{30}} \rightarrow 10\frac{2}{5}$

$9 \rightarrow \boxed{\times \frac{11}{12}} \rightarrow 8\frac{1}{4}$

36 $14 \rightarrow \boxed{\times \frac{8}{21}} \rightarrow 5\frac{1}{3}$

41 $18 \rightarrow \boxed{\times \frac{16}{27}} \rightarrow 10\frac{2}{3}$

서술형 풀어보기

구조화 해서 풀어보아요

42 다음 중 계산 결과가 가장 큰 것의 기호를 찾아 쓰세요.

$16 \times \frac{7}{24}$	$15 \times \frac{9}{20}$	$21 \times \frac{17}{35}$
(가)	(나)	(다)

풀이 과정

(1) (가)를 계산하면, $16 \times \frac{7}{24} = \frac{\boxed{2} \times 7}{3} = \frac{\boxed{14}}{3} = 4\frac{\boxed{2}}{3}$ 입니다.

(2) (나)를 계산하면, $15 \times \frac{9}{20} = \frac{\boxed{3} \times 9}{4} = \frac{\boxed{27}}{4} = 6\frac{\boxed{3}}{4}$ 입니다.

(3) (다)를 계산하면, $21 \times \frac{17}{35} = \frac{\boxed{3} \times 17}{5} = \frac{\boxed{51}}{5} = 10\frac{\boxed{1}}{5}$ 입니다.

(4) **(다)** 의 자연수 부분이 가장 크므로 계산 결과가 가장 큰 것은 **(다)** 입니다.

💡 **[43~46]** 풀이 과정을 쓰고 답을 구하세요.

43 가로의 길이가 9cm이고, 세로의 길이가 $\frac{11}{15}$cm인 직사각형의 넓이를 구해보세요.

풀이 $9 \times \frac{11}{15} = \frac{99}{15} = \frac{33}{5} = 6\frac{3}{5}$

답 $6\frac{3}{5}$ cm²

44 밑변의 길이가 12cm이고, 높이가 $\frac{7}{16}$cm인 평행사변형의 넓이를 구해보세요.

풀이 $12 \times \frac{7}{16} = \frac{3 \times 7}{4} = \frac{21}{4} = 5\frac{1}{4}$

(평행사변형의 넓이) = (밑변)×(높이)

답 $5\frac{1}{4}$ cm²

45 15명에게 각각 $\frac{9}{25}$L의 우유를 주려면, 몇 L의 우유가 필요할까요?

풀이 $15 \times \frac{9}{25} = \frac{3 \times 9}{5} = \frac{27}{5} = 5\frac{2}{5}$

답 $5\frac{2}{5}$ L

46 철사 하나를 구부려 정사각형을 만들었습니다. 한 변의 길이가 $\frac{17}{32}$m라 할 때, 철사의 길이를 구해보세요.

풀이 $4 \times \frac{17}{32} = \frac{17}{8} = 2\frac{1}{8}$

답 $2\frac{1}{8}$ m

🐛 **연마 Check** 칭찬이나 노력할 점을 써 주세요.

맞힌 개수	지도 의견		확인란
개	나의 생각		

(자연수)×(대분수)

월 일

● $5\times3\frac{2}{5}$의 계산

방법① 대분수를 자연수 부분과 분수 부분으로 나누어 계산

$5\times3\frac{2}{5}=(5\times3)+\left(5\times\frac{2}{5}\right)=15+2=17$

방법② 대분수를 가분수로 고친 뒤 계산

$5\times3\frac{2}{5}=5\times\frac{17}{5}=17$ (약분!)

핵심포인트

• $5\times3\frac{2}{5}$의 계산 결과와 $3\frac{2}{5}\times5$의 계산 결과는 같을까요?

→ $5\times3\frac{2}{5}=5\times\frac{17}{5}=17$

→ $3\frac{2}{5}\times5=\frac{17}{5}\times5=17$

$★\times\frac{▲}{●}=\frac{▲}{●}\times★$

[01~04] 방법 ①로 계산을 하세요.

01 $2\times3\frac{5}{8}=(2\times3)+\left(2\times\frac{5}{8}\right)=6+\frac{5}{4}=6+1\frac{1}{4}=7\frac{1}{4}$

02 $6\times1\frac{3}{4}=(6\times1)+\left(6\times\frac{3}{4}\right)=6+\frac{9}{2}=6+4\frac{1}{2}=10\frac{1}{2}$

03 $8\times3\frac{5}{6}=(8\times3)+\left(8\times\frac{5}{6}\right)=24+\frac{20}{3}=24+6\frac{2}{3}=30\frac{2}{3}$

04 $10\times2\frac{4}{5}=(10\times2)+\left(10\times\frac{4}{5}\right)=20+8=28$

[05~08] 방법 ②로 계산을 하세요.

05 $4\times3\frac{1}{10}=4\times\frac{31}{10}=\frac{2\times31}{5}=\frac{62}{5}=12\frac{2}{5}$

06 $8\times2\frac{7}{12}=8\times\frac{31}{12}=\frac{2\times31}{3}=\frac{62}{3}=20\frac{2}{3}$

07 $12\times2\frac{3}{16}=12\times\frac{35}{16}=\frac{3\times35}{4}=\frac{105}{4}=26\frac{1}{4}$

08 $20\times2\frac{17}{30}=20\times\frac{77}{30}=\frac{2\times77}{3}=\frac{154}{3}=51\frac{1}{3}$

계산력 강화하기

정확하게 풀어보아요

[09~24] 계산을 하세요.

09 $3\times1\frac{2}{5}=3\times\frac{7}{5}=\frac{21}{5}=4\frac{1}{5}$

10 $4\times2\frac{3}{8}=4\times\frac{19}{8}=\frac{19}{2}=9\frac{1}{2}$

11 $6\times4\frac{2}{3}=6\times\frac{14}{3}=2\times14=28$

12 $5\times2\frac{7}{10}=5\times\frac{27}{10}=\frac{27}{2}=13\frac{1}{2}$

13 $8\times3\frac{1}{4}=8\times\frac{13}{4}=2\times13=26$

14 $7\times2\frac{3}{14}=7\times\frac{31}{14}=\frac{31}{2}=15\frac{1}{2}$

15 $10\times2\frac{5}{6}=10\times\frac{17}{6}=\frac{85}{3}=28\frac{1}{3}$

16 $8\times1\frac{13}{24}=8\times\frac{37}{24}=\frac{37}{3}=12\frac{1}{3}$

17 $15\times2\frac{1}{5}=15\times\frac{11}{5}=3\times11=33$

18 $16\times2\frac{3}{4}=16\times\frac{11}{4}=4\times11=44$

19 $8\times2\frac{9}{20}=(8\times2)+\left(8\times\frac{9}{20}\right)=16+$ … $=19\frac{3}{5}$

20 $12\times1\frac{3}{14}=12+12\times\frac{3}{14}=12+\frac{18}{7}=$ …

21 $15\times1\frac{3}{12}=15+15\times\frac{3}{12}=15+\frac{15}{4}=15+3\frac{3}{4}=18\frac{3}{4}$

22 $15\times2\frac{9}{20}=(15\times2)+\left(15\times\frac{9}{20}\right)=30$ … $=30+6\frac{3}{4}=36\frac{3}{4}$

23 $20\times2\frac{5}{12}=(20\times2)+\left(20\times\frac{5}{12}\right)=40+\frac{25}{3}=40+8\frac{1}{3}=48\frac{1}{3}$

24 $16\times5\frac{7}{8}=(16\times5)+\left(16\times\frac{7}{8}\right)=80+2\times7=80+14=94$

사고력 확장

구조화하기

구조화 하기를 연습하면 서술형도 쉽게 풀어요

[25~36] 계산 결과를 비교하여 ○ 안에 >, <를 알맞게 써넣으세요.

25 $3\times5\frac{1}{2}$ > $2\times5\frac{2}{3}$

$3\times5\frac{1}{2}=15+\frac{3}{2}=16\frac{1}{2}$

$2\times5\frac{2}{3}=10+\frac{4}{3}=11\frac{1}{3}$

26 $4\times2\frac{3}{5}$ < $6\times1\frac{5}{6}$

$4\times2\frac{3}{5}=8+\frac{12}{5}=8+2\frac{2}{5}=10\frac{2}{5}$

$6\times1\frac{5}{6}=6+5=11$

27 $8\times2\frac{3}{4}$ > $7\times2\frac{5}{14}$

$8\times2\frac{3}{4}=16+6=22$

$7\times2\frac{5}{14}=14+\frac{5}{2}=14+2\frac{1}{2}=16\frac{1}{2}$

28 $6\times2\frac{4}{9}$ > $4\times3\frac{5}{8}$

$6\times2\frac{4}{9}=12+\frac{8}{3}=12+2\frac{2}{3}=14\frac{2}{3}$

$4\times3\frac{5}{8}=12+\frac{5}{2}=12+2\frac{1}{2}=14\frac{1}{2}$

29 $8\times2\frac{1}{4}$ < $10\times2\frac{1}{5}$

$8\times2\frac{1}{4}=16+2=18$

$10\times2\frac{1}{5}=20+2=22$

30 $4\times7\frac{1}{5}$ < $5\times5\frac{5}{6}$

$4\times7\frac{1}{5}=28+\frac{4}{5}=28\frac{4}{5}$

$5\times5\frac{5}{6}=25+\frac{25}{6}=25+4\frac{1}{6}=29\frac{1}{6}$

31 $5\times2\frac{14}{15}$ > $4\times2\frac{13}{16}$

$5\times2\frac{14}{15}=10+\frac{14}{3}=10+4\frac{2}{3}=14\frac{2}{3}$

$4\times2\frac{13}{16}=8+\frac{13}{4}=8+3\frac{1}{4}=11\frac{1}{4}$

32 $9\times1\frac{1}{6}$ < $3\times3\frac{5}{6}$

$9\times1\frac{1}{6}=9+\frac{3}{2}=9+1\frac{1}{2}=10\frac{1}{2}$

$3\times3\frac{5}{6}=9+\frac{5}{2}=9+2\frac{1}{2}=11\frac{1}{2}$

33 $4\times4\frac{3}{8}$ < $5\times3\frac{7}{10}$

$4\times4\frac{3}{8}=16+\frac{3}{2}=16+1\frac{1}{2}=17\frac{1}{2}$

$5\times3\frac{7}{10}=15+\frac{7}{2}=15+3\frac{1}{2}=18\frac{1}{2}$

34 $8\times1\frac{9}{10}$ > $4\times2\frac{15}{16}$

$8\times1\frac{9}{10}=8+\frac{36}{5}=8+7\frac{1}{5}=15\frac{1}{5}$

$4\times2\frac{15}{16}=8+\frac{15}{4}=8+3\frac{3}{4}=11\frac{3}{4}$

35 $9\times3\frac{5}{6}$ > $12\times2\frac{8}{15}$

$9\times3\frac{5}{6}=27+\frac{15}{2}=27+7\frac{1}{2}=34\frac{1}{2}$

$12\times2\frac{8}{15}=24+\frac{32}{5}=24+6\frac{2}{5}=30\frac{2}{5}$

36 $6\times11\frac{2}{3}$ > $9\times7\frac{5}{7}$

$6\times11\frac{2}{3}=66+4=70$

$9\times7\frac{5}{7}=63+\frac{45}{7}=63+6\frac{3}{7}=69\frac{3}{7}$

사고력 확장

서술형 풀어보기

구조화 해서 풀어보아요

37 가로의 길이가 9cm이고, 세로의 길이가 $3\frac{5}{12}$cm인 직사각형의 넓이를 구해보세요.

풀이 과정

(1) 이 직사각형의 넓이를 구하는 식은 $9\times3\frac{5}{12}$입니다.

(2) 식을 계산하면

$9\times3\frac{5}{12}=27+\frac{15}{4}=27+3\frac{3}{4}=30\frac{3}{4}$

이므로 직사각형의 넓이는 $30\frac{3}{4}$ cm²입니다.

(직사각형의 넓이)
=(가로)×(세로)

[38~41] 풀이 과정을 쓰고 답을 구하세요.

38 세로의 길이가 8cm이고, 가로의 길이가 $2\frac{11}{16}$cm인 직사각형의 넓이를 구해보세요.

풀이 $8\times2\frac{11}{16}=16+\frac{11}{2}=16+5\frac{1}{2}=21\frac{1}{2}$

답 $21\frac{1}{2}$ cm²

39 현서네의 어제 물 사용량은 35L였습니다. 오늘 현서네 물 사용량은 어제의 $2\frac{2}{7}$배라고 할 때, 오늘 현서네 물 사용량을 구해보세요.

풀이 $35\times2\frac{2}{7}=70+10=80$

답 80 L

40 민재는 도희보다 사탕이 $1\frac{5}{9}$배만큼 더 … 다고 합니다. 도희의 사탕이 27개라면, … 재의 사탕은 몇 개일까요?

풀이 $27\times1\frac{5}{9}=27+15=42$

답 42

41 어느 박물관의 어린이 입장료는 4000원 … 니다. 이 박물관의 성인 입장료는 어린 … 입장료의 $1\frac{7}{25}$이라고 할 때, 성인 입장 … 는 얼마일까요?

풀이 $4000\times1\frac{7}{25}=4000+160\times7$
$=4000+1120=5120$

답 5120

연마 Check 칭찬이나 노력할 점을 써 주세요.

맞힌 개수	지도 의견		확인란
개	나의 생각		

(단위분수)×(단위분수), (진분수)×(진분수)

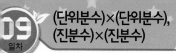

월 일

● $\frac{1}{3} \times \frac{1}{4}$ 의 계산

$$\frac{1}{3} \times \frac{1}{4} = \frac{1}{3 \times 4} = \frac{1}{12}$$

▶ 분자는 분자끼리, 분모는 분모끼리 곱하는데, 분자가 $1 \times 1 = 1$이라서 단위 분수의 분자 계산 값은 1로 고정됩니다.

$$\frac{1}{\bullet} \times \frac{1}{\bigstar} = \frac{1}{\bullet \times \bigstar}$$

● $\frac{2}{3} \times \frac{3}{4}$ 의 계산

방법① 분자는 분자끼리, 분모는 분모끼리 곱셈을 계산한 뒤, 약분하기

$$\frac{2}{3} \times \frac{3}{4} = \frac{2 \times 3}{3 \times 4} = \frac{6}{12} = \frac{1}{2}$$
(약분)

방법② 곱셈식에서 바로 약분하기

$$\frac{2}{3} \times \frac{3}{4_2} = \frac{1}{2}$$

1~15) 계산을 하세요.

$\frac{1}{2} \times \frac{1}{4} = \frac{1}{8}$	**06** $\frac{1}{6} \times \frac{1}{2} = \frac{1}{12}$	**11** $\frac{1}{3} \times \frac{1}{7} = \frac{1}{21}$
$\frac{1}{4} \times \frac{1}{6} = \frac{1}{24}$	**07** $\frac{1}{5} \times \frac{1}{3} = \frac{1}{15}$	**12** $\frac{1}{4} \times \frac{1}{6} = \frac{1}{24}$
$\frac{1}{3} \times \frac{1}{2} = \frac{1}{6}$	**08** $\frac{1}{8} \times \frac{1}{3} = \frac{1}{24}$	**13** $\frac{1}{12} \times \frac{1}{3} = \frac{1}{36}$
$\frac{1}{2} \times \frac{1}{5} = \frac{1}{10}$	**09** $\frac{1}{7} \times \frac{1}{2} = \frac{1}{14}$	**14** $\frac{1}{8} \times \frac{1}{5} = \frac{1}{40}$
$\frac{1}{4} \times \frac{1}{5} = \frac{1}{20}$	**10** $\frac{1}{5} \times \frac{1}{6} = \frac{1}{30}$	**15** $\frac{1}{8} \times \frac{1}{8} = \frac{1}{64}$

2. 분수의 곱셈

계산력 강화하기
정확하게 풀어보아요

🖩 (16~39) 계산을 하세요.

16 $\frac{1}{3} \times \frac{4}{5} = \frac{4}{15}$

17 $\frac{1}{5} \times \frac{2}{3} = \frac{2}{15}$

18 $\frac{2}{9} \times \frac{1}{4} = \frac{1}{18}$

19 $\frac{5}{6} \times \frac{3}{4} = \frac{5}{8}$

20 $\frac{5}{7} \times \frac{3}{5} = \frac{3}{7}$

21 $\frac{1}{6} \times \frac{7}{8} = \frac{7}{48}$

22 $\frac{2}{3} \times \frac{3}{8} = \frac{1}{4}$

23 $\frac{7}{9} \times \frac{3}{13} = \frac{7}{39}$

24 $\frac{6}{7} \times \frac{2}{3} = \frac{4}{7}$

25 $\frac{1}{12} \times \frac{2}{9} = \frac{1}{54}$

26 $\frac{5}{7} \times \frac{14}{25} = \frac{2}{5}$

27 $\frac{5}{13} \times \frac{3}{20} = \frac{3}{52}$

28 $\frac{7}{15} \times \frac{9}{14} = \frac{3}{10}$

29 $\frac{7}{10} \times \frac{15}{16} = \frac{21}{32}$

30 $\frac{9}{10} \times \frac{5}{8} = \frac{9}{16}$

31 $\frac{3}{18} \times \frac{5}{6} = \frac{5}{36}$

32 $\frac{4}{9} \times \frac{6}{10} = \frac{2 \times 2}{3 \times 5} = \frac{4}{15}$

33 $\frac{7}{12} \times \frac{3}{14} = \frac{1}{4 \times 2} = \frac{1}{8}$

34 $\frac{7}{18} \times \frac{12}{21} = \frac{2}{3 \times 3} = \frac{2}{9}$

35 $\frac{7}{10} \times \frac{6}{11} = \frac{7 \times 3}{5 \times 11} = \frac{21}{55}$

36 $\frac{11}{14} \times \frac{7}{12} = \frac{11}{2 \times 12} = \frac{11}{24}$

37 $\frac{14}{15} \times \frac{20}{21} = \frac{2 \times 4}{3 \times 3} = \frac{8}{9}$

38 $\frac{9}{16} \times \frac{20}{36} = \frac{5}{4 \times 4} = \frac{5}{16}$

39 $\frac{9}{20} \times \frac{4}{30} = \frac{3}{5 \times 10} = \frac{3}{50}$

구조화하기

사고력 확장
구조화 하기를 연습하면 서술형도 쉽게 풀어요

(40~47) 빈칸에 알맞은 수를 써넣으세요.

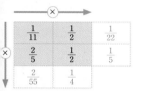

44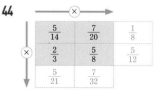

45

46

47

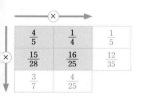

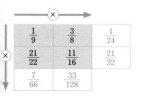

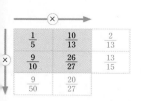

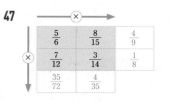

2. 분수의 곱셈

서술형 풀어보기

사고력 확장
구조화 해서 풀어보아요

48 오른쪽 도형의 전체 넓이가 $\frac{7}{8}$ cm²일 때, 색칠한 부분의 넓이를 구해보세요.

풀이 과정

(1) 전체 칸 수는 $\boxed{14}$ 칸이므로 색칠한 부분은 $\boxed{\frac{1}{14}}$ 입니다.

(2) 색칠한 넓이는 전체 넓이의 $\boxed{\frac{1}{14}}$ 이므로 식을 세우면, $\frac{7}{8} \times \boxed{\frac{1}{14}}$ 입니다.

(3) 그러므로 색칠한 부분 한 칸의 넓이는 $\boxed{\frac{1}{16}}$ cm²입니다.

💡 (49~52) 풀이 과정을 쓰고 답을 구하세요.

49 계산 결과가 가장 큰 것의 기호를 쓰세요.

$\frac{1}{5} \times \frac{1}{2}$	$\frac{1}{4} \times \frac{8}{9}$	$\frac{14}{15} \times \frac{3}{7}$
(가)	(나)	(다)

풀이 (가)$=\frac{1}{10}$, (나)$=\frac{2}{9}$, (다)$=\frac{2}{5}$ 입니다.
분자가 같을 땐 분모가 작을수록 더 큰 분수이므로 (나)<(다)이고, $\frac{2}{5}=\frac{4}{10}$ 이므로 (가)<(다)입니다.

답 (다)

50 30분의 $\frac{4}{5}$ 는 몇 시간일까요?

풀이 30분$=\frac{1}{2}$ 시간, 그러므로 $\frac{1}{2} \times \frac{4}{5} = \frac{2}{5}$

답 $\frac{2}{5}$ 시간

51 □ 안에 들어갈 수 있는 10 미만의 자연수를 찾아 모두 더해보세요.

$$\frac{1}{4} \times \frac{1}{\Box} < \frac{1}{25}$$

단위분수끼리의 곱이므로, 약분 과정이 없고 계산 결과 분자는 1로 고정됩니다. 분모의 수가 25보다 큰 경우는 □에 7, 8, 9가 들어갈 때입니다. $7+8+9=24$

풀이

답 24

52 $\frac{7}{15}$ L의 주스 가운데 $\frac{25}{28}$ 를 마셨습니다. 마신 주스의 양을 구해보세요.

풀이 $\frac{7}{15} \times \frac{25}{28} = \frac{5}{3 \times 4} = \frac{5}{12}$

답 $\frac{5}{12}$ L

연마 Check
칭찬이나 노력할 점을 써 주세요.

맞힌 개수		지도 의견	
	개	나의 생각	확인란

○ $2\frac{1}{3} \times 3\frac{3}{4}$ 의 계산

순서 1 먼저, 대분수를 가분수로 고칩니다.

$$2\frac{1}{3} \times 3\frac{3}{4} = \frac{7}{3} \times \frac{15}{4}$$

순서 2 분모끼리, 분자끼리 곱합니다. 약분이 필요하면, 약분을 하고, 계산 결과를 대분수로 나타냅니다.

$$\frac{7}{3} \times \frac{\overset{5}{\cancel{15}}}{4} = \frac{7 \times 5}{4} = \frac{35}{4} = 8\frac{3}{4}$$

약분 　　가분수를 대분수로!

핵심포인트

가분수로 고치지 않고, 대분수의 상태에서 약분을 하면 어떻게 될까요?
→ 계산 결과가 달라집니다.
(이렇게 계산하면 안 됩니다.)

(01~10) 빈칸에 알맞은 수를 써넣으세요.

01 $1\frac{1}{2} \times 2\frac{4}{5} = \frac{\boxed{3}}{2} \times \frac{\boxed{14}}{5} = \frac{\boxed{3} \times 7}{5}$
$= \frac{\boxed{21}}{5} = \boxed{4\frac{1}{5}}$

02 $3\frac{1}{2} \times 4\frac{6}{7} = \frac{\boxed{7}}{2} \times \frac{\boxed{34}}{7} = \boxed{17}$

03 $2\frac{2}{3} \times 1\frac{1}{5} = \frac{\boxed{8}}{3} \times \frac{\boxed{6}}{5} = \frac{\boxed{8} \times 2}{5}$
$= \frac{\boxed{16}}{5} = \boxed{3\frac{1}{5}}$

04 $1\frac{3}{4} \times 2\frac{2}{5} = \frac{\boxed{7}}{4} \times \frac{\boxed{12}}{5} = \frac{\boxed{7} \times 3}{5}$
$= \frac{\boxed{21}}{5} = \boxed{4\frac{1}{5}}$

05 $1\frac{5}{6} \times 1\frac{3}{4} = \frac{\boxed{11}}{6} \times \frac{\boxed{7}}{4} = \frac{\boxed{77}}{24}$
$= \boxed{3\frac{5}{24}}$

06 $3\frac{1}{3} \times 1\frac{4}{5} = \frac{\boxed{10}}{3} \times \frac{\boxed{9}}{5}$
$= 2 \times \boxed{3} = \boxed{6}$

07 $4\frac{2}{3} \times 2\frac{1}{7} = \frac{\boxed{14}}{3} \times \frac{\boxed{15}}{7}$
$= \boxed{2} \times 5 = \boxed{10}$

08 $2\frac{4}{5} \times 5\frac{5}{8} = \frac{\boxed{14}}{5} \times \frac{\boxed{45}}{8} = \frac{\boxed{7} \times 9}{4}$
$= \frac{\boxed{63}}{4} = \boxed{15\frac{3}{4}}$

09 $4\frac{1}{5} \times 5\frac{5}{6} = \frac{\boxed{21}}{5} \times \frac{\boxed{35}}{6} = \frac{\boxed{7} \times 7}{2}$
$= \frac{\boxed{49}}{2} = \boxed{24\frac{1}{2}}$

10 $2\frac{2}{9} \times 2\frac{5}{8} = \frac{\boxed{20}}{9} \times \frac{\boxed{21}}{8} = \frac{5 \times 7}{3 \times 2}$
$= \frac{\boxed{35}}{6} = \boxed{5\frac{5}{6}}$

계산력 강화하기
정확하게 풀어보아요

(11~24) 계산을 하세요.

11 $1\frac{1}{9} \times 2\frac{1}{10} = \frac{10}{9} \times \frac{21}{10} = \frac{7}{3} = 2\frac{1}{3}$

12 $2\frac{1}{7} \times 2\frac{4}{5} = \frac{15}{7} \times \frac{14}{5} = 3 \times 2 = 6$

13 $4\frac{2}{3} \times 3\frac{3}{7} = \frac{14}{3} \times \frac{24}{7} = 2 \times 8 = 16$

14 $2\frac{1}{6} \times 1\frac{3}{13} = \frac{13}{6} \times \frac{16}{13} = \frac{8}{3} = 2\frac{2}{3}$

15 $2\frac{1}{7} \times 3\frac{8}{9} = \frac{15}{7} \times \frac{35}{9} = \frac{5 \times 5}{3} = \frac{25}{3} = 8\frac{1}{3}$

16 $2\frac{5}{8} \times 1\frac{3}{14} = \frac{21}{8} \times \frac{17}{14} = \frac{3 \times 17}{8 \times 2} = \frac{51}{16} = 3\frac{3}{16}$

17 $2\frac{7}{10} \times 4\frac{2}{9} = \frac{27}{10} \times \frac{38}{9} = \frac{3 \times 19}{5} = \frac{57}{5} = 11\frac{2}{5}$

18 $1\frac{1}{5} \times 1\frac{7}{12} = \frac{6}{5} \times \frac{19}{12} = \frac{19}{5 \times 2} = \frac{19}{10}$

19 $3\frac{3}{5} \times 2\frac{1}{12} = \frac{18}{5} \times \frac{25}{12} = \frac{3 \times 5}{2} = \frac{15}{2}$

20 $1\frac{1}{15} \times 2\frac{11}{12} = \frac{16}{15} \times \frac{35}{12} = \frac{4 \times 7}{3 \times 3}$

21 $2\frac{2}{13} \times 1\frac{3}{14} = \frac{28}{13} \times \frac{17}{14} = \frac{2 \times 17}{13}$

22 $2\frac{2}{15} \times 1\frac{5}{16} = \frac{32}{15} \times \frac{21}{16} = \frac{2 \times 7}{5}$

23 $2\frac{4}{13} \times 3\frac{9}{10} = \frac{30}{13} \times \frac{39}{10} = 3 \times 3 = 9$

24 $3\frac{7}{11} \times 3\frac{7}{16} = \frac{40}{11} \times \frac{55}{16} = \frac{5 \times 5}{2}$

구조화 하기
구조화 하기를 연습하면 서술형도 쉽게 풀어요

사고력 확장

(25~36) 빈칸에 알맞은 수를 써넣으세요.

25
$1\frac{1}{4}$ ×→ $5\frac{1}{5}$ → $6\frac{1}{2}$

$1\frac{1}{4} \times 5\frac{1}{5} = \frac{5}{4} \times \frac{26}{5}$
$= \frac{13}{2} = 6\frac{1}{2}$

26
$6\frac{3}{4}$ ×→ $1\frac{5}{9}$ → $10\frac{1}{2}$

$6\frac{3}{4} \times 1\frac{5}{9} = \frac{27}{4} \times \frac{14}{9} = \frac{3 \times 7}{2}$
$= \frac{21}{2} = 10\frac{1}{2}$

27 $3\frac{1}{5}$ ×→ $1\frac{7}{8}$ → 6

$3\frac{1}{5} \times 1\frac{7}{8} = \frac{16}{5} \times \frac{15}{8} = 2 \times 3 = 6$

28
$4\frac{3}{8}$ ×→ $1\frac{5}{14}$ → $5\frac{15}{16}$

$4\frac{3}{8} \times 1\frac{5}{14} = \frac{35}{8} \times \frac{19}{14} = \frac{5 \times 19}{8 \times 2}$
$= \frac{95}{16} = 5\frac{15}{16}$

29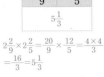
$2\frac{2}{9}$ ×→ $2\frac{2}{5}$ → $5\frac{1}{3}$

$2\frac{2}{9} \times 2\frac{2}{5} = \frac{20}{9} \times \frac{12}{5} = \frac{4 \times 4}{3}$
$= \frac{16}{3} = 5\frac{1}{3}$

30 $4\frac{2}{7}$ ×→ $1\frac{1}{6}$ → 5

$4\frac{2}{7} \times 1\frac{1}{6} = \frac{30}{7} \times \frac{7}{6} = 5$

31 $4\frac{1}{6}$ ×→ $2\frac{1}{10}$ → $8\frac{3}{4}$

$4\frac{1}{6} \times 2\frac{1}{10} = \frac{25}{6} \times \frac{21}{10} = \frac{5 \times 7}{2 \times 2}$
$= \frac{35}{4} = 8\frac{3}{4}$

32 $3\frac{4}{7}$ ×→ $1\frac{1}{20}$ → $3\frac{3}{4}$

$3\frac{4}{7} \times 1\frac{1}{20} = \frac{25}{7} \times \frac{21}{20} = \frac{5 \times 3}{4}$
$= \frac{15}{4} = 3\frac{3}{4}$

33 $5\frac{1}{10}$ ×→ $1\frac{3}{17}$ → 6

$5\frac{1}{10} \times 1\frac{3}{17} = \frac{51}{10} \times \frac{20}{17} = 3 \times 2$
$= 6$

34 $1\frac{2}{9}$ ×→ $1\frac{5}{22}$ → $1\frac{1}{2}$

$1\frac{2}{9} \times 1\frac{5}{22} = \frac{11}{9} \times \frac{27}{22}$
$= \frac{3}{2} = 1\frac{1}{2}$

35 $6\frac{2}{3}$ ×→ $2\frac{3}{15}$ → $14\frac{2}{3}$

$6\frac{2}{3} \times 2\frac{3}{15} = \frac{20}{3} \times \frac{33}{15} = \frac{4 \times 11}{3}$
$= \frac{44}{3} = 14\frac{2}{3}$

36 $4\frac{5}{7}$ ×→ $3\frac{2}{11}$ → 15

$4\frac{5}{7} \times 3\frac{2}{11} = \frac{33}{7} \times \frac{35}{11} = \frac{3 \times 5}{1}$
$= 3 \times 5 = 15$

서술형 풀어보기
구조화 해서 풀어보아요

사고력 확장

37 수아네 고양이의 몸무게는 $6\frac{5}{12}$kg이고, 민재네 개의 몸무게는 수아네 고양이 몸무게의 ☐배라고 합니다. 민재네 개의 몸무게를 구해보세요.

풀이 과정

(1) 식을 세우면, $6\frac{5}{12} \times \boxed{2\frac{2}{7}}$ 입니다.

(2) 식을 계산 하면,

$$6\frac{5}{12} \times 2\frac{2}{7} = \frac{\boxed{77}}{12} \times \frac{\boxed{16}}{7} = \frac{11 \times 4}{3} = \frac{44}{3} = \boxed{14\frac{2}{3}}$$

이므로 민재네 개의 몸무게는 $\boxed{14\frac{2}{3}}$ kg입니다.

$6\frac{5}{12}$ ×→ $2\frac{2}{7}$ → $14\frac{2}{3}$

(38~41) 풀이 과정을 쓰고 답을 구하세요.

38 가로의 길이가 $5\frac{1}{4}$cm이고, 세로의 길이가 $6\frac{6}{7}$cm인 직사각형의 넓이를 구해보세요.

풀이 $5\frac{1}{4} \times 6\frac{6}{7} = \frac{21}{4} \times \frac{48}{7} = 3 \times 12 = 36$

답 36 cm²

39 캠핑을 가서 물을 A반은 $6\frac{2}{5}$L 사용했고, B반은 A반의 $2\frac{3}{16}$배를 사용했습니다. B반이 사용한 물의 양을 구해보세요.

풀이 $6\frac{2}{5} \times 2\frac{3}{16} = \frac{32}{5} \times \frac{35}{16} = 2 \times 7 = 14$

답 14 L

40 밑변의 길이가 $5\frac{5}{8}$cm이고, 높이가 4인 삼각형의 넓이를 구해보세요.

(밑변)×(높이)$= 5\frac{5}{8} \times 4 = \frac{45}{8} \times \frac{4}{1}$

풀이 $= 3 \times 8 = 24, \ 24 \div 2 = 12$

답 12

41 계산 결과가 더 큰 것의 기호를 쓰세요.

$3\frac{1}{8} \times 2\frac{2}{15}$	$4\frac{1}{2} \times 1\frac{7}{18}$
(가)	(나)

(가) $= \frac{25}{8} \times \frac{32}{15} = \frac{5 \times 4}{3} = \frac{20}{3}$

(나) $= \frac{9}{2} \times \frac{25}{18} = \frac{1 \times 25}{2 \times 2} = \frac{25}{4}$

풀이

답 (가)

연마 Check 칭찬이나 노력할 점을 써 주세요.

맞힌 개수		지도 의견	
	개	나의 생각	확인

11 일차 세 분수의 곱셈 ①

월 일

$\frac{1}{5} \times \frac{3}{4} \times \frac{5}{6}$의 계산

방법 ① 앞에서부터 차례로 두 분수씩 곱하기	방법 ② 먼저 약분한 후에 한꺼번에 곱하기	방법 ③ 분자와 분모를 한꺼번에 곱하는 과정에서 약분하기

방법 ① $\frac{1}{5} \times \frac{3}{4} = \frac{3}{20}$,

$\frac{3}{20} \times \frac{5}{6} = \frac{1}{4 \times 2} = \frac{1}{8}$

방법 ② $\frac{1}{5} \times \frac{3}{4} \times \frac{5}{6} = \frac{1}{4 \times 2} = \frac{1}{8}$

방법 ③ $\frac{1}{5} \times \frac{3}{4} \times \frac{5}{6} = \frac{1 \times 3 \times 5}{5 \times 4 \times 6}$
$= \frac{1}{4 \times 2} = \frac{1}{8}$

[01~12] 계산을 하세요.

01 $\frac{1}{6} \times \frac{3}{5} \times \frac{10}{11} = \frac{1}{11}$

05 $\frac{5}{9} \times \frac{5}{12} \times \frac{9}{10}$
$= \frac{5}{12 \times 2} = \frac{5}{24}$

09 $\frac{7}{8} \times \frac{4}{5} \times \frac{10}{21} = \frac{1}{3}$

02 $\frac{3}{10} \times \frac{1}{8} \times \frac{4}{9}$
$= \frac{1}{10 \times 2 \times 3} = \frac{1}{60}$

06 $\frac{3}{8} \times \frac{5}{6} \times \frac{7}{10}$
$= \frac{7}{8 \times 2 \times 2} = \frac{7}{32}$

10 $\frac{3}{4} \times \frac{5}{9} \times \frac{3}{20}$
$= \frac{1}{4 \times 4} = \frac{1}{16}$

03 $\frac{1}{4} \times \frac{2}{5} \times \frac{8}{9}$
$= \frac{2 \times 2}{5 \times 9} = \frac{4}{45}$

07 $\frac{2}{3} \times \frac{7}{12} \times \frac{3}{14} = \frac{1}{12}$

11 $\frac{3}{10} \times \frac{7}{15} \times \frac{4}{21}$
$= \frac{2}{5 \times 15} = \frac{2}{75}$

04 $\frac{5}{8} \times \frac{7}{10} \times \frac{6}{7} = \frac{3}{8}$

08 $\frac{7}{10} \times \frac{5}{14} \times \frac{6}{7} = \frac{3}{14}$

12 $\frac{4}{5} \times \frac{7}{12} \times \frac{5}{14} = \frac{1}{6}$

[13~30] 계산을 하세요.

13 $\frac{3}{7} \times \frac{14}{15} \times \frac{5}{9} = \frac{2}{9}$

19 $\frac{7}{11} \times \frac{5}{6} \times \frac{9}{14}$
$= \frac{5 \times 3}{11 \times 2 \times 2} = \frac{15}{44}$

25 $\frac{4}{5} \times \frac{7}{10} \times \frac{9}{14}$
$= \frac{9}{5 \times 5} = \frac{9}{25}$

14 $\frac{5}{12} \times \frac{9}{10} \times \frac{6}{7} = \frac{9}{28}$

20 $\frac{8}{15} \times \frac{11}{12} \times \frac{3}{22} = \frac{1}{15}$

26 $\frac{11}{14} \times \frac{5}{9} \times \frac{7}{33}$
$= \frac{5}{2 \times 9 \times 3} = \frac{5}{54}$

15 $\frac{1}{3} \times \frac{7}{10} \times \frac{5}{28}$
$= \frac{1}{3 \times 2 \times 4} = \frac{1}{24}$

21 $\frac{14}{15} \times \frac{3}{7} \times \frac{5}{16} = \frac{1}{8}$

27 $\frac{5}{16} \times \frac{14}{15} \times \frac{6}{7} = \frac{1}{4}$

16 $\frac{4}{5} \times \frac{3}{8} \times \frac{5}{12} = \frac{1}{8}$

22 $\frac{9}{14} \times \frac{7}{8} \times \frac{7}{27}$
$= \frac{7}{2 \times 8 \times 3} = \frac{7}{48}$

28 $\frac{13}{14} \times \frac{3}{8} \times \frac{28}{39} = \frac{1}{4}$

17 $\frac{3}{20} \times \frac{9}{5} \times \frac{16}{17}$
$= \frac{4}{3 \times 17} = \frac{4}{51}$

23 $\frac{24}{25} \times \frac{15}{16} \times \frac{5}{8}$
$= \frac{3 \times 3}{16} = \frac{9}{16}$

29 $\frac{2}{7} \times 8 \times \frac{14}{30}$
$= \frac{16}{15} = 1\frac{1}{15}$

18 $\frac{5}{6} \times \frac{12}{13} \times \frac{7}{15}$
$= \frac{2 \times 7}{13 \times 3} = \frac{14}{39}$

24 $\frac{5}{7} \times \frac{21}{40} \times \frac{4}{15} = \frac{1}{10}$

30 $\frac{5}{6} \times \frac{16}{25} \times 10$
$= \frac{16}{3} = 5\frac{1}{3}$

[31~40] 빈칸에 세 수의 곱을 써넣으세요.

31
$\frac{3}{4}$	$\frac{5}{9}$	$\frac{3}{10}$
	$\frac{1}{8}$	

$\frac{5}{9} \times \frac{3}{10} = \frac{1}{4 \times 2} = \frac{1}{8}$

36
36	$\frac{3}{7}$	$\frac{9}{10}$	14
		$5\frac{2}{5}$	

$\frac{3}{7} \times \frac{9}{10} \times 14 = \frac{3 \times 9}{5} = \frac{27}{5} = 5\frac{2}{5}$

32
$\frac{2}{9}$	$\frac{7}{12}$	$\frac{3}{14}$
	$\frac{1}{36}$	

$\frac{7}{12} \times \frac{3}{14} = \frac{1}{3 \times 12} = \frac{1}{36}$

37
37	$\frac{7}{10}$	$\frac{3}{11}$	22
		$4\frac{1}{5}$	

$\frac{7}{10} \times \frac{3}{11} \times 22 = \frac{7 \times 3}{5} = \frac{21}{5} = 4\frac{1}{5}$

33
$\frac{7}{15}$	$\frac{5}{16}$	$\frac{8}{21}$
	$\frac{1}{18}$	

$\times \frac{5}{16} \times \frac{8}{21} = \frac{1}{3 \times 2 \times 3} = \frac{1}{18}$

38
38	$\frac{17}{20}$	$\frac{15}{34}$	$\frac{3}{7}$
		$\frac{9}{56}$	

$\frac{17}{20} \times \frac{15}{34} \times \frac{3}{7} = \frac{3 \times 3}{4 \times 2 \times 7} = \frac{9}{56}$

34
$\frac{8}{25}$	$\frac{15}{16}$	$\frac{9}{10}$
	$\frac{27}{100}$	

$\frac{8}{25} \times \frac{15}{16} \times \frac{9}{10} = \frac{3 \times 9}{5 \times 2 \times 10} = \frac{27}{100}$

39
39	$\frac{9}{14}$	27	$\frac{7}{18}$
		$6\frac{3}{4}$	

$\frac{9}{14} \times 27 \times \frac{7}{18} = \frac{27}{2 \times 2} = \frac{27}{4} = 6\frac{3}{4}$

35
$\frac{12}{17}$	$\frac{7}{8}$	$\frac{2}{3}$
	$\frac{7}{17}$	

$\frac{7}{8} \times \frac{2}{3} = \frac{7}{17}$

40
40	$\frac{8}{15}$	$\frac{9}{14}$	$\frac{7}{10}$
		$\frac{6}{25}$	

$\frac{8}{15} \times \frac{9}{14} \times \frac{7}{10} = \frac{2 \times 3}{5 \times 5} = \frac{6}{25}$

---

41 $\left(\frac{5}{8} \times \frac{2}{15}\right) \times \frac{6}{7}$과 $\frac{5}{8} \times \left(\frac{2}{15} \times \frac{6}{7}\right)$의 계산 결과의 크기를 비교하세요.

풀이 과정

(1) $\left(\frac{5}{8} \times \frac{2}{15}\right) \times \frac{6}{7} = \frac{\boxed{1}}{12} \times \frac{6}{7} = \frac{\boxed{1}}{14}$

(2) $\frac{5}{8} \times \left(\frac{2}{15} \times \frac{6}{7}\right) = \frac{5}{8} \times \frac{\boxed{4}}{35} = \frac{\boxed{1}}{14}$

(3) 크기 비교: $\left(\frac{5}{8} \times \frac{2}{15}\right) \times \frac{6}{7}$ $\boxed{=}$ $\frac{5}{8} \times \left(\frac{2}{15} \times \frac{6}{7}\right)$

• 소괄호가 있을 때, 소괄호 안부터 계산합니다.
• 세 자연수의 곱셈과 마찬가지로, 세 분수의 곱셈도 곱하는 순서를 달리해도 계산 결과는 [같습니다 / 다릅니다].

[42~45] 풀이 과정을 쓰고 답을 구하세요.

42 남학생 20명 가운데 $\frac{3}{5}$은 흰 양말을 신었습니다. 흰 양말을 신은 남학생 가운데 $\frac{2}{3}$는 축구를 좋아합니다. 흰 양말을 신고 축구를 좋아하는 남학생은 몇 명일까요?

풀이 $20 \times \frac{3}{5} \times \frac{2}{3} = \frac{20 \times 3 \times 2}{5 \times 3} = 8$

답 8 명

44 어느 미술관의 화요일 관람객 400명의 $\frac{5}{7}$가 여자였고, 그 가운데 $\frac{7}{20}$이 어린이였다고 합니다. 이날 미술관을 찾은 여자 어린이는 몇 명일까요?

풀이 $400 \times \frac{5}{7} \times \frac{7}{20} = 400 \times \frac{1}{4} = 100$

답 100 명

43 $\frac{14}{15}$L의 우유 가운데 $\frac{20}{21}$을 병에 담았습니다. 병에 담은 우유의 $\frac{3}{4}$을 친구들과 나눠마셨을 때, 마신 우유는 몇 L일까요?

풀이 $\frac{14}{15} \times \frac{20}{21} \times \frac{3}{4} = \frac{2}{3}$

답 $\frac{2}{3}$ L

45 (가)와 (나) 가운데 더 큰 것의 기호를 쓰세요.

$\frac{7}{12} \times \frac{15}{16} \times \frac{5}{14}$	$\frac{4}{5} \times \frac{2}{3} \times \frac{9}{10}$
(가)	(나)

풀이 (가) $\frac{25}{128}$, (나) $= \frac{12}{25}$

답 (나)

연마 Check 칭찬이나 노력할 점을 써 주세요.

맞힌 개수	지도 의견		확인란
개	나의 생각		

○ $1\frac{3}{4} \times \frac{2}{7} \times 1\frac{3}{5}$의 계산

순서 1 대분수를 가분수로 고칩니다.

$1\frac{3}{4} \times \frac{2}{7} \times 1\frac{3}{5} = \frac{7}{4} \times \frac{2}{7} \times \frac{8}{5}$

순서 2 약분을 한 뒤, 곱합니다.

$\frac{7}{4} \times \frac{2}{7} \times \frac{8}{5} = \frac{4}{5}$

○ $\frac{5}{6} \times \left(\frac{2}{3} + \frac{2}{5}\right)$의 계산

순서 1 소괄호가 있는 계산부터 합니다.

$\left(\frac{2}{3} + \frac{2}{5}\right) = \frac{10+6}{15} = \frac{16}{15}$

순서 2 나머지 분수와 곱셈을 합니다.

$\frac{5}{6} \times \frac{16}{15} = \frac{8}{9}$

⌛ [01~08] 계산을 하세요.

01 $\frac{3}{5} \times 2\frac{1}{3} \times 1\frac{5}{7} = \frac{3}{5} \times \frac{7}{3} \times \frac{12}{7} = \frac{12}{5} = 2\frac{2}{5}$

02 $4\frac{2}{5} \times \frac{1}{6} \times 2\frac{2}{11} = \frac{22}{5} \times \frac{1}{6} \times \frac{24}{11} = \frac{8}{5} = 1\frac{3}{5}$

03 $1\frac{1}{6} \times 1\frac{5}{7} \times \frac{8}{33} = \frac{7}{6} \times \frac{12}{7} \times \frac{8}{33} = \frac{16}{33}$

04 $3\frac{3}{5} \times 15 \times \frac{2}{9} = \frac{18 \times 15 \times 2}{5 \times 9} = 12$

05 $\frac{1}{3} \times \left(\frac{1}{2} + \frac{4}{5}\right) = \frac{1}{3} \times \frac{5+8}{10} = \frac{13}{30}$

06 $\frac{3}{4} \times \left(\frac{1}{5} + \frac{2}{3}\right) = \frac{3}{4} \times \left(\frac{3+10}{15}\right)$
$= \frac{3}{4} \times \frac{13}{15} = \frac{13}{20}$

07 $\frac{6}{7} \times \left(\frac{2}{3} + \frac{1}{4}\right) = \frac{6}{7} \times \left(\frac{8+3}{12}\right)$
$= \frac{6}{7} \times \frac{11}{12} = \frac{11}{14}$

08 $1\frac{2}{5} \times \left(\frac{1}{2} + \frac{2}{7}\right) = \frac{7}{5} \times \left(\frac{7+4}{14}\right)$
$= \frac{7}{5} \times \frac{11}{14} = \frac{11}{10} = 1\frac{1}{10}$

🐋 계산력 **강화**하기   정확하게 풀어보아요

🖩 [09~22] 계산을 하세요.

09 $3\frac{3}{4} \times \frac{4}{7} \times 2\frac{4}{5} = \frac{15}{4} \times \frac{4}{7} \times \frac{14}{5} = 6$

10 $2\frac{4}{9} \times 3\frac{3}{5} \times 1\frac{1}{2} = \frac{22}{9} \times \frac{18}{5} \times \frac{3}{2}$
$= \frac{66}{5} = 13\frac{1}{5}$

11 $4 \times 5\frac{5}{8} \times \frac{7}{15} = 4 \times \frac{45}{8} \times \frac{7}{15}$
$= \frac{4 \times 45 \times 7}{8 \times 15} = \frac{21}{2} = 10\frac{1}{2}$

12 $3\frac{1}{8} \times 3\frac{1}{5} \times \frac{2}{9} = \frac{25}{8} \times \frac{16}{5} \times \frac{2}{9}$
$= \frac{5 \times 2 \times 2}{9} = \frac{20}{9} = 2\frac{2}{9}$

13 $2\frac{3}{11} \times \frac{11}{15} \times 6 = \frac{25}{11} \times \frac{11}{15} \times 6 = 10$

14 $\frac{5}{9} \times 3\frac{3}{5} \times 1\frac{1}{6} = \frac{5}{9} \times \frac{18}{5} \times \frac{7}{6} = \frac{7}{3} = 2\frac{1}{3}$

15 $2\frac{6}{7} \times 1\frac{1}{10} \times 1\frac{3}{11} = \frac{20}{7} \times \frac{11}{10} \times \frac{14}{11} = 4$

16 $\frac{4}{7} \times \left(\frac{2}{5} + \frac{3}{4}\right) = \frac{4}{7} \times \left(\frac{8+15}{20}\right)$
$= \frac{4}{7} \times \frac{23}{20} = \frac{23}{35}$

17 $1\frac{1}{5} \times \left(\frac{2}{9} + 3\frac{1}{2}\right) = \frac{6}{5} \times \left(\frac{2}{9} + \frac{7}{2}\right)$
$= \frac{6}{5} \times \frac{4+63}{18} = \frac{6}{5} \times \frac{67}{18} = \frac{67}{15} = 4\frac{7}{15}$

18 $2\frac{4}{5} \times \left(\frac{3}{7} - \frac{1}{4}\right) = \frac{14}{5} \times \frac{12-7}{28}$
$= \frac{14}{5} \times \frac{5}{28} = \frac{1}{2}$

19 $1\frac{7}{8} \times \left(2\frac{2}{3} + 1\frac{1}{5}\right) = \frac{15}{8} \times \left(\frac{8}{3} + \frac{6}{5}\right)$
$= \frac{15}{8} \times \frac{40+18}{15} = \frac{15}{8} \times \frac{58}{15} = \frac{29}{4} = 7\frac{1}{4}$

20 $2\frac{2}{9} \times \left(2\frac{1}{4} - \frac{4}{5}\right) = \frac{20}{9} \times \left(\frac{9}{4} - \frac{4}{5}\right)$
$= \frac{20}{9} \times \frac{45-16}{20} = \frac{20}{9} \times \frac{29}{20} = \frac{29}{9} = 3\frac{2}{9}$

21 $4\frac{2}{7} \times \left(\frac{2}{5} + 3\frac{1}{3}\right) = \frac{30}{7} \times \left(\frac{2}{5} + \frac{10}{3}\right)$
$= \frac{30}{7} \times \frac{6+50}{15} = \frac{30}{7} \times \frac{56}{15} = 16$

22 $2\frac{5}{8} \times \left(3\frac{3}{7} - 1\frac{5}{6}\right) = \frac{21}{8} \times \left(\frac{24}{7} - \frac{11}{6}\right)$
$= \frac{21}{8} \times \frac{144-77}{42} = \frac{21}{8} \times \frac{67}{42} = \frac{67}{16} = 4\frac{3}{16}$

🐋 **사고력 확장**   **구조화**하기   구조화 하기를 연습하면 서술형도 쉽게 풀어요

🐋 [23~32] 계산 결과의 크기를 비교하여 ○ 안에 >, =, <를 알맞게 써넣으세요.

23 $\frac{5}{8} \times \frac{7}{12} \times 3\frac{1}{5}$ ⊙ $\frac{3}{7} \times \left(\frac{1}{6} + \frac{3}{4}\right)$

$\frac{5}{8} \times \frac{7}{12} \times 3\frac{1}{5} = \frac{5}{8} \times \frac{7}{12} \times \frac{16}{5} = \frac{7}{6} = 1\frac{1}{6}$
$\frac{3}{7} \times \left(\frac{1}{6} + \frac{3}{4}\right) = \frac{3}{7} \times \frac{2+9}{12} = \frac{11}{28}$

24 $1\frac{3}{4} \times \frac{11}{14} \times \frac{10}{11}$ ⊙ $\frac{7}{8} \times \left(4 - 1\frac{4}{5}\right)$

$1\frac{3}{4} \times \frac{11}{14} \times \frac{10}{11} = \frac{7}{4} \times \frac{11}{14} \times \frac{10}{11} = \frac{5}{4} = 1\frac{1}{4}$
$\frac{7}{8} \times \left(4 - 1\frac{4}{5}\right) = \frac{7}{8} \times 2\frac{1}{5} = \frac{7}{8} \times \frac{11}{5} = \frac{77}{40} = 1\frac{37}{40}$

25 $3\frac{1}{8} \times \frac{14}{15} \times 10$ ⊙ $1\frac{5}{9} \times \left(4\frac{2}{3} - 1\frac{2}{7}\right)$

$3\frac{1}{8} \times \frac{14}{15} \times 10 = \frac{25}{8} \times \frac{14}{15} \times 10 = \frac{175}{6} = 29\frac{1}{6}$
$1\frac{5}{9} \times \left(4\frac{2}{3} - 1\frac{2}{7}\right) = \frac{14}{9} \times \left(\frac{14}{3} - \frac{9}{7}\right)$
$= \frac{14}{9} \times \frac{98-27}{21} = \frac{14}{9} \times \frac{71}{21} = \frac{142}{27} = 5\frac{7}{27}$

26 $\frac{5}{7} \times 6 \times 2\frac{6}{25}$ ⊙ $3\frac{1}{9} \times \left(1\frac{13}{14} - \frac{3}{4}\right)$

$\frac{5}{7} \times 6 \times 2\frac{6}{25} = \frac{5 \times 6 \times 56}{7 \times 25} = \frac{48}{5} = 9\frac{3}{5}$
$3\frac{1}{9} \times \left(1\frac{13}{14} - \frac{3}{4}\right) = \frac{28}{9} \times \frac{54-21}{28} = \frac{28}{9} \times \frac{33}{28}$
$= \frac{11}{3} = 3\frac{2}{3}$

27 $5\frac{1}{7} \times \frac{7}{9} \times 3\frac{3}{8}$ ⊙ $2\frac{1}{12} \times \left(\frac{7}{15} + 1\frac{4}{5}\right)$

$5\frac{1}{7} \times \frac{7}{9} \times 3\frac{3}{8} = \frac{36}{7} \times \frac{7}{9} \times \frac{27}{8} = \frac{27}{2} = 13\frac{1}{2}$
$2\frac{1}{12} \times \left(\frac{7}{15} + 1\frac{4}{5}\right) = \frac{25}{12} \times \frac{7+27}{15}$
$= \frac{25}{12} \times \frac{34}{15} = \frac{85}{18} = 4\frac{13}{18}$

28 $1\frac{1}{7} \times \frac{5}{6} \times \frac{7}{10}$ ⊙ $1\frac{1}{7} \times \left(3\frac{1}{6} - 1\frac{3}{4}\right)$

$1\frac{1}{7} \times \frac{5}{6} \times \frac{7}{10} = \frac{8}{7} \times \frac{5}{6} \times \frac{7}{10} = \frac{2}{3}$
$1\frac{1}{7} \times \left(3\frac{1}{6} - 1\frac{3}{4}\right) = \frac{8}{7} \times \frac{38-21}{12}$
$= \frac{8}{7} \times \frac{17}{12} = \frac{34}{21} = 1\frac{13}{21}$

29 $\frac{7}{8} \times 12 \times 2\frac{5}{7}$ ⊙ $5\frac{1}{4} \times \left(\frac{2}{3} + 1\frac{6}{7}\right)$

$\frac{7}{8} \times 12 \times 2\frac{5}{7} = \frac{7 \times 12 \times 19}{8 \times 7} = \frac{57}{2} = 28\frac{1}{2}$
$5\frac{1}{4} \times \left(\frac{2}{3} + 1\frac{6}{7}\right) = \frac{21}{4} \times \frac{14+39}{21} = \frac{21}{4} \times \frac{53}{21}$
$= \frac{53}{4} = 13\frac{1}{4}$

30 $\frac{8}{11} \times \frac{3}{4} \times \frac{11}{16}$ ⊙ $4\frac{1}{2} \times \left(2\frac{1}{18} - \frac{5}{6}\right)$

$\frac{8}{11} \times \frac{3}{4} \times \frac{11}{16} = \frac{3}{8}$
$4\frac{1}{2} \times \left(2\frac{1}{18} - \frac{5}{6}\right) = \frac{9}{2} \times \frac{37-15}{18}$
$= \frac{9}{2} \times \frac{22}{18} = \frac{11}{2} = 5\frac{1}{2}$

31 $2\frac{1}{12} \times 1\frac{2}{5} \times 2\frac{1}{10}$ ⊙ $4\frac{2}{3} \times \left(\frac{5}{7} + 2\frac{1}{2}\right)$

$2\frac{1}{12} \times 1\frac{2}{5} \times 2\frac{1}{10} = \frac{25 \times 7 \times 21}{12 \times 5 \times 10} = \frac{49}{8} = 6\frac{1}{8}$
$4\frac{2}{3} \times \left(\frac{5}{7} + 2\frac{1}{2}\right) = \frac{14}{3} \times \frac{10+35}{14} = \frac{14}{3} \times \frac{45}{14} = 15$

32 $\frac{7}{15} \times 1\frac{13}{14} \times 1\frac{7}{9}$ ⊙ $2\frac{4}{9} \times \left(2\frac{3}{11} + 2\frac{1}{2}\right)$

$\frac{7}{15} \times 1\frac{13}{14} \times 1\frac{7}{9} = \frac{7 \times 27 \times 16}{15 \times 14 \times 9} = \frac{16}{15} = 1\frac{1}{15}$
$2\frac{4}{9} \times \left(2\frac{3}{11} + 2\frac{1}{2}\right) = \frac{22}{9} \times \frac{50+55}{22} = \frac{22}{9} \times \frac{105}{22}$
$= \frac{35}{3} = 11\frac{2}{3}$

🚌 **사고력 확장**   **서술형 풀어**보기   구조화 해서 풀어보아요

33 세로의 길이가 $2\frac{4}{5}$ cm, 가로의 길이가 $6\frac{1}{2}$ cm인 직사각형의 가로의 길이를 $1\frac{3}{7}$ cm를 새로운 직사각형을 만들었습니다. 새로운 직사각형의 넓이를 구해보세요.

풀이 과정

(1) (새로운 직사각형의 가로)
$= 6\frac{1}{2} - 1\frac{3}{7} = \boxed{5\frac{1}{14}}$ cm입니다.

(2) 그러므로 (새로운 직사각형의 넓이)
$= \boxed{5\frac{1}{14}} \times 2\frac{4}{5} = \boxed{14\frac{1}{5}}$ cm²입니다.

· 전체식: $2\frac{4}{5} \times \left(6\frac{1}{2} - 1\frac{3}{7}\right)$

· $6\frac{1}{2} - 1\frac{3}{7} = \frac{\boxed{91} - \boxed{20}}{14} = \frac{\boxed{71}}{14} = \boxed{5\frac{1}{14}}$

· $5\frac{1}{14} \times 2\frac{4}{5} = \frac{\boxed{71}}{14} \times \frac{14}{5} = \frac{\boxed{71}}{5} = \boxed{14\frac{1}{5}}$

❓ [34~37] 풀이 과정을 쓰고 답을 구하세요.

34 빈칸에 알맞은 수를 써넣으세요.

$\left(2\frac{1}{4} + \frac{2}{3}\right) \times 1\frac{1}{5} = \boxed{3\frac{1}{2}}$

풀이 $\left(2\frac{1}{4} + \frac{2}{3}\right) = \frac{9}{4} + \frac{2}{3} = \frac{35}{12}$; $\frac{35}{12} \times \frac{6}{5} = \frac{7}{2} = 3\frac{1}{2}$

35 지난주에 180쪽의 수학 문제집을 $\frac{1}{6}$만큼을 풀었습니다. 이번 주에는 지난주에 풀었던 쪽수의 $1\frac{3}{5}$을 풀려고 합니다. 이번 주엔 몇 쪽을 풀어야 할까요?

$180 \times \frac{1}{6} \times 1\frac{3}{5}$의 계산: $180 \times \frac{1}{6} = 30$.

풀이 $30 \times 1\frac{3}{5} = 30 \times \frac{8}{5} = 48$

답   48   쪽

36 지민이는 병에 든 $1\frac{1}{5}$L의 우유 가운데 을 마신 뒤, 마신 우유 양의 $3\frac{1}{8}$만큼 을 마셨습니다. 지민이가 마신 물의 구해보세요.

풀이 $1\frac{1}{5} \times \frac{3}{10} \times 3\frac{1}{8} = \frac{6 \times 3 \times 25}{5 \times 10 \times 8} = \frac{9}{8} = $

답 $1\frac{1}{8}$

37 형이 만든 떡 $8\frac{4}{9}$kg 가운데 $\frac{3}{5}$을 동생 주었고 동생도 떡을 해서, 형에게 받 양의 $3\frac{3}{4}$만큼의 떡을 형에게 주었어요. 형이 동생에게 받은 떡은 몇 kg일까요?

풀이 $8\frac{4}{9} \times \frac{3}{5} \times 3\frac{3}{4} = \frac{76 \times 3 \times 15}{9 \times 5 \times 4} = 19$

답   19

연마 Check   칭찬이나 노력할 것을 써 주세요.

맞힌 개수		지도 의견	
	개	나의 생각	

확인란

도형의 합동

월   일

- 합동: 모양과 크기가 같아서 포개었을 때 완전히 겹치는 두 도형

예

핵심포인트

- 합동이 아닌 경우
  : 모양은 같지만 크기가 다르면 합동이 아닙니다.

예

- 서로 합동인 도형 만들기

① 직사각형을 두 조각으로 잘라 합동인 도형 2개 만들기

예

② 직사각형을 네 조각으로 잘라 합동인 도형 4개 만들기

예

- 합동인 도형 그리기
  ① 모눈종이의 칸 수를 세어 주어진 도형의 꼭짓점과 같은 위치에 점을 찍습니다.
  ② 찍은 점들을 선으로 잇습니다.

[01~02] 왼쪽 도형과 합동인 도형을 찾아 보세요.

(㉢)

(㉢)

[03~04] 서로 합동인 두 도형을 찾아 기호를 쓰세요.

03

(가와 다)

04

(나와 마)

3. 합동과 대칭

사고력 확장

도형 이해하기

정확하게 풀어보아요

[05~13] 도형을 보고 물음에 답하세요.

가 나 다 라
마 바 사 아

05 도형 가와 합동인 도형을 쓰세요.
(라)

06 도형 나와 합동인 도형을 쓰세요.
(없음)

07 도형 다와 합동인 도형을 쓰세요.
(바)

08 도형 라와 합동인 도형을 쓰세요.
(가)

09 도형 마와 합동인 도형을 쓰세요.
(아)

10 도형 바와 합동인 도형을 쓰세요.
(다)

11 도형 사와 합동인 도형을 쓰세요.
(없음)

12 도형 아와 합동인 도형을 쓰세요.
(마)

13 서로 합동인 두 도형은 모두 몇 쌍인지 구하세요.
(3쌍)

[14~19] 도형을 잘라 합동인 도형을 만들려고 합니다. 자르는 선을 알맞게 그어 보세요.

14 합동인 사각형 3개

15 합동인 사각형 4개

16 합동인 삼각형 4개

17 합동인 사각형 2개

18 합동인 삼각형 3개

19 합동인 삼각형 6개

사고력 확장

도형 이해하기

정확하게 풀어보아요

[20~26] 점선을 따라 잘랐을 때 잘린 도형이 모두 합동인 것에 ○표 하세요.

①   (○)   ②   (   )

①   (   )   ②   (   )

①   (   )   ②   (   )   ③   (○)

①   (   )   ②   (   )   ③   (   )

①   (   )   ②   (   )   ③   (   )

①   (   )   ②   (   )   ③   (   )

①   (   )   ②   (   )   ③   (   )

[27~33] 왼쪽 도형과 합동인 도형을 그려보세요.

27 →

28 →

29 →

30 →

31 →

32 →

33 →

3. 합동과 대칭

사고력 확장

서술형 풀어보기

구조화 해서 풀어보아요

34 다음 직사각형을 점선을 따라 잘랐을 때 합동인 도형은 모두 몇 쌍일까요?

가 나 라 마   사
    다   바 아

풀이 과정

(1) 점선을 따라 자른 도형까지 포개었을 때 완전히 겹쳐지는 도형을 찾으면 가와 나, 다와 라, 마와 바, 사와 아 도형이 짝이 됩니다.

(2) 그러므로 합동인 도형은 모두 4 쌍입니다.

[35~38] 풀이 과정을 쓰고 답을 구하세요.

35 다음 두 도형이 서로 합동이 아닌 이유를 설명하세요.

답 모양은 같지만 크기가 다르면 합동이 아닙니다.

36 다음 육각형을 점선을 따라 잘랐을 때 만들어지는 두 도형이 서로 합동이 되는 점선을 모두 찾아 그 기호를 쓰세요.

풀이 점선에 따라 만들어지는 도형 중에서 합동인 두 도형이 만들어지는 점선은 ㉢과 ㉣입니다.

답 ㉢, ㉣

37 정오각형을 서로 합동인 두 도형으로 자르는 방법은 모두 몇 가지인가요?

풀이 각 꼭짓점에서 밑변에 수직으로 선을 그으면 합동인 두 도형이 나오므로 총 5가지입니다.

답 5 가지

38 정사각형을 점선을 따라 잘랐습니다. 서로 합동인 도형은 모두 몇 쌍일까요?

3등분
2등분
2등분

풀이 점선을 따라 자른 두 도형이 서로 합동인 경우는 모두 6쌍입니다.

답 6 쌍

연마 Check 칭찬이나 노력할 점을 써 주세요.

맞힌 개수	지도 의견		확인란
개	나의 생각		

3. 합동과 대칭

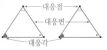

● 대응점, 대응변, 대응각

대응점
대응변
대응각

➡ 대응점: 합동인 두 도형을 완전히 포개었을 때 겹쳐지는 점
➡ 대응변: 합동인 두 도형을 완전히 포개었을 때 겹쳐지는 변
➡ 대응각: 합동인 두 도형을 완전히 포개었을 때 겹쳐지는 각

📌 핵심 포인트
• 서로 합동인 두 삼각형에서 대응점, 대응변, 대응각은 각각 3쌍씩 있습니다.
• 합동인 두 도형의 성질
① 합동인 두 도형에서 대응변의 길이는 서로 같습니다.
② 합동인 두 도형에서 대응각의 크기는 서로 같습니다.

[01~02] 빈칸 안에 알맞은 말을 써넣으세요.

01 합동인 두 도형을 완전히 포개었을 때 겹쳐지는 점을 [대응점], 겹쳐지는 변을 [대응변], 겹쳐지는 각을 [대응각] 이라고 합니다.

02 ① 합동인 두 도형에서 [대응변] 의 길이는 서로 같습니다.
② 합동인 두 도형에서 [대응각] 의 크기는 서로 같습니다.

[03~05] 합동인 두 삼각형입니다. 빈칸을 채우세요.

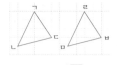

03 점 ㄴ의 대응점은 점 [ㅁ] 입니다.

04 변 ㄴㄷ의 대응변은 변 [ㅁㅂ] 입니다.

05 각 ㄴㄷㄱ의 대응각은 각 [ㅁㅂㄹ] 입니다.

[06~09] 합동인 두 사각형입니다. 빈칸을 채우세요.

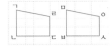

06 점 ㄷ의 대응점은 점 [ㅅ] 입니다.

07 변 ㄴㄷ의 대응변은 변 [ㅂㅅ] 입니다.

08 각 ㄱㄴㄷ의 대응각은 각 [ㅁㅂㅇ] 입니다.

09 합동인 두 사각형에서 대응점은 [4] 쌍, 대응변은 [4] 쌍, 대응각은 [4] 쌍입니다.

10 두 삼각형은 합동입니다. 대응변끼리 바르게 짝지은 것을 모두 찾아 기호를 쓰세요.

㉮ 변 ㄴㄷ과 변 ㄹㅁ   ㉯ 변 ㄷㄱ과 변 ㅁㄹ
㉰ 변 ㅂㄹ과 변 ㄷㄱ   ㉱ 변 ㅁㅂ과 변 ㄷㄹ
(다)

64 3. 합동과 대칭

[11~22] 두 사각형은 합동입니다. 물음에 답하세요.

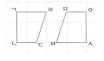

11 점 ㄱ의 대응점을 구하세요.
(점 ㅅ)

12 변 ㄱㄹ의 대응변을 구하세요.
(점 ㅅㅂ)

13 각 ㄹㄱㄴ의 대응각을 구하세요.
(각 ㅂㅅㅇ)

14 점 ㄴ의 대응점을 구하세요.
(점 ㅇ)

15 변 ㄴㄷ의 대응변을 구하세요.
(변 ㅇㅁ)

16 각 ㄱㄴㄷ의 대응각을 구하세요.
(각 ㅅㅇㅁ)

17 점 ㄷ의 대응점을 구하세요.
(점 ㅁ)

18 변 ㄷㄹ의 대응변을 구하세요.
(변 ㅁㅂ)

19 각 ㄱㄹㄷ의 대응각을 구하세요.
(각 ㅅㅂㅁ)

20 점 ㄹ의 대응점을 구하세요.
(점 ㅂ)

21 변 ㄱㄴ의 대응변을 구하세요.
(변 ㅅㅇ)

22 각 ㄴㄷㄹ의 대응각을 구하세요.
(각 ㅇㅁㅂ)

[23~34] 두 사각형은 합동입니다. 물음에 답하세요.

23 점 ㄱ의 대응점을 구하세요.
(점 ㅂ)

24 변 ㄱㄴ의 대응변을 구하세요.
(변 ㅂㅁ)

25 각 ㄱㄴㄷ의 대응각을 구하세요.
(각 ㅂㅁㄹ)

26 점 ㄴ의 대응점을 구하세요.
(점 ㅁ)

27 변 ㄴㄹ의 대응변을 구하세요.
(변 ㅁㄹ)

28 각 ㄴㄹㅇ의 대응각을 구하세요.
(각 ㅁㄹㅅ)

29 점 ㄷ의 대응점을 구하세요.
(점 ㄹ)

30 변 ㄷㅅ의 대응변을 구하세요.
(변 ㄹㅇ)

31 각 ㄷㅅㅂ 대응각을 구하세요.
(각 ㄹㅇㄱ)

32 점 ㅇ의 대응점을 구하세요.
(점 ㅅ)

33 변 ㅇㄱ의 대응변을 구하세요.
(변 ㅅㅂ)

34 각 ㅇㄱㄴ의 대응각을 구하세요.
(각 ㅅㅂㅁ)

합동인 도형의 성질

[35~38] 두 삼각형은 합동입니다. 물음에 답하세요.

35 변 ㄱㄷ의 길이를 구하세요.
(4 cm)

36 각 ㄹㅂㅁ의 크기를 구하세요.
(25°)

37 변 ㄹㅂ의 길이를 구하세요.
(10 cm)

38 각 ㄴㄱㄷ의 크기를 구하세요.
(50°)

[39~42] 두 삼각형은 합동입니다. 물음에 답하세요.

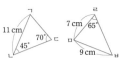

39 변 ㄱㄷ의 길이를 구하세요.
(7 cm)

40 각 ㄴㄱㄷ의 크기를 구하세요.
(65°)

41 변 ㄴㄷ의 길이를 구하세요.
(9 cm)

42 각 ㄹㅁㅂ의 크기를 구하세요.
(70°)

[43~46] 두 사각형은 합동입니다. 물음에 답하세요.

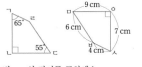

43 변 ㄱㄴ의 길이를 구하세요.
(7 cm)

44 각 ㅇㅁㅂ의 크기를 구하세요.
(55°)

45 변 ㄷㄹ의 길이를 구하세요.
(4 cm)

46 각 ㅂㅅㅇ의 크기를 구하세요.
(65°)

[47~50] 두 사각형은 합동입니다. 물음에 답하세요.

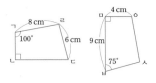

47 변 ㄱㄴ의 길이를 구하세요.
(4 cm)

48 각 ㄴㄷㄹ의 크기를 구하세요.
(75°)

49 변 ㄴㄷ의 길이를 구하세요.
(9 cm)

50 각 ㄷㄹㅁ의 크기를 구하세요.
(95°)
360 − (100 + 90 + 75) = 95

66 3. 합동과 대칭

51 서로 합동인 삼각형 ㄷㄹㅁ과 삼각형 ㄱㄹㅁ을 그림과 같이 겹치지 않게 이어 붙였을 때 선분 ㄱㄴ의 길이를 구하세요.

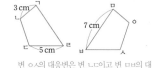
17 cm
8 cm
23 cm

📝 풀이 과정
(1) 변 ㄷㄹ의 대응변은 변 [ㄱㄹ] 입니다.
(2) 변 ㅁㄹ의 대응변은 변 [ㄴㄹ] 입니다.
(3) 변 ㄷㄹ의 길이는 23−8= [15] (cm)입니다.
(4) 변 ㄴㄹ의 길이는 [8] (cm)입니다.
(5) 따라서 선분 ㄱㄴ의 길이는 [7] (cm)입니다.

[52~55] 풀이 과정을 쓰고 답을 구하세요.

52 두 사각형은 합동이고 한 사각형의 둘레는 19cm라고 할 때, 변 ㅇㅅ의 길이를 구하세요.

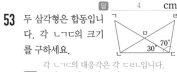
3 cm
5 cm
7 cm

풀이 변 ㅇㅅ의 대응변은 변 ㄴㄷ이고 ㅁㅂ의 대응변은 변 ㄱㄴ입니다. 19−3−5−7=4
답 4 cm

53 두 삼각형은 합동입니다. 각 ㄴㄷㄹ의 크기를 구하세요.

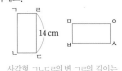
30° 70°

각 ㄴㄷㄹ의 대응각은 각 ㄷㄹㅁ입니다.
풀이 180°−100°−30°=50°
답 50°

54 두 직사각형은 합동이고, 한 직사각형의 넓이는 98cm²입니다. 변 ㅇㅅ의 길이를 구하세요.

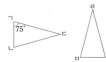
14 cm

풀이 사각형 ㄱㄴㄷㄹ의 변 ㄱㄹ의 길이는 98÷14=7, 변 ㅇㅅ의 대응변은 변 ㄱㄹ
답 7 cm

55 두 삼각형은 합동이고 이등변삼각형입니다. 각 ㅁㄹㅂ의 크기를 구하세요.

75°

풀이 각 ㄱㄴㄷ=75°(이등변삼각형), 각 ㄱ=30°, 각 ㅁㄹㅂ의 대응각은 각 ㄱㄴㄷ
답 30°

🏃 연마 Check 칭찬이나 노력할 점을 써 주세요.

맞힌 개수	지도 의견
개	나의 생각

확인란

합동인 도형의 성질

선대칭도형과 그 성질 ①

월 일

- 한 직선을 따라 접어서 완전히 겹쳐지는 도형을 선대칭도형이라고 하며, 이때 그 직선을 대칭축이라고 합니다.
- 선대칭도형의 성질
  ① 대응변 길이와 대응각의 크기는 각각 같습니다.
  ② 대응점을 이은 선분은 대칭축과 수직으로 만납니다.
  ③ 대칭축은 대응점을 이은 선분을 둘로 똑같이 나누므로 각각의 대응점에서 대칭축까지의 거리는 같습니다.

핵심 포인트
- 선대칭도형에서 대칭축의 수는 도형의 모양에 따라 달라집니다.
- 선대칭도형에서 대칭축에 의해 나누어지는 두 도형은 서로 합동입니다.
- 대칭축이 여러 개일 때 모든 대칭축은 한 점에서 만납니다.

선대칭도형을 모두 찾아 기호를 쓰세요.

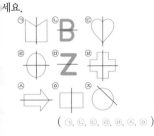

(㉠, ㉡, ㉢, ㉣, ㉤, ㉥, ㉦)

접었을 때 완전히 포개어지는 도형의 기호를 모두 찾아 쓰세요.

(가, 나, 바, 사, 아)

[03~04] 그림과 같이 반으로 접은 색종이를 그린 모양에 따라 오렸을 때 오린 모양을 보고 물음에 답하세요.

03 오린 모양은 접었을 때 완전히 [**겹쳐집니다** / 겹쳐지지 않습니다].

04 오린 모양을 펼쳐 보면 왼쪽과 오른쪽 모양이 [**같습니다** / 다릅니다].

[05~07] 빈칸에 알맞은 말을 써넣으세요.

05 한 직선을 따라 접어서 완전히 겹쳐지는 도형을 **선대칭도형** 이라고 하며, 이때 그 직선을 **대칭축** 이라고 합니다.

06 선대칭도형의 성질에서 **대응변** 의 길이와 **대응각** 의 크기는 각각 같습니다.

07 선대칭도형의 성질에서 대응점을 이은 선분은 대칭축과 **수직** 으로 만납니다.

사고력 확장 도형 **이해**하기 정확하게 풀어보아요

[08~11] 직선 ㅇㅈ을 대칭축으로 하는 선대칭도형입니다. 물음에 답하세요.

08 변 ㄴㄷ의 대응변을 구하세요.
(변 ㄹㄷ)

09 각 ㅂㄱㄴ의 대응각을 구하세요.
(각 ㅂㅁㄹ)

10 선분 ㄴㄹ이 대칭축과 만나서 이루는 각의 크기를 구하세요.
(90°)

11 선분 ㄴㅅ과 길이가 같은 선분을 구하세요.
(선분 ㄹㅅ)

[12~15] 직선 ㅅㅇ을 대칭축으로 하는 선대칭도형입니다. 물음에 답하세요.

12 점 ㄱ의 대응점을 구하세요.
(점 ㄹ)

13 변 ㄱㅁ의 대응변을 구하세요.
(변 ㄹㅁ)

14 각 ㄱㄴㅂ의 대응각을 구하세요.
(각 ㄹㄷㅂ)

15 선분 ㄹㄱ이 대칭축과 만나서 이루는 각의 크기를 구하세요.
(90°)

[16~19] 직선 ㅇㅅ을 대칭축으로 하는 선대칭도형입니다. 물음에 답하세요.

16 변 ㄱㄴ의 대응변을 구하세요.
(변 ㄹㄷ)

17 각 ㅁㄴㄱ의 대응각을 구하세요.
(각 ㅁㄷㄹ)

18 선분 ㄴㄷ이 대칭축과 만나서 이루는 각의 크기를 구하세요.
(90°)

19 선분 ㄴㅅ과 길이가 같은 선분을 구하세요.
(선분 ㄷㅅ)

[20~23] 직선 ㅈㅊ을 대칭축으로 하는 선대칭도형입니다. 물음에 답하세요.

20 점 ㄷ의 대응점을 구하세요.
(점 ㅁ)

21 변 ㄱㄴ의 대응변을 구하세요.
(변 ㄱㅂ)

22 각 ㄷㄹㄱ의 대응각을 구하세요.
(각 ㅁㄹㄱ)

23 선분 ㄴㅂ이 대칭축과 만나서 이루는 각의 크기를 구하세요.
(90°)

사고력 확장 도형 **이해**하기 정확하게 풀어보아요

[24~27] 선분 ㄱㄹ을 대칭축으로 하는 선대칭도형입니다. 물음에 답하세요.

변 ㄱㄷ의 길이를 구하세요.
(9cm)

각 ㄷㄱㄹ의 크기를 구하세요.
(40°)

변 ㄴㄷ의 길이를 구하세요.
(12cm)

각 ㄱㄷㄹ의 크기를 구하세요.
(50°)

[28~31] 선분 ㄱㄹ을 대칭축으로 하는 선대칭도형입니다. 물음에 답하세요.

변 ㄱㄷ의 길이를 구하세요.
(10cm)

각 ㄱㄴㄹ의 크기를 구하세요.
(60°)

변 ㄴㄹ의 길이를 구하세요.
(5cm)

각 ㄱㄹㄴ의 크기를 구하세요.
(30°)

[32~35] 직선 ㅅㅇ을 대칭축으로 하는 선대칭도형입니다. 물음에 답하세요.

32 변 ㅂㅁ의 길이를 구하세요.
(8cm)

33 각 ㄴㄷㄹ의 크기를 구하세요.
(50°)

34 변 ㅁㄹ의 길이를 구하세요.
(7cm)

35 각 ㄱㄴㄷ의 크기를 구하세요.
(130°)

[36~39] 직선 ㅅㅇ을 대칭축으로 하는 선대칭도형입니다. 물음에 답하세요.

변 ㄷㄹ의 길이를 구하세요.
(9cm)

37 각 ㄱㄴㅁ의 크기를 구하세요.
(55°)

38 선분 ㄷㅁ의 길이를 구하세요.
(4cm)

39 각 ㅁㅂㄹ의 크기를 구하세요.
(30°)

사고력 확장 서술형 **풀어**보기 구조화 해서 풀어보아요

40 선분 ㄱㄴ을 대칭축으로 하는 선대칭도형입니다. 이 도형의 둘레의 길이를 구하세요.

풀이 과정

(1) 변 ㄱㄷ의 대응변은 변 **ㄱㅇ** 이므로 **5** (cm)입니다.

(2) 변 ㄹㅁ의 대응변은 변 **ㅅㅂ** 이므로 **6** (cm)입니다.

(3) 변 ㄴㅂ의 대응변은 변 **ㄴㅁ** 이므로 **4** (cm)입니다.

(4) 변 ㅇㅅ의 대응변은 변 **ㄹㄷ** 이므로 **3** (cm)입니다.

(5) 따라서 이 선대칭도형의 둘레는 **36** (cm)입니다.

[41~44] 풀이 과정을 쓰고 답을 구하세요.

41 그림의 도형이 선대칭도형이 될 수 없는 이유를 쓰세요.

답 어느 방향으로든 대칭축을 그어도 겹쳤을 때 합동인 두 도형이 나오지 않습니다.

42 선분 ㄴㄹ을 대칭축으로 하는 선대칭도형입니다. 선분 ㄱㄷ의 길이가 12cm이고 선분 ㄴㄹ의 길이가 18cm일 때, 사각형 ㄱㄴㄷㄹ의 넓이를 구하세요.

풀이 $\left(18 \times 6 \times \frac{1}{2}\right) \times 2 = 108 \text{cm}^2$

답 108 cm²

43 직선 ㅇㅈ을 대칭축으로 하는 선대칭도형입니다. 선분 ㄹㅂ의 길이와 각 ㅁㄱㄴ의 크기를 구하세요.

풀이 선분 ㄱㄹ이 대칭축에 의해 반으로 나눠지므로 선분 ㄹㅂ은 5 cm, 각 ㅁㄱㄴ는 360° - 120° - 80° - 90° = 70°입니다.

답 선분 ㄹㅂ=5cm, 각 ㅁㄱㄴ=70°

44 선분 ㄱㄹ을 대칭축으로 하는 선대칭도형입니다. 정오각형 ㄱㄴㄷㅁㅂ의 둘레가 50cm일 때 변 ㄷㄹ의 길이를 구하세요.

풀이 변 ㄷㅁ은 10cm이고 변 ㄷㅁ은 대칭축에 의해 반으로 나눠집니다.

답 5 cm

연마 Check 칭찬이나 노력할 점을 써 주세요.

맞힌 개수	지도 의견	
개	나의 생각	확인란

○ 선대칭도형 그리기

① 각 점에서 대칭축에 수선을 긋습니다.
② 각 점에서 대칭축까지의 거리가 같도록 수선 위에 각 점의 대응점을 찍습니다.
③ 대응점끼리 모두 이어 선대칭도형을 완성합니다.

핵심 포인트

· 원의 대칭축

원의 중심을 지나는 어떤 직선을 따라 접어도 완전히 겹쳐지므로 원의 대칭축은 수없이 많습니다.

[01~04] 물음에 답하세요.

01 도형을 주어진 직선을 따라 접었을 때 완전히 겹쳐지지 않는 도형을 모두 찾아 기호를 쓰세요.

(①, ③, ④, ⑤, ⑥, ⑧, ⑨)

02 다음 선대칭도형의 대칭축을 잘못 그린 것의 기호를 모두 찾아 쓰세요.

(㉮, ㉲)

03 선대칭도형이 안 되는 것의 기호를 모두 찾아 쓰세요.

(㉥, ㉦, ㉩, ㉪, ㉫)

04 다음 선대칭도형의 대칭축이 가장 적은 것과 가장 많은 것의 기호를 모두 찾아 쓰세요.

(1) 대칭축이 가장 적은 선대칭도형:
(ⓒ)

(2) 대칭축이 가장 많은 선대칭도형:
(⑩, F)

[05~11] 선대칭도형의 대칭축을 그려보세요.

05

06

07

08

09

10

11

[12~18] 선대칭도형의 대칭축을 모두 그 기호를 쓰세요.

12
(㉠, ㉢)

13

14

15

16

17
(㉢, ㉣)

18
(㉠)

[19~25] 선대칭도형의 대칭축을 그려보고 대칭축의 개수를 구하세요.

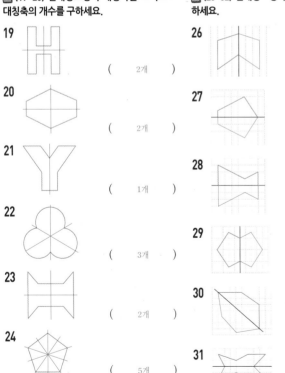

19
(2개)

20
(2개)

21
(1개)

22
(3개)

23
(2개)

24
(5개)

25
(6개)

[26~32] 선대칭도형이 되도록 그림을 완성하세요.

26

27

28

29

30

31

32

33 보기의 선대칭도형을 보고 대칭축이 많은 순서대로 기호를 나열하세요.

보기

풀이 과정

(1) ㉠의 대칭축은 수없이 많습니다.

(2) ㉡의 대칭축은 1 개입니다.

(3) ㉢의 대칭축은 6 개입니다.

(4) ㉣의 대칭축은 4 개입니다.

(5) 따라서 대칭축이 많은 순서대로 나열하면 ㉠ , ㉢ , ㉣ , ㉡ 입니다.

[34~37] 풀이 과정을 쓰고 답을 구하세요.

34 그림의 도형이 선대칭도형이 될 수 없는 이유를 쓰세요.

답 어느방향으로든 대칭축을 그어도 완전히 겹쳐지는 두 도형이 없습니다.

35 선대칭도형을 그리는 순서에 맞게 기호를 나열하세요.

① 선분 ㄱㄴ의 길이와 같도록 점 ㄴ의 대응점 ㅅ을 찍습니다.
② 선분 ㄷㅇ의 길이와 같도록 점 ㄷ의 대응점을 찍고, 이 대응점을 ㅈ이라 합니다.
③ 점 ㄷ에서 대칭축 ㅁㅂ에 수선을 긋고, 대칭축과 만나는 점을 점 ㅇ이라고 합니다.
④ 점 ㄱ, 점 ㅅ, 점 ㅈ, 점 ㄹ을 차례로 이어 선대칭도형이 되도록 그립니다.

답 ①－③－②－④

36 다음 선대칭도형의 대칭축을 구하여 축이 적은 순서대로 기호를 나열하세

풀이 ㉮: 5개, ㉯: 1개, ㉰: 3개

답 나, 다, 가

37 직선 ㄱㄴ을 대칭축으로 하여 선대칭도형을 완성하였을 때 완성한 선대칭도형의 넓이를 구하세

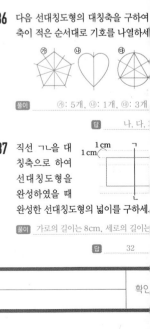

풀이 가로의 길이는 8cm, 세로의 길이는

답 32

연마 Check 칭찬이나 노력할 점을 써 주세요.

맞힌 개수	지도 의견	
개	나의 생각	확인

90° → 90° → 대칭의 중심

- 한 도형을 어떤 점을 중심으로 180° 돌렸을 때 처음 도형과 완전히 겹쳐지면 이 도형을 점대칭도형이라고 하며, 이때 그 점을 대칭의 중심이라고 합니다.
- 성질
① 대응변의 길이와 대응각의 크기는 각각 같습니다.
② 대칭의 중심은 대응점을 이은 선분을 둘로 똑같이 나누므로 각각의 대응점에서 대칭의 중심까지의 거리는 같습니다.

핵심포인트
- 점대칭도형에서 대칭의 중심은 도형의 안쪽 중심부분에 있는 점 1개뿐입니다.
- 점대칭도형에서 대응점을 이은 선분들이 만나는 점이 대칭의 중심입니다.
- 점대칭도형인 사각형 알아보기
→ 정사각형, 직사각형, 마름모, 평행사변형은 모두 점대칭도형입니다.

[01~02] 물음에 답하세요.

1 점대칭도형을 모두 찾아 기호를 쓰세요.

(①, ⑤)

2 점대칭도형을 모두 찾아 기호를 쓰세요.

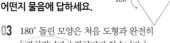

(㉡, ㉢, ㉤, ㉥)

[03~04] 오른쪽 도형을 180° 돌렸을 때 처음 도형과 어떤지 물음에 답하세요.

03 180° 돌린 모양은 처음 도형과 완전히 [겹쳐집니다 / 겹쳐지지 않습니다].

04 정사각형, 직사각형, 마름모, 평행사변형은 모두 [선대칭도형 / 점대칭도형]입니다.

[05~06] 빈칸에 알맞은 말을 써넣으세요.

05 한 도형을 어떤 점을 중심으로 180° 돌렸을 때 처음 도형과 완전히 겹쳐지면 이 도형을 점대칭도형 이라고 하며, 이때 그 점을 대칭의 중심 이라고 합니다.

06 점대칭도형에서 대칭의 중심은 도형의 한 가운데에 위치하며 항상 1 개뿐입니다.

사고력 확장　도형 이해하기　정확하게 풀어요

[07~10] 다음 점대칭도형을 보고 물음에 답하세요.

8 cm / 140° / 6 cm / 120°

07 변 ㄷㄹ의 길이를 구하세요. (8cm)

08 각 ㄱㄴㄷ의 크기를 구하세요. (120°)

09 변 ㄴㄷ의 길이를 구하세요. (6cm)

10 각 ㄷㄹㅁ의 크기를 구하세요. (140°)

[11~14] 다음 점대칭도형을 보고 물음에 답하세요.

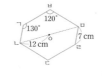

ㄴ / 120° / ㄷ / 130° / 12 cm / 7 cm

11 변 ㄱㄴ의 길이를 구하세요. (7cm)

12 각 ㄷㄹㅁ의 크기를 구하세요. (130°)

13 변 ㅁㅂ의 길이를 구하세요. (12cm)

14 각 ㄴㄷㄹ의 크기를 구하세요. (120°)

[15~18] 다음 점대칭도형을 보고 물음에 답하세요.

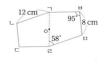

12 cm / 95° / 8 cm / 58°

15 변 ㅁㄹ의 길이를 구하세요. (12cm)

16 각 ㄴㄷㄹ의 크기를 구하세요. (95°)

17 변 ㄴㄷ의 길이를 구하세요. (8cm)

18 각 ㄴㄱㄹ의 크기를 구하세요. (58°)

[19~22] 다음 점대칭도형을 보고 물음에 답하세요.

8 cm / 7 cm / 70° / 110°

19 변 ㄱㄴ의 길이를 구하세요. (7cm)

20 각 ㄱㄹㄷ의 크기를 구하세요. (70°)

21 변 ㄴㄷ의 길이를 구하세요. (8cm)

22 각 ㄴㄱㄹ의 크기를 구하세요. (110°)

사고력 확장　도형 이해하기　정확하게 풀어보아요

[23~28] 다음 점대칭도형의 둘레의 길이를 구하세요.

23 8 cm / 5.5 cm (27cm)

24 6 cm / 4 cm (20cm)

25 6 cm / 10 cm / 8 cm (28cm)

26 8 cm / 15 cm / 12 cm (70cm)

27 8 cm / 4 cm / 10 cm (44cm)

28 5 cm / 15 cm / 10 cm / 11 cm (52cm)

[29~33] 지시한 점을 대칭의 중심으로 하여 완성한 점대칭도형의 넓이를 구하세요.

29 대칭의 중심: ㅁ

5 cm / 5 cm / 13 cm / 13 cm
$\frac{(10+26)}{2} \times 10 = 180$
(180cm²)

30 대칭의 중심: ㄹ

15 cm / 9 cm / 12 cm / 15 cm
$18 \times 24 \times \frac{1}{2} = 216$
(216cm²)

31 대칭의 중심: ㅈ

9 cm / 3 cm / 10 cm
$(9 \times 3) \times 2 = 54$
(54cm²)

32 대칭의 중심: ㄹ

15 cm / 20 cm / 12 cm / 9 cm / 16 cm
$(\frac{1}{2} \times (9+16) \times 12) \times 2 = 300$
(300cm²)

33 대칭의 중심: ㄹ

10 cm / 6 cm / 8 cm
$(\frac{1}{2} \times 6 \times 8) \times 2 + (\frac{1}{2} \times 8 \times 8) \times 2 = 112$
(112cm²)

사고력 확장　서술형 풀어보기　구조화 해서 풀어보아요

34 점 ㅇ을 대칭의 중심으로 하는 점대칭도형입니다. 선분 ㄱㅇ과 선분 ㄹㅇ의 길이가 같을 때, 각 ㉠의 크기를 구하세요.

38°

풀이 과정
(1) 선분 ㄱㅇ과 선분 ㄹㅇ의 길이가 같으므로 삼각형 ㅇㄱㄴ과 삼각형 ㅇㄷㄹ은 이등변 삼각형입니다.
(2) 각 ㅇㄱㄴ=각 ㅇㄷㄹ=각 ㅇㄱㄷ=각 ㅇㄹㄷ= 38
(3) 180°−(38°× 2)= 104 °이므로 각 ㉠의 크기는 104 °입니다.

[35~38] 풀이 과정을 쓰고 답을 구하세요.

35 점 ㅇ을 대칭의 중심으로 하여 점대칭도형을 완성했을 때 완성한 점대칭도형의 둘레의 길이를 구하세요.

3 cm / 17 cm / 15 cm / 6 cm / 4 cm

풀이 $(6+3+11+17) \times 2 = 74$
답 74 cm

36 점 ㅈ을 대칭의 중심으로 하는 점대칭도형입니다. 직사각형 ㄱㄴㅅㅇ의 넓이를 구하세요.

4 cm / 6 cm / 5 cm

풀이 $(6+4) \times 5 = 50$
답 50 cm²

37 점 ㅇ을 대칭의 중심으로 하는 점대칭도형의 일부분입니다. 완성한 점대칭도형의 둘레는 얼마인지 구하세요.

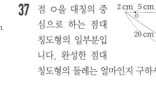
2 cm / 5 cm / 13 cm / 20 cm

풀이 $(3+13+20) \times 2 = 72$
답 72 cm

38 점 ㅇ을 대칭의 중심으로 하는 점대칭도형입니다. 이 점대칭도형의 둘레가 66cm일 때, 삼각형 ㄱㅂㅁ의 넓이를 구하세요.

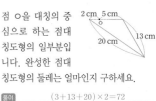
6 cm / 12 cm / 18 cm

풀이 $66-(12+6) \times 2 = 30$, 변 ㄱㅂ의 길이는 15 cm
삼각형 ㄱㅂㅁ의 넓이는 $15 \times 12 \times \frac{1}{2} = 90$
답 90 cm²

연마 Check　칭찬이나 노력할 점을 써 주세요.

맞힌 개수		지도 의견	
	개	나의 생각	확인란

점대칭도형과 그 성질 ②

월 일

● 점대칭 도형 그리기

① 각 점에서 대칭의 중심을 지나는 직선을 긋습니다.
② 각 점에서 대칭의 중심까지의 거리가 같도록 직선 위에 각 점의 대응점을 찍습니다.
③ 대응점끼리 모두 이어 점대칭도형을 완성합니다.

핵심포인트

· 점대칭도형의 활용
: 점대칭도형에서
① 각각의 대응변의 길이가 서로 같음을 이용합니다.
② 각각의 대응점에서 대칭의 중심까지의 거리가 같음을 이용합니다.

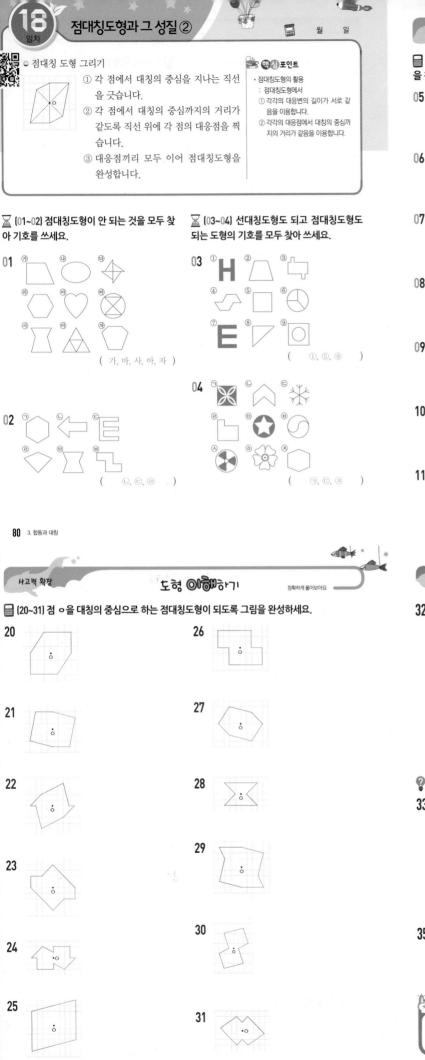

[01~02] 점대칭도형이 안 되는 것을 모두 찾아 기호를 쓰세요.

01

(가, 마, 사, 아, 자)

02

(㉡, ㉢, ㉣)

[03~04] 선대칭도형도 되고 점대칭도형도 되는 도형의 기호를 모두 찾아 쓰세요.

03

(①, ⑤, ⑨)

04

(㉠, ㉣, ㉈)

사고력 확장 도형 이해하기 정확하게 풀어보아요

[05~11] 다음 점대칭도형에서 대칭의 중심을 찾아 기호를 쓰세요.

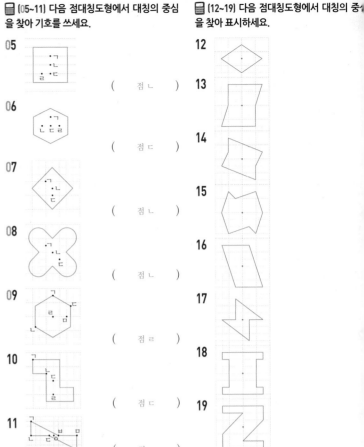

05 (점 ㄴ)

06 (점 ㄷ)

07 (점 ㄴ)

08 (점 ㄴ)

09 (점 ㄹ)

10 (점 ㄷ)

11 (점 ㅇ)

[12~19] 다음 점대칭도형에서 대칭의 중심을 찾아 표시하세요.

12

13

14

15

16

17

18

19

사고력 확장 도형 이해하기 정확하게 풀어보아요

[20~31] 점 ㅇ을 대칭의 중심으로 하는 점대칭도형이 되도록 그림을 완성하세요.

20

26

21

27

22

28

23

29

24

30

25

31

사고력 확장 서술형 풀어보기 구조화 해서 풀어보아요

32 선대칭도형이면서 점대칭도형입니다. 도형의 둘레가 96cm일 때, 변 ㅁㅂ의 길이는 얼마인지 구하세요.

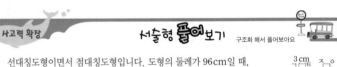

풀이 과정

(1) 변 ㄱㅌ=변 [ㄴㄷ]=변 ㅂㅅ=변 ㅈㅇ=3cm
(2) 변 ㄹㅁ=변 [ㅋㅊ]=8cm
(3) 변 ㄱㄴ=변 [ㅇㅅ]=20cm
(4) 변 ㄷㄹ=변 [ㅁㅂ]=변 ㅈㅊ=변 ㅌㅋ
(5) 96−(20×[2])−(8×[2])−(3×[4])=[28](cm)
(6) 따라서 변 ㅁㅂ의 길이는 [7]cm입니다.

[33~36] 풀이 과정을 쓰고 답을 구하세요.

33 정팔각형은 선대칭도형도 되고 점대칭도형도 됩니다. 변 ㄱㄴ의 대응변이 될 수 있는 변은 모두 몇 개인지 구하세요.

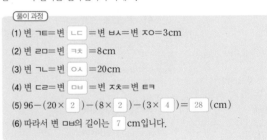

풀이 대칭축에 따라서 대응변이 될 수 있는 변의 개수는 7개입니다.

답 7 개

34 오른쪽 도형은 선대칭도형이면서 점대칭도형입니다. 표의 빈칸을 채우세요. (대칭축: 선분 ㅂㄷ)

구분	선대칭도형	점대칭도형
점 ㄴ의 대응점	점 ㄹ	점 ㅁ
변 ㄱㄴ의 대응변	변 ㅁㄹ	변 ㄹㅁ
각 ㄱㄴㄷ의 대응각	각 ㅁㄹㄷ	각 ㄹㅁㅂ

35 정오각형이 점대칭도형이 아닌 이유를 쓰세요.

답 대칭의 중심을 잡고 180° 돌렸을 때 처음 도형과 완전히 겹쳐지지 않습니다.

36 우표속의 도형은 선대칭도형과 점대칭도형 중에서 어떤 도형인지 쓰고, 그 이유를 쓰세요.

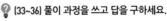

답 대칭점을 중심으로 180° 돌렸을 때 완전히 겹쳐지므로 점대칭도형입니다.

연마 Check 칭찬이나 노력할 점을 써 주세요.

맞힌 개수		지도 의견	확인란
	개	나의 생각	

분수를 소수로 나타내기

월 일

$\circ\ \dfrac{1}{5}=0.2$

분모와 분자에 같은 수를 곱합니다.

$\dfrac{1}{5}=\dfrac{1\times2}{5\times2}=\dfrac{2}{10}=0.2$

➡ 분모가 10인 분수로 고친 뒤, 소수로 나타냅니다.

더 알아보기

분모를 10으로 나타내는 경우	기약분수의 분모가 2, 5일 때
분모를 100으로 나타내는 경우	기약분수의 분모가 4, 20, 25, 50일 때
분모를 1000으로 나타내는 경우	기약분수의 분모가 8, 40, 125, 200, 250, 500일 때

핵심 포인트

- $\dfrac{1}{4}=\dfrac{1\times25}{4\times25}=\dfrac{25}{100}=0.25$
- $\dfrac{17}{200}=\dfrac{17\times5}{200\times5}=\dfrac{85}{1000}=0.085$

➡ 분모를 10으로 나타낼 수 없는 경우엔 100 또는 1000으로 만들어서 소수로 나타냅니다.

- $4\times25=100,\ 20\times5=100$
- $8\times125=1000,\ 40\times25=1000$

1~08) 빈칸에 알맞은 수를 써넣으세요.

01 $\dfrac{1}{2}=\dfrac{1\times\boxed{5}}{2\times\boxed{5}}=\dfrac{\boxed{5}}{10}=\boxed{0.5}$

02 $\dfrac{2}{5}=\dfrac{2\times\boxed{2}}{5\times\boxed{2}}=\dfrac{\boxed{4}}{10}=\boxed{0.4}$

03 $\dfrac{3}{4}=\dfrac{3\times\boxed{25}}{4\times\boxed{25}}=\dfrac{\boxed{75}}{100}=\boxed{0.75}$

04 $\dfrac{3}{5}=\dfrac{3\times\boxed{2}}{5\times\boxed{2}}=\dfrac{\boxed{6}}{10}=\boxed{0.6}$

05 $\dfrac{1}{8}=\dfrac{1\times\boxed{125}}{8\times\boxed{125}}=\dfrac{\boxed{125}}{1000}=\boxed{0.125}$

06 $1\dfrac{1}{2}=\boxed{1}+\dfrac{1\times\boxed{5}}{2\times\boxed{5}}=1+\dfrac{\boxed{5}}{10}$
$=\boxed{1}+\boxed{0.5}=\boxed{1.5}$

07 $\dfrac{4}{5}=\dfrac{4\times\boxed{2}}{5\times\boxed{2}}=\dfrac{\boxed{8}}{10}=\boxed{0.8}$

08 $1\dfrac{1}{4}=\boxed{1}+\dfrac{1}{4}=1+\dfrac{1\times\boxed{25}}{4\times\boxed{25}}$
$=1+\dfrac{\boxed{25}}{100}=\boxed{1}+\boxed{0.25}=\boxed{1.25}$

[09~24] 빈칸에 알맞은 수를 써넣으세요.

09 $3\dfrac{1}{5}=\boxed{3}+\dfrac{1\times\boxed{2}}{5\times\boxed{2}}=\boxed{3}+\dfrac{\boxed{2}}{10}$
$=\boxed{3}+\boxed{0.2}=\boxed{3.2}$

10 $\dfrac{1}{20}=\dfrac{1\times\boxed{5}}{20\times\boxed{5}}=\dfrac{\boxed{5}}{100}=\boxed{0.05}$

11 $\dfrac{3}{50}=\dfrac{3\times\boxed{2}}{50\times\boxed{2}}=\dfrac{\boxed{6}}{100}=\boxed{0.06}$

12 $\dfrac{2}{25}=\dfrac{2\times\boxed{4}}{25\times\boxed{4}}=\dfrac{\boxed{8}}{100}=\boxed{0.08}$

13 $\dfrac{7}{8}=\dfrac{7\times\boxed{125}}{8\times\boxed{125}}=\dfrac{\boxed{875}}{1000}=\boxed{0.875}$

14 $\dfrac{9}{50}=\dfrac{9\times\boxed{2}}{50\times\boxed{2}}=\dfrac{\boxed{18}}{100}=\boxed{0.18}$

15 $\dfrac{7}{40}=\dfrac{7\times\boxed{25}}{40\times\boxed{25}}=\dfrac{\boxed{175}}{1000}=\boxed{0.175}$

16 $\dfrac{16}{25}=\dfrac{16\times\boxed{4}}{25\times\boxed{4}}=\dfrac{\boxed{64}}{100}=\boxed{0.64}$

17 $\dfrac{1}{125}=\dfrac{1\times\boxed{8}}{125\times\boxed{8}}=\dfrac{\boxed{8}}{1000}=\boxed{0.008}$

18 $\dfrac{19}{200}=\dfrac{19\times\boxed{5}}{200\times\boxed{5}}=\dfrac{\boxed{95}}{1000}=\boxed{0.095}$

19 $\dfrac{33}{500}=\dfrac{33\times\boxed{2}}{500\times\boxed{2}}=\dfrac{\boxed{66}}{1000}=\boxed{0.066}$

20 $4\dfrac{17}{20}=\boxed{4}+\dfrac{\boxed{17}}{20}=\boxed{4}+\dfrac{17\times\boxed{5}}{20\times\boxed{5}}$
$=\boxed{4}+\dfrac{\boxed{85}}{100}=\boxed{4}+\boxed{0.85}=\boxed{4.85}$

21 $5\dfrac{47}{50}=\boxed{5}+\dfrac{\boxed{47}}{50}=\boxed{5}+\dfrac{47\times\boxed{2}}{50\times\boxed{2}}$
$=\boxed{5}+\dfrac{\boxed{94}}{100}=\boxed{5}+\boxed{0.94}=\boxed{5.94}$

22 $9\dfrac{3}{8}=\boxed{9}+\dfrac{\boxed{3}}{8}=\boxed{9}+\dfrac{3\times\boxed{125}}{8\times\boxed{125}}$
$=9+\dfrac{\boxed{375}}{1000}=\boxed{9}+\boxed{0.375}=\boxed{9.375}$

23 $6\dfrac{233}{250}=\boxed{6}+\dfrac{\boxed{233}}{250}=\boxed{6}+\dfrac{233\times\boxed{4}}{250\times\boxed{4}}$
$=\boxed{6}+\dfrac{\boxed{932}}{1000}=\boxed{6}+\boxed{0.932}=\boxed{6.932}$

24 $11\dfrac{11}{20}=\boxed{11}+\dfrac{\boxed{11}}{20}=\boxed{11}+\dfrac{11\times\boxed{5}}{20\times\boxed{5}}$
$=\boxed{11}+\dfrac{\boxed{55}}{100}=\boxed{11}+\boxed{0.55}=\boxed{11.55}$

~ [25~42] 두 수의 크기를 비교하여 ○ 안에 >, =, <를 알맞게 써넣으세요.

30 $0.7\ \boxed{<}\ \dfrac{4}{5}$
$\dfrac{4}{5}=0.8$

31 $\dfrac{14}{25}\ \boxed{>}\ 0.5$
$\dfrac{14}{25}=\dfrac{56}{100}=0.56$

37 $1\dfrac{1}{8}\ \boxed{=}\ 1.125$
$1\dfrac{1}{8}=1+\dfrac{1}{8}=1+\dfrac{125}{1000}=1.125$

28 $0.33\ \boxed{>}\ \dfrac{1}{4}$
$\dfrac{1}{4}=\dfrac{25}{100}=0.25$

32 $\dfrac{99}{500}\ \boxed{>}\ 0.18$
$\dfrac{99}{500}=\dfrac{198}{1000}=0.198$

38 $7\dfrac{3}{4}\ \boxed{>}\ 7.55$
$7\dfrac{3}{4}=7+\dfrac{3}{4}=7+\dfrac{75}{100}=7.75$

26 $0.25\ \boxed{>}\ \dfrac{1}{5}$
$\dfrac{1}{5}=\dfrac{2}{10}=0.2$

33 $\dfrac{41}{50}\ \boxed{<}\ 0.85$
$\dfrac{41}{50}=\dfrac{82}{100}=0.82$

39 $5\dfrac{17}{25}\ \boxed{=}\ 5.68$
$5\dfrac{17}{25}=5+\dfrac{17}{25}=5+\dfrac{68}{100}=5.68$

27 $0.54\ \boxed{>}\ \dfrac{9}{20}$
$\dfrac{9}{20}=\dfrac{45}{100}=0.45$

34 $\dfrac{57}{125}\ \boxed{>}\ 0.23$
$\dfrac{57}{125}=\dfrac{456}{1000}=0.456$

40 $7\dfrac{411}{500}\ \boxed{<}\ 7.93$
$7\dfrac{411}{500}=7+\dfrac{822}{1000}=7.822$

29 $0.77\ \boxed{>}\ \dfrac{5}{8}$
$\dfrac{5}{8}=\dfrac{625}{1000}=0.625$

35 $\dfrac{22}{25}\ \boxed{>}\ 0.9$
$\dfrac{22}{25}=\dfrac{88}{100}=0.88$

41 $21\dfrac{173}{200}\ \boxed{<}\ 21.89$
$21\dfrac{173}{200}=21+\dfrac{865}{1000}=21.865$

25 $0.6\ \boxed{<}\ \dfrac{171}{250}$
$\dfrac{171}{250}=\dfrac{684}{1000}=0.684$

36 $\dfrac{183}{250}\ \boxed{>}\ 0.72$
$\dfrac{183}{250}=\dfrac{732}{1000}=0.732$

42 $19\dfrac{393}{500}\ \boxed{>}\ 19.77$
$19\dfrac{393}{500}=19+\dfrac{786}{1000}=19.786$

---

43 포크커틀릿을 만드는데 사용된 돼지고기 무게가 $1\dfrac{3}{8}$ kg라고 합니다. 소수로는 몇 kg일까요?

풀이 과정

(1) $1\dfrac{3}{8}=\boxed{1}+\dfrac{\boxed{3}}{8}$ 으로 나타낼 수 있습니다.

(2) $\dfrac{3}{8}$ 을 분모가 1000인 분수로 나타내면,

$\dfrac{3}{8}=\dfrac{3\times\boxed{125}}{8\times\boxed{125}}=\dfrac{\boxed{375}}{1000}=\boxed{0.375}$ 입니다.

(3) $1+\boxed{0.375}=\boxed{1.375}$ 이므로 돼지고기의 무게를 소수로 나타내면 $\boxed{1.375}$ kg입니다.

- 기약분수의 분모가 8이면 소수로 나타낼 때, 분모가 $\boxed{1000}$ 인 분수로 고쳐야 합니다.

(44~47) 풀이 과정을 쓰고 답을 구하세요.

44 민재는 리본 $5\dfrac{9}{12}$ m를 사용해서 꽃다발을 포장하였습니다. 민재가 사용한 리본의 길이를 소수로 나타내보세요.

풀이 $5\dfrac{9}{12}$ 를 기약분수로 나타내면 $5\dfrac{3}{4}$ 입니다.
$5\dfrac{3}{4}=5+\dfrac{3}{4}=5+\dfrac{75}{100}=5.75$

답   5.75   m

45 고구마 캐기 대회에서 현서는 $5\dfrac{18}{25}$ kg을, 다원이는 5.7 kg을 캤습니다. 누가 고구마를 더 많이 캤나요?

풀이 $5\dfrac{18}{25}=5+\dfrac{18}{25}=5+\dfrac{72}{100}=5.72$

답   현서

46 자동차를 타고 $23\dfrac{7}{8}$ km만큼 가서 휴게소에 들렀습니다. 휴게소까지 간 거리를 소수로 나타내세요.

풀이 $23\dfrac{7}{8}=23+\dfrac{7}{8}=23+\dfrac{875}{1000}=23.875$

답   23.875   km

47 수아네 가족이 하루에 사용한 물의 양을 보니 $17\dfrac{4}{5}$ L였습니다. 사용한 물의 양을 소수로 나타내보세요.

풀이 $17\dfrac{4}{5}=17+\dfrac{4}{5}=17+\dfrac{8}{10}=17.8$

답   17.8   L

연마 Check 칭찬이나 노력할 점을 써 주세요.

맞힌 개수	지도 의견	
개	나의 생각	확인란

- $0.4=\dfrac{2}{5}$

→ 소수 한 자리 수는 분모가 10인 분수로, 소수 두 자리 수는 분모가 100인 분수로, 소수 세 자리 수는 분모가 1000인 분수로 만든 뒤, 기약분수로 나타냅니다.

$0.4=\dfrac{4}{10}=\dfrac{2}{5}$
└ 약분하여 기약분수로 나타냅니다.

- $1.4=1\dfrac{2}{5}$

→ 1보다 작은 분수 부분만 소수로 나타낸 뒤, 자연수 부분과 더합니다.

$1.4=1+0.4=1+\dfrac{4}{10}=1+\dfrac{2}{5}=1\dfrac{2}{5}$
└ 기약분수로!

[01~15] 빈칸에 알맞은 수를 써넣으세요.

01 $0.6=\dfrac{6}{10}=\dfrac{3}{5}$

02 $0.11=\dfrac{11}{100}$

03 $0.07=\dfrac{7}{100}$

04 $0.9=\dfrac{9}{10}$

05 $0.8=\dfrac{8}{10}=\dfrac{4}{5}$

06 $0.22=\dfrac{22}{100}=\dfrac{11}{50}$

07 $0.25=\dfrac{25}{100}=\dfrac{1}{4}$

08 $0.12=\dfrac{12}{100}=\dfrac{3}{25}$

09 $0.82=\dfrac{82}{100}=\dfrac{41}{50}$

10 $0.56=\dfrac{56}{100}=\dfrac{14}{25}$

11 $0.32=\dfrac{32}{100}=\dfrac{8}{25}$

12 $0.005=\dfrac{5}{1000}=\dfrac{1}{200}$

13 $0.105=\dfrac{105}{1000}=\dfrac{21}{200}$

14 $0.625=\dfrac{625}{1000}=\dfrac{5}{8}$

15 $0.275=\dfrac{275}{1000}=\dfrac{11}{40}$

계산력 강화하기
정확하게 풀어보아요

[16~31] 빈칸에 알맞은 수를 써넣으세요.

16 $2.3=2+\dfrac{3}{10}=2\dfrac{3}{10}$

17 $1.6=1+0.6=1+\dfrac{6}{10}$
$=1+\dfrac{3}{5}=1\dfrac{3}{5}$

18 $2.07=2+0.07=2+\dfrac{7}{100}$
$=2\dfrac{7}{100}$

19 $5.25=5+0.25=5+\dfrac{25}{100}$
$=5+\dfrac{1}{4}=5\dfrac{1}{4}$

20 $3.8=3+0.8=3+\dfrac{8}{10}$
$=3+\dfrac{4}{5}=3\dfrac{4}{5}$

21 $3.125=3+\dfrac{125}{1000}=3+\dfrac{1}{8}$
$=3\dfrac{1}{8}$

22 $4.44=4+\dfrac{44}{100}=4+\dfrac{11}{25}$
$=4\dfrac{11}{25}$

23 $7.28=7+\dfrac{28}{100}=7+\dfrac{7}{25}$
$=7\dfrac{7}{25}$

24 $3.025=3+\dfrac{25}{1000}=3+\dfrac{1}{40}$
$=3\dfrac{1}{40}$

25 $1.055=1+\dfrac{55}{1000}=1+\dfrac{11}{200}$
$=1\dfrac{11}{200}$

26 $2.725=2+\dfrac{725}{1000}=2+\dfrac{29}{40}$
$=2\dfrac{29}{40}$

27 $5.24=5+\dfrac{24}{100}=5+\dfrac{6}{25}$
$=5\dfrac{6}{25}$

28 $3.65=3+\dfrac{65}{100}=3+\dfrac{13}{20}$
$=3\dfrac{13}{20}$

29 $2.76=2+\dfrac{76}{100}=2+\dfrac{19}{25}$
$=2\dfrac{19}{25}$

30 $9.204=9+\dfrac{204}{1000}=9+\dfrac{51}{250}$
$=9\dfrac{51}{250}$

31 $11.488=11+\dfrac{488}{1000}$
$=11+\dfrac{61}{125}=11\dfrac{61}{125}$

사고력 확장
 구조화 하기
구조화 하기를 연습하면 서술형도 쉽게 풀어요

 [32~49] 두 수의 크기를 비교하여 ○ 안에 >, =, <를 알맞게 써넣으세요.

32 $0.9 \;<\; \dfrac{91}{100}$
$0.9=\dfrac{9}{10}\left(=\dfrac{90}{100}\right)$

33 $0.4 \;=\; \dfrac{2}{5}$
$0.4=\dfrac{4}{10}=\dfrac{2}{5}$

34 $0.12 \;<\; \dfrac{4}{25}$
$0.12=\dfrac{12}{100}=\dfrac{3}{25}$

35 $0.52 \;>\; \dfrac{12}{25}$
$0.52=\dfrac{52}{100}=\dfrac{13}{25}$

36 $0.48 \;>\; \dfrac{2}{5}$
$0.48=\dfrac{48}{100}=\dfrac{12}{25}$
$\dfrac{2}{5}=\dfrac{10}{25}$

37 $0.96 \;>\; \dfrac{4}{5}$
$0.96=\dfrac{96}{100}=\dfrac{24}{25}$
$\dfrac{4}{5}=\dfrac{20}{25}$

38 $0.24 \;<\; \dfrac{8}{25}$
$0.24=\dfrac{24}{100}=\dfrac{6}{25}$

39 $0.04 \;<\; \dfrac{3}{50}$
$0.04=\dfrac{4}{100}=\dfrac{2}{50}$

40 $0.52 \;>\; \dfrac{11}{25}$
$0.52=\dfrac{52}{100}=\dfrac{13}{25}$

41 $1.4 \;>\; 1\dfrac{1}{4}$
$1.4=1+\dfrac{4}{10}=1\dfrac{2}{5}$
$\dfrac{2}{5}=\dfrac{8}{20},\; \dfrac{1}{4}=\dfrac{5}{20}$

42 $2.6 \;>\; 2\dfrac{1}{5}$
$2.6=2+\dfrac{6}{10}=2\dfrac{3}{5}$

43 $5.8 \;>\; 5\dfrac{13}{25}$
$5.8=5+\dfrac{8}{10}=5\dfrac{4}{5}=5\dfrac{20}{25}$

44 $0.124 \;>\; \dfrac{1}{8}$
$0.124=\dfrac{124}{1000}$
$\dfrac{1}{8}=\dfrac{125}{1000}$

45 $0.048 \;<\; \dfrac{6}{25}$
$0.048=\dfrac{48}{1000}=\dfrac{6}{125}$

46 $3.125 \;<\; 3\dfrac{3}{16}$
$3.125=3+\dfrac{125}{1000}=3+\dfrac{1}{8}=3\dfrac{1}{8}$

47 $4.375 \;>\; 4\dfrac{7}{24}$
$4.375=4+\dfrac{375}{1000}=4+\dfrac{3}{8}$
$=4\dfrac{3}{8}=4\dfrac{9}{24}$

48 $9.72 \;=\; 9\dfrac{18}{25}$
$9.72=9+\dfrac{72}{100}=9+\dfrac{18}{25}=9\dfrac{18}{25}$

49 $15.104 \;<\; 15\dfrac{17}{125}$
$15.104=15+\dfrac{104}{1000}=15\dfrac{13}{125}$

사고력 확장
 서술형 풀어보기
구조화 해서 풀어보아요

50 100개의 곶감 가운데 28개를 먹었다면 전체의 몇이 남았는지 기약분수로 나타내세요.

[풀이 과정]

(1) 100개 가운데 28개는 소수로 0.28 입니다. $\dfrac{28}{100}$ 을 기약분수로 나타내면, $\dfrac{7}{25}$ 입니다.

(2) 전체 곶감 100개 가운데 남은 곶감의 개수를 분수로 나타내면, $1-\dfrac{7}{25}=\dfrac{18}{25}$ 입니다.

• 100개 가운데 28개는 $\dfrac{28}{100}$ 고, 소수로 나타내면 0.28 다.

[51~54] 풀이 과정을 쓰고 답을 구하세요.

51 부침개를 부치는데 식용유를 1.75L 사용했습니다. 사용한 식용유의 양을 기약분수로 나타내세요.

[풀이] $1.75=1+\dfrac{75}{100}=1+\dfrac{3}{4}=1\dfrac{3}{4}$

[답] $1\dfrac{3}{4}$ L

52 집에서 A문구점은 2.24km 떨어져 있고, B문구점은 $2\dfrac{11}{15}$ km 떨어져 있습니다. 집에서 가까운 문구점은 어느 문구점일까요?

[풀이] $2.24=2+\dfrac{24}{100}=2+\dfrac{6}{25}=2\dfrac{6}{25}$
$\dfrac{6}{25}=\dfrac{18}{75},\; \dfrac{11}{15}=\dfrac{55}{75},\; \dfrac{18}{75}<\dfrac{55}{75},\; 2\dfrac{6}{25}<2\dfrac{11}{15}$

[답] A문구점

53 다음 중 크기가 다른 수를 모두 골라 ○표를 하세요.

| $\dfrac{56}{100}$ | $\dfrac{13}{24}$ | $\dfrac{14}{25}$ | 0.56 | $\dfrac{28}{50}$ |

[풀이] $0.56=\dfrac{56}{100}=\dfrac{28}{50}=\dfrac{14}{25}$

54 민호는 $1\dfrac{3}{8}$ m의 리본을 사용하고, 지 1.75 m의 리본을 사용했습니다. 누 많은 리본을 사용했나요?

[풀이] $1.75=1+\dfrac{75}{100}=1\dfrac{3}{4}\left(=1\dfrac{6}{8}\right)$

[답] 지수

엄마 Check
칭찬이나 노력할 점을 써 주세요.

맞힌 개수	지도 의견
개	나의 생각

확인

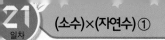

0.3×4의 계산

방법① 분수의 곱셈으로 계산

$0.3×4 = \dfrac{3}{10} ×4 = \dfrac{12}{10} = 1.2$

방법② 자연수의 곱셈을 이용한 계산

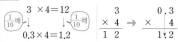

곱해지는 수가 $\dfrac{1}{10}$배가 되면, 계산 결과도 $\dfrac{1}{10}$배가 됩니다.

핵심 포인트
- 덧셈식을 이용하여 계산
 → 0.3+0.3+0.3+0.3=1.2
- 0.3×4=4×0.3=1.2
 → (소수)×(자연수)=(자연수)×(소수)입니다.

[1~10] 빈칸에 알맞은 수를 써넣으세요.

$0.5×5 = \dfrac{5}{10} ×5 = \dfrac{25}{10} = 2.5$

$0.4×7 = \dfrac{4}{10} ×7 = \dfrac{28}{10} = 2.8$

$0.8×4 = \dfrac{8}{10} ×4 = \dfrac{32}{10} = 3.2$

$0.9×6 = \dfrac{9}{10} ×6 = \dfrac{54}{10} = 5.4$

$0.7×5 = \dfrac{7}{10} ×5 = \dfrac{35}{10} = 3.5$

06 $5×5=25 → 0.5×5=2.5$

07 $2×7=14 → 0.2×7=1.4$

08 $5×8=40 → 0.5×8=4$

09 $6×6=36 → 0.6×6=3.6$

10 $9×7=63 → 0.9×7=6.3$

4. 소수의 곱셈

계산력 강화하기 　정확하게 풀어보아요

[11~31] 계산을 하세요.

11 $0.5×9 = \dfrac{45}{10} = 4.5$

12 $0.6×4 = \dfrac{24}{10} = 2.4$

13 $0.5×6 = \dfrac{30}{10} = 3$

14 $0.4×9 = \dfrac{36}{10} = 3.6$

15 $0.2×6 = \dfrac{12}{10} = 1.2$

16 $0.6×3 = \dfrac{18}{10} = 1.8$

17 $0.3×9 = \dfrac{27}{10} = 2.7$

18 $0.7×3 = 2.1$

19 $0.2×8 = 1.6$

20 $0.7×7 = 4.9$

21 $0.8×5 = 4$

22 $0.9×5 = 4.5$

23 $0.4×4 = 1.6$

24 $0.8×3 = 2.4$

25
$$\begin{array}{r} 0.3 \\ \times\ \ 5 \\ \hline 1.5 \end{array}$$

26
$$\begin{array}{r} 0.6 \\ \times\ \ 7 \\ \hline 4.2 \end{array}$$

27
$$\begin{array}{r} 0.8 \\ \times\ \ 7 \\ \hline 5.6 \end{array}$$

28
$$\begin{array}{r} 0.7 \\ \times\ \ 4 \\ \hline 2.8 \end{array}$$

29
$$\begin{array}{r} 0.8 \\ \times\ \ 6 \\ \hline 4.8 \end{array}$$

30
$$\begin{array}{r} 0.9 \\ \times\ \ 6 \\ \hline 5.4 \end{array}$$

31
$$\begin{array}{r} 0.4 \\ \times\ \ 5 \\ \hline 2 \end{array}$$

(소수)×(자연수) ① 93

구조화 하기 　구조화 하기를 연습하면 서술형도 쉽게 풀어요

[32~49] 빈칸에 알맞은 수를 써넣으세요.

32 $0.5 \xrightarrow{×6} 3$ 　　38 $0.7 \xrightarrow{×4} 2.8$ 　　44 $0.2 \xrightarrow{×6} 1.2$

33 $0.7 \xrightarrow{×5} 3.5$ 　　39 $0.8 \xrightarrow{×6} 4.8$ 　　45 $0.6 \xrightarrow{×5} 3$

34 $0.6 \xrightarrow{×3} 1.8$ 　　40 $0.5 \xrightarrow{×5} 2.5$ 　　46 $0.8 \xrightarrow{×3} 2.4$

35 $0.5 \xrightarrow{×9} 4.5$ 　　41 $0.4 \xrightarrow{×8} 3.2$ 　　47 $0.9 \xrightarrow{×3} 2.7$

36 $0.2 \xrightarrow{×5} 1$ 　　42 $0.6 \xrightarrow{×6} 3.6$ 　　48 $0.4 \xrightarrow{×7} 2.8$

37 $0.5 \xrightarrow{×4} 2$ 　　43 $0.9 \xrightarrow{×5} 4.5$ 　　49 $0.8 \xrightarrow{×8} 6.4$

4. 소수의 곱셈

사고력 확장 서술형 풀어보기 　구조화 해서 풀어보아요

50 한 곽에 0.3L씩 든 우유가 9곽 있습니다. 9곽의 우유는 모두 몇 L일까요?

풀이 과정

(1) 식을 세우면, $0.3× \boxed{9}$ 입니다.

(2) 분수의 곱셈으로 계산하면 $\dfrac{3}{10} ×9 = \dfrac{27}{10} = 2.7$ 이므로 9곽의 우유는 2.7 L입니다.

[51~54] 풀이 과정을 쓰고 답을 구하세요.

51 상자 1개의 무게가 0.9kg입니다. 같은 상자 8개의 무게는 몇 kg일까요?

풀이 　$9×8=72 → 0.9×8=7.2$

답 　7.2 kg

52 하나에 0.7m인 끈 7개를 겹치지 않게 나란히 이으면 길이는 모두 몇 m가 될까요?

풀이 　$0.7×7 = \dfrac{7}{10} ×7 = \dfrac{49}{10} = 4.9$

답 　4.9 m

53 가로의 길이가 0.8m이고 세로가 5m인 직사각형의 넓이를 구해보세요.

풀이 　$8×5=40 → 0.8×5=4$

답 　4 m²

54 한 알의 무게가 0.3g인 알약 8개의 무게의 합은 몇 g일까요?

풀이 　$0.3×8 = \dfrac{3}{10} ×8 = \dfrac{24}{10} = 2.4$

답 　2.4 g

연마 Check 　칭찬이나 노력할 점을 써 주세요.

맞힌 개수	지도 의견	
개	나의 생각	확인란

(소수)×(자연수) ① 95

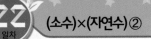

22 일차 (소수)×(자연수) ②

월 일

○ 1.3×3의 계산

방법① 분수의 곱셈으로 계산

$1.3 \times 3 = \frac{13}{10} \times 3 = \frac{39}{10} = 3.9$

방법② 자연수의 곱셈을 이용한 계산

$13 \times 3 = 39$

$1.3 \times 3 = 3.9$

$\begin{array}{r} 1\ 3 \\ \times\quad 3 \\ \hline 3\ 9 \end{array} \rightarrow \begin{array}{r} 1.3 \\ \times\quad 3 \\ \hline 3.9 \end{array}$

○ 1.23×3의 계산

방법① 분수의 곱셈으로 계산

$1.23 \times 3 = \frac{123}{100} \times 3 = \frac{369}{100} = 3.69$

방법② 자연수의 곱셈을 이용한 계산

$123 \times 3 = 369$

$1.23 \times 3 = 3.69$

$\begin{array}{r} 1\ 2\ 3 \\ \times\qquad 3 \\ \hline 3\ 6\ 9 \end{array} \rightarrow \begin{array}{r} 1.2\ 3 \\ \times\qquad 3 \\ \hline 3.6\ 9 \end{array}$

[01~10] 빈칸에 알맞은 수를 써넣으세요.

01 $2.3 \times 4 = \frac{23}{10} \times 4 = \frac{92}{10} = 9.2$

02 $1.7 \times 5 = \frac{17}{10} \times 5 = \frac{85}{10} = 8.5$

03 $3.4 \times 6 = \frac{34}{10} \times 6 = \frac{204}{10} = 20.4$

04 $2.7 \times 3 = \frac{27}{10} \times 3 = \frac{81}{10} = 8.1$

05 $6.3 \times 4 = \frac{63}{10} \times 4 = \frac{252}{10} = 25.2$

06 $1.07 \times 4 = \frac{107}{100} \times 4 = \frac{428}{100} = 4.28$

07 $2.77 \times 2 = \frac{277}{100} \times 2 = \frac{554}{100} = 5.54$

08 $1.46 \times 5 = \frac{146}{100} \times 5 = \frac{730}{100} = 7.3$

09 $3.32 \times 5 = \frac{332}{100} \times 5 = \frac{1660}{100} = 16.6$

10 $4.14 \times 3 = \frac{414}{100} \times 3 = \frac{1242}{100} = 12.42$

계산력 강화하기

정확하게 풀어보아요

[11~22] 계산을 하세요.

11 $\begin{array}{r} 2.4 \\ \times\quad 5 \\ \hline 1\ 2 \end{array}$

12 $\begin{array}{r} 1.8 \\ \times\quad 3 \\ \hline 5.4 \end{array}$

13 $\begin{array}{r} 1.6 \\ \times\quad 4 \\ \hline 6.4 \end{array}$

14 $\begin{array}{r} 2.9 \\ \times\quad 7 \\ \hline 2\ 0.3 \end{array}$

15 $\begin{array}{r} 3.7 \\ \times\quad 2 \\ \hline 7.4 \end{array}$

16 $\begin{array}{r} 4.3 \\ \times\quad 3 \\ \hline 1\ 2.9 \end{array}$

17 $\begin{array}{r} 5.2 \\ \times\quad 5 \\ \hline 2\ 6 \end{array}$

18 $\begin{array}{r} 8.3 \\ \times\quad 3 \\ \hline 2\ 4.9 \end{array}$

19 $\begin{array}{r} 1.0\ 3 \\ \times\qquad 3 \\ \hline 3.0\ 9 \end{array}$

20 $\begin{array}{r} 2.2\ 7 \\ \times\qquad 2 \\ \hline 4.5\ 4 \end{array}$

21 $\begin{array}{r} 3.2\ 5 \\ \times\qquad 3 \\ \hline 9.7\ 5 \end{array}$

22 $\begin{array}{r} 5.7\ 9 \\ \times\qquad 4 \\ \hline 2\ 3.1\ 6 \end{array}$

[23~34] 계산을 하세요.

23 $2.5 \times 4 = 10$

24 $3.2 \times 8 = 25.6$

25 $1.6 \times 7 = 11.2$

26 $2.4 \times 8 = 19.2$

27 $3.5 \times 6 = 21$

28 $4.2 \times 4 = 16.8$

29 $2.7 \times 5 = 13.5$

30 $4.6 \times 5 = 23$

31 $1.92 \times 2 = 3.84$

32 $2.54 \times 5 = 12.7$

33 $4.85 \times 3 = 14.55$

34 $8.12 \times 4 = 32.48$

사고력 확장 구조화 하기

구조화 하기를 연습하면 서술형도 쉽게 풀어요

[35~46] 빈칸에 알맞은 수를 써넣으세요.

35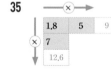

36

37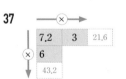

38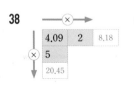

39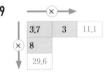

40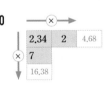

41

42

43

44

45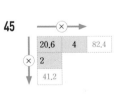

46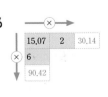

사고력 확장 서술형 풀어보기

구조화 해서 풀어보아요

47 가로의 길이가 10.5cm이고 세로의 길이가 6cm인 직사각형의 넓이를 구해보세요.

풀이 과정

(1) (직사각형의 넓이)=(가로)×(세로)이므로 $10.5 \times$ 6 을 계산합니다.

(2) 분수의 곱셈으로 계산을 하면,

$\frac{105}{10} \times 6 = \frac{630}{10} = 63$ 이므로

이 직사각형의 넓이는 63 cm²입니다.

$\begin{array}{r} 1\ 0\ 5 \\ \times\qquad 6 \\ \hline 6\ 3\ 0 \end{array} \rightarrow \begin{array}{r} 1\ 0.5 \\ \times\qquad 6 \\ \hline 6\ 3.0 \end{array}$

[48~51] 풀이 과정을 쓰고 답을 구하세요.

48 계산 결과가 더 큰 것의 기호를 쓰세요.

3.72×5	5.5×3
(가)	(나)

풀이 (가)$= \frac{372}{100} \times 5 = \frac{1860}{100} = 18.6$

(나)$= \frac{55}{10} \times 3 = \frac{165}{10} = 16.5$

답 (가)

49 한 포대에 11.3kg씩 든 감자가 8포대 있다면, 8포대의 무게는 모두 몇 kg일까요?

풀이 $113 \times 8 = 904$, $11.3 \times 8 = 90.4$

답 90.4 kg

50 한 변의 길이가 8.72cm인 정사각형의 둘레의 길이를 구해보세요.

풀이 $872 \times 4 = 3488$ ⇨ $8.72 \times 4 = 34.$

답 34.88

51 밑변이 9.76cm이고, 높이가 7cm인 평행사변형의 넓이를 구해보세요.

풀이 $976 \times 7 = 6832$ ⇨ $9.76 \times 7 = 68.$

답 68.32

  연마 Check

칭찬이나 노력할 점을 써 주세요.

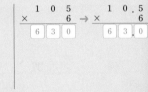

맞힌 개수	지도 의견	
개	나의 생각	확인

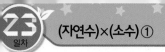

23 일차 (자연수)×(소수) ①

월 일

◎ 4×0.6의 계산

방법① 분수의 곱셈으로 계산

$4 \times 0.6 = 4 \times \dfrac{6}{10} = \dfrac{24}{10} = 2.4$

방법② 자연수의 곱셈을 이용한 계산

$4 \times 6 = 24$

$\dfrac{1}{10}$배 ↓ ↓ $\dfrac{1}{10}$배

$4 \times 0.6 = 2.4$

$\begin{array}{r} 4 \\ \times\ 6 \\ \hline 2\ 4 \end{array}$ → $\begin{array}{r} 4 \\ \times\ 0.6 \\ \hline 2.4 \end{array}$

◎ 핵심 포인트

· $4 \times 0.6 = 0.6 \times 4$

· 4×0.6과 0.4×6의 계산 결과는 같을까요?

$4 \times 0.6 = 2.4$

$0.4 \times 6 = 2.4$

(01~10) 빈칸에 알맞은 수를 써넣으세요.

$3 \times 0.5 = 3 \times \dfrac{5}{10} = \dfrac{15}{10} = 1.5$

$2 \times 0.8 = 2 \times \dfrac{8}{10} = \dfrac{16}{10} = 1.6$

$4 \times 0.5 = 4 \times \dfrac{5}{10} = \dfrac{20}{10} = 2$

$6 \times 0.7 = 6 \times \dfrac{7}{10} = \dfrac{42}{10} = 4.2$

$7 \times 0.4 = 7 \times \dfrac{4}{10} = \dfrac{28}{10} = 2.8$

06 $2 \times 7 = 14$ →(1/10배) $2 \times 0.7 = 1.4$

07 $4 \times 4 = 16$ →(1/10배) $4 \times 0.4 = 1.6$

08 $5 \times 8 = 40$ →(1/10배) $5 \times 0.8 = 4$

09 $6 \times 6 = 36$ →(1/10배) $6 \times 0.6 = 3.6$

10 $9 \times 5 = 45$ →(1/10배) $9 \times 0.5 = 4.5$

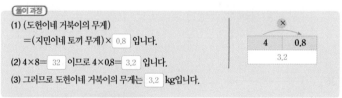

계산력 강화하기
정확하게 풀어보아요

(11~22) 계산을 하세요.

11 $\begin{array}{r} 8 \\ \times\ 0.7 \\ \hline 5.6 \end{array}$

15 $\begin{array}{r} 7 \\ \times\ 0.3 \\ \hline 2.1 \end{array}$

19 $\begin{array}{r} 1\ 2 \\ \times\ 0.2 \\ \hline 2.4 \end{array}$

12 $\begin{array}{r} 7 \\ \times\ 0.5 \\ \hline 3.5 \end{array}$

16 $\begin{array}{r} 9 \\ \times\ 0.3 \\ \hline 2.7 \end{array}$

20 $\begin{array}{r} 1\ 1 \\ \times\ 0.4 \\ \hline 4.4 \end{array}$

13 $\begin{array}{r} 4 \\ \times\ 0.7 \\ \hline 2.8 \end{array}$

17 $\begin{array}{r} 5 \\ \times\ 0.5 \\ \hline 2.5 \end{array}$

21 $\begin{array}{r} 1\ 5 \\ \times\ 0.3 \\ \hline 4.5 \end{array}$

14 $\begin{array}{r} 8 \\ \times\ 0.6 \\ \hline 4.8 \end{array}$

18 $\begin{array}{r} 9 \\ \times\ 0.7 \\ \hline 6.3 \end{array}$

22 $\begin{array}{r} 1\ 3 \\ \times\ 0.4 \\ \hline 5.2 \end{array}$

(23~34) 계산을 하세요.

23 $9 \times 0.8 = 7.2$

27 $6 \times 0.7 = 4.2$

31 $10 \times 0.8 = 8$

24 $6 \times 0.5 = 3$

28 $7 \times 0.9 = 6.3$

32 $13 \times 0.7 = 9.1$

25 $8 \times 0.4 = 3.2$

29 $4 \times 0.9 = 3.6$

33 $25 \times 0.2 = 5$

26 $5 \times 0.9 = 4.5$

30 $2 \times 0.7 = 1.4$

34 $19 \times 0.3 = 5.7$

구조화 하기
구조화 하기를 연습하면 서술형도 쉽게 풀어요

(35~52) 빈칸에 알맞은 수를 써넣으세요.

35

×	
8	0.3
2.4	

41

×	
8	0.8
6.4	

47

×	
20	0.5
10	

36

×	
2	0.6
1.2	

42

×	
9	0.3
2.7	

48

×	
30	0.7
21	

37

×	
8	0.5
4	

43

×	
6	0.8
4.8	

49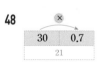

×	
40	0.8
32	

38

×	
7	0.7
4.9	

44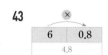

×	
5	0.7
3.5	

50

×	
12	0.6
7.2	

39

×	
4	0.7
2.8	

45

×	
10	0.6
6	

51

×	
17	0.5
8.5	

40

×	
4	0.5
2	

46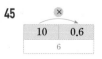

×	
9	0.9
8.1	

52

×	
32	0.4
12.8	

서술형 풀어보기
구조화 해서 풀어보아요

53 지민이네 토끼 한 마리의 무게는 4kg이고, 도헌이네 거북이 한 마리의 무게는 지민이네 토끼의 무게의 0.8배라고 합니다. 도헌이네 거북이의 무게는 몇 kg일까요?

풀이 과정

(1) (도헌이네 거북이의 무게)

= (지민이네 토끼 무게) × 0.8 입니다.

(2) $4 \times 8 = 32$ 이므로 $4 \times 0.8 = 3.2$ 입니다.

(3) 그러므로 도헌이네 거북이의 무게는 3.2 kg입니다.

×	
4	0.8
3.2	

(54~57) 풀이 과정을 쓰고 답을 구하세요.

54 낚시를 가서 아빠는 2kg의 우럭을 잡고, 나는 아빠가 잡은 우럭의 0.9배의 우럭을 잡았습니다. 내가 잡은 우럭은 몇 kg일까요?

풀이 $2 \times 9 = 18 \Rightarrow 2 \times 0.9 = 1.8$

답 1.8 kg

56 정삼각형 A의 넓이는 20cm²이고, 정삼각형 B의 넓이는 정삼각형 A넓이의 0.5배라고 합니다. 정삼각형 B의 넓이를 구해보세요.

풀이 $20 \times 5 = 100 \Rightarrow 20 \times 0.5 = 10$

답 10 cm²

55 학교에서 꽃집까지의 거리는 6km입니다. 학교에서 빵집까지의 거리는 학교에서 꽃집까지 거리의 0.7배입니다. 학교에서 빵집까지의 거리를 구해보세요.

풀이 $6 \times 7 = 42 \Rightarrow 6 \times 0.7 = 4.2$

답 4.2 km

57 일주일 동안 1반은 27L의 물을 마시고, 2반은 1반이 마시는 물의 양의 0.6배를 마셨다고 합니다. 2반이 일주일 동안 마신 물은 몇 L일까요?

풀이 $27 \times 6 = 162 \Rightarrow 27 \times 0.6 = 16.2$

답 16.2 L

연마 Check 칭찬이나 노력할 점을 써 주세요.

맞힌 개수		지도 의견		확인란
	개	나의 생각		

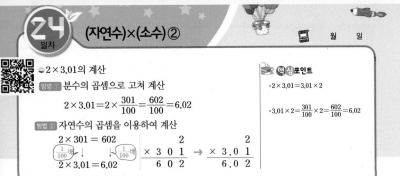

◦2×3.01의 계산

방법① 분수의 곱셈으로 고쳐 계산
$$2 \times 3.01 = 2 \times \frac{301}{100} = \frac{602}{100} = 6.02$$

방법② 자연수의 곱셈을 이용하여 계산

$$2 \times 301 = 602$$
$$\frac{1}{100}배 \downarrow \quad \downarrow \frac{1}{100}배$$
$$2 \times 3.01 = 6.02$$

$$\begin{array}{r} 2 \\ \times\ 3\ 0\ 1 \\ \hline 6\ 0\ 2 \end{array} \rightarrow \begin{array}{r} 2 \\ \times\ 3.0\ 1 \\ \hline 6.0\ 2 \end{array}$$

핵심포인트
- $2 \times 3.01 = 3.01 \times 2$
- $3.01 \times 2 = \frac{301}{100} \times 2 = \frac{602}{100} = 6.02$

[01~10] 빈칸에 알맞은 수를 써넣으세요.

01 $2 \times 0.45 = 2 \times \frac{45}{100} = \frac{90}{100} = 0.9$

02 $4 \times 0.57 = 4 \times \frac{57}{100} = \frac{228}{100} = 2.28$

03 $2 \times 1.25 = 2 \times \frac{125}{100} = \frac{250}{100} = 2.5$

04 $3 \times 2.04 = 3 \times \frac{204}{100} = \frac{612}{100} = 6.12$

05 $4 \times 1.49 = 4 \times \frac{149}{100} = \frac{596}{100} = 5.96$

06 $3 \times 125 = 375 \rightarrow 3 \times 1.25 = 3.75$ ($\frac{1}{100}$배)

07 $2 \times 339 = 678 \rightarrow 2 \times 3.39 = 6.78$ ($\frac{1}{100}$배)

08 $5 \times 207 = 1035 \rightarrow 5 \times 2.07 = 10.35$ ($\frac{1}{100}$배)

09 $6 \times 235 = 1410 \rightarrow 6 \times 2.35 = 14.1$ ($\frac{1}{100}$배)

10 $4 \times 158 = 632 \rightarrow 4 \times 1.58 = 6.32$ ($\frac{1}{100}$배)

계산력 강화하기   정확하게 풀어요

[11~22] 계산을 하세요.

11
$$\begin{array}{r} 2 \\ \times\ 0.7\ 5 \\ \hline 1.5 \end{array}$$

12
$$\begin{array}{r} 3 \\ \times\ 1.0\ 9 \\ \hline 3.2\ 7 \end{array}$$

13
$$\begin{array}{r} 4 \\ \times\ 2.2\ 7 \\ \hline 9.0\ 8 \end{array}$$

14
$$\begin{array}{r} 2 \\ \times\ 3.1\ 7 \\ \hline 6.3\ 4 \end{array}$$

15
$$\begin{array}{r} 5 \\ \times\ 2.7\ 6 \\ \hline 1\ 3.8 \end{array}$$

16
$$\begin{array}{r} 7 \\ \times\ 1.6\ 1 \\ \hline 1\ 1.2\ 7 \end{array}$$

17
$$\begin{array}{r} 6 \\ \times\ 2.5\ 4 \\ \hline 1\ 5.2\ 4 \end{array}$$

18
$$\begin{array}{r} 5 \\ \times\ 4.5\ 6 \\ \hline 2\ 2.8 \end{array}$$

19
$$\begin{array}{r} 1\ 0 \\ \times\ 1.7\ 5 \\ \hline 1\ 7.5 \end{array}$$

20
$$\begin{array}{r} 2\ 0 \\ \times\ 3.1\ 4 \\ \hline 6\ 2.8 \end{array}$$

21
$$\begin{array}{r} 1\ 4 \\ \times\ 1.5\ 3 \\ \hline 2\ 1.4\ 2 \end{array}$$

22
$$\begin{array}{r} 1\ 8 \\ \times\ 5.2\ 5 \\ \hline 9\ 4.5 \end{array}$$

[23~34] 계산을 하세요.

23 $4 \times 0.78 = 3.12$

24 $2 \times 1.26 = 2.52$

25 $3 \times 1.57 = 4.71$

26 $5 \times 2.41 = 12.05$

27 $3 \times 2.96 = 8.88$

28 $5 \times 3.73 = 18.65$

29 $6 \times 8.24 = 49.44$

30 $4 \times 7.25 = 29$

31 $11 \times 0.72 = 7.92$

32 $15 \times 1.29 = 19.35$

33 $18 \times 2.43 = 43.74$

34 $20 \times 3.93 = 78.6$

구조화하기   구조화 하기를 연습하면 서술형도 쉽게 풀어요

[35~44] 빈칸에 알맞은 수를 써넣으세요.

35
×		
3	1.84	5.52
2.92	5	14.6
8.76	9.2	

36
×		
5	1.08	5.4
2.55	4	10.2
12.75	4.32	

37
×		
6	3.39	20.34
5.28	4	21.12
31.68	13.56	

38
×		
3	2.07	6.21
1.85	7	12.95
5.55	14.49	

39
×		
4	6.24	24.96
3.97	9	35.73
15.88	56.16	

40
×		
10	2.27	22.7
8.92	4	35.68
89.2	9.08	

41
×		
20	7.34	146.8
0.75	6	4.5
15	44.04	

42
×		
15	1.62	24.3
6.35	7	44.45
95.25	11.34	

43
×		
22	1.07	23.54
3.16	4	12.64
69.52	4.28	

44
×		
31	2.65	82.15
1.92	3	5.76
59.52	7.95	

서술형 풀어보기   구조화 해서 풀어보아요

45 밑변의 길이가 20cm인 평행사변형의 높이는 밑변 길이의 1.25배라고 합니다. 이 평행사변형의 높이와 넓이를 구해보세요.

풀이 과정

(1) 이 평행사변형의 높이는 밑변의 1.25배이므로, 높이를 구하는 식은 20×1.25 입니다.

(2) 계산을 하면 높이는 25 cm입니다.

(3) 그러므로 (평행사변형의 넓이)=$20 \times 25 = 500$ cm²입니다.

- (평행사변형의 넓이) = (밑변) × (높이)
- $20 \times 125 = 2500$
  $\frac{1}{100}$배 $\frac{1}{100}$배
  $20 \times 1.25 = 25$

[46~49] 풀이 과정을 쓰고 답을 구하세요.

46 학교에서 집까지 거리는 학교에서 수영장까지의 거리의 1.94배라고 합니다. 학교에서 수영장까지의 거리가 3km일 때, 학교에서 집까지의 거리를 구해보세요.

풀이 $3 \times 194 = 582 \Rightarrow 3 \times 1.94 = 5.82$

답   5.82   km

47 A우유는 2000원에 2L라고 합니다. 같은 가격에 B우유는 A우유 양의 1.48배라고 할 때, B우유는 2000원에 몇 L를 살 수 있을까요?

풀이 $2 \times 148 = 296 \Rightarrow 2 \times 1.48 = 2.96$

답   2.96   L

48 동생의 몸무게는 42kg이고, 내 몸무게는 동생의 1.07배입니다. 내 몸무게는 몇 kg일까요?

풀이 $42 \times 107 = 4494 \Rightarrow 42 \times 1.07 = 44.94$

답   44.94

49 형은 쌀을 24kg을 샀고, 동생은 형이 산 쌀의 무게보다 2.45배를 더 샀습니다. 동생이 산 쌀은 몇 kg일까요?

풀이 $24 \times 245 = 5880 \Rightarrow 24 \times 2.45 = 58.8$

답   58.8

연마 Check   칭찬이나 노력할 점을 써 주세요.

맞힌 개수	지도 의견	
개	나의 생각	확인

월 일

● 1.234×10, 1.234×100, 1.234×1000

| × |
1.234	10	12.34
1.234	100	123.4
1.234	1000	1234

➡ 곱하는 수의 0의 개수만큼 소수점이 오른쪽으로 이동합니다.

→ 1.234×10000을 하면, 0의 개수가 4개라서 소수점이 오른쪽으로 4번 이동합니다. 소수점을 더 이상 옮길 수 없을 때엔, 오른쪽에 0을 채워넣습니다.
→ 12340

● 123×0.1, 123×0.01, 123×0.001

| × |
123	0.1	12.3
123	0.01	1.23
123	0.001	0.123

➡ 곱하는 수의 소수점 아래 자릿수만큼 소수점이 왼쪽으로 이동합니다.

→ 123×0.0001을 하면, 소수점이 왼쪽으로 4번 이동하게 됩니다. 소수점을 더 이상 옮길 수 없을 때엔, 왼쪽에 0을 채워넣습니다. → 0.0123

01~06) 빈칸에 알맞은 수를 써넣으세요.

$0.24 \times 10 = \dfrac{24}{100} \times 10 = 2.4$

$0.24 \times 100 = \dfrac{24}{100} \times 100 = 24$

$0.24 \times 1000 = \dfrac{24}{100} \times 1000 = 240$

$1.375 \times 10 = \dfrac{1375}{1000} \times 10 = 13.75$

$1.375 \times 100 = \dfrac{1375}{1000} \times 100 = 137.5$

$1.375 \times 1000 = \dfrac{1375}{1000} \times 1000 = 1375$

$4.29 \times 10 = \dfrac{429}{100} \times 10 = 42.9$

$4.29 \times 100 = \dfrac{429}{100} \times 100 = 429$

$4.29 \times 1000 = \dfrac{429}{100} \times 1000 = 4290$

04 $518 \times 0.1 = 518 \times \dfrac{1}{10} = 51.8$

$518 \times 0.01 = 518 \times \dfrac{1}{100} = 5.18$

$518 \times 0.001 = 518 \times \dfrac{1}{1000} = 0.518$

05 $720 \times 0.1 = 720 \times \dfrac{1}{10} = 72$

$720 \times 0.01 = 720 \times \dfrac{1}{100} = 7.2$

$720 \times 0.001 = 720 \times \dfrac{1}{1000} = 0.72$

06 $1207 \times 0.1 = 1207 \times \dfrac{1}{10} = 120.7$

$1207 \times 0.01 = 1207 \times \dfrac{1}{100} = 12.07$

$1207 \times 0.001 = 1207 \times \dfrac{1}{1000} = 1.207$

계산력 강화하기

정확하게 풀어보아요

(07~21) 빈칸에 알맞은 수를 써넣으세요.

07 $2.67 \times 10 = 26.7$
$2.67 \times 100 = 267$
$2.67 \times 1000 = 2670$

08 $3.05 \times 10 = 30.5$
$3.05 \times 100 = 305$
$3.05 \times 1000 = 3050$

09 $0.625 \times 10 = 6.25$
$0.625 \times 100 = 62.5$
$0.625 \times 1000 = 625$

10 $0.109 \times 10 = 1.09$
$0.109 \times 100 = 10.9$
$0.109 \times 1000 = 109$

11 $0.58 \times 10 = 5.8$
$0.58 \times 100 = 58$
$0.58 \times 1000 = 580$

12 $10.45 \times 10 = 104.5$
$10.45 \times 100 = 1045$
$10.45 \times 1000 = 10450$

13 $11.585 \times 10 = 115.85$
$11.585 \times 100 = 1158.5$
$11.585 \times 1000 = 11585$

14 $24.832 \times 10 = 248.32$
$24.832 \times 100 = 2483.2$
$24.832 \times 1000 = 24832$

15 $183 \times 0.1 = 18.3$
$183 \times 0.01 = 1.83$
$183 \times 0.001 = 0.183$

16 $419 \times 0.1 = 41.9$
$419 \times 0.01 = 4.19$
$419 \times 0.001 = 0.419$

17 $31.54 \times 0.1 = 3.154$
$31.54 \times 0.01 = 0.3154$
$31.54 \times 0.001 = 0.03154$

18 $510.3 \times 0.1 = 51.03$
$510.3 \times 0.01 = 5.103$
$510.3 \times 0.001 = 0.5103$

19 $25.21 \times 0.2 = 5.042$
$25.21 \times 0.02 = 0.5042$
$25.21 \times 0.002 = 0.05042$

20 $854 \times 0.4 = 341.6$
$854 \times 0.04 = 34.16$
$854 \times 0.004 = 3.416$

21 $90.5 \times 0.3 = 27.15$
$90.5 \times 0.03 = 2.715$
$90.5 \times 0.003 = 0.2715$

구조화 하기

구조화 하기를 연습하면 서술형도 쉽게 풀어요

(22~36) 빈칸에 알맞은 수를 써넣으세요.

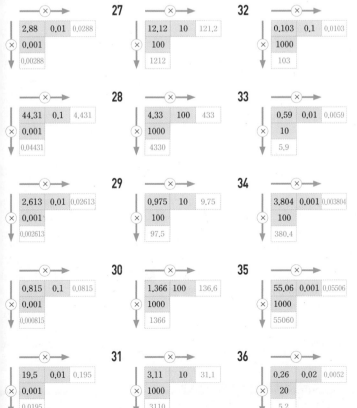

	×
2.88	0.01	0.0288
×0.001		
0.00288		

27
	×
12.12	10	121.2
×100		
1212		

32
	×
0.103	0.1	0.0103
×1000		
103		

28
	×
44.31	0.1	4.431
×0.001		
0.04431		

	×
4.33	100	433
×1000		
4330		

33
	×
0.59	0.01	0.0059
×10		
5.9		

29
	×
2.613	0.01	0.02613
×0.001		
0.002613		

	×
0.975	10	9.75
×100		
97.5		

34
	×
3.804	0.001	0.003804
×100		
380.4		

30
	×
0.815	0.1	0.0815
×0.001		
0.000815		

	×
1.366	100	136.6
×1000		
1366		

35
	×
55.06	0.001	0.05506
×1000		
55060		

31
	×
19.5	0.01	0.195
×0.001		
0.0195		

	×
3.11	10	31.1
×1000		
3110		

36
	×
0.26	0.02	0.0052
×20		
5.2		

서술형 풀어보기

구조화 해서 풀어보아요

37 한 통에 1.84kg인 분유를 100통을 사면 모두 몇 kg일까요?

풀이 과정

(1) 식을 세우면 $1.84 \times \boxed{100}$ 입니다.

(2) 1.84×10은 1.84에서 소수점이 [왼쪽으로 / **오른쪽으로**] 한 번 이동하므로 $\boxed{18.4}$ 입니다.

(3) 그러므로 1.84×100은 1.84에서 소수점이 [왼쪽으로 / **오른쪽으로**] 두 번 이동한 $\boxed{184}$ (kg)입니다.

	×
1.84	10	18.4
×100		
184		

(38~41) 풀이 과정을 쓰고 답을 구하세요.

38 올해 A농장의 귤 수확량은 B농장의 100배입니다. A농장에서 103.85t의 귤을 수확했다면, B농장의 수확량은 몇 t일까요?

풀이 $103.85 \times 0.01 = 1.0385$

답 1.0385 t

39 현서는 파란 물감을 0.82g을 사용했습니다. 민재는 현서보다 파란 물감을 10배를 더 많이 사용했습니다. 민재가 쓴 파란 물감은 몇 g일까요?

풀이 $0.82 \times 10 = 8.2$

답 8.2 g

40 한 병에 1.205L씩 담긴 우유가 있습니다. 100병에 담긴 우유의 양은 모두 몇 L일까요?

풀이 $1.205 \times 100 = 120.5$

답 120.5 L

41 424×8은 3392입니다. ㉠~㉢가운데 가장 큰 수는 무엇인지 그 수를 써보세요.

- $424 \times ㉠ = 33.92$
- $424 \times 80 = ㉡$
- $424 \times 0.008 = ㉢$

풀이 ㉠은 0.08이고, ㉡은 33920이며, ㉢은 3.392입니다.

답 33920

연마 Check 칭찬이나 노력할점을 써 주세요.

| 맞힌 개수 | | 지도 의견 | | 확인란 |
| 개 | | 나의 생각 | | |

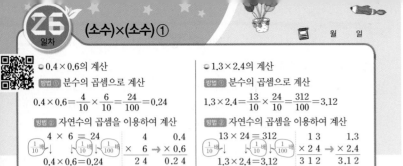

26 일차 (소수)×(소수) ①

월 일

○ 0.4×0.6의 계산

방법① 분수의 곱셈으로 계산

$0.4 \times 0.6 = \frac{4}{10} \times \frac{6}{10} = \frac{24}{100} = 0.24$

방법② 자연수의 곱셈을 이용하여 계산

$4 \times 6 = 24$
$0.4 \times 0.6 = 0.24$

○ 1.3×2.4의 계산

방법① 분수의 곱셈으로 계산

$1.3 \times 2.4 = \frac{13}{10} \times \frac{24}{10} = \frac{312}{100} = 3.12$

방법② 자연수의 곱셈을 이용하여 계산

$13 \times 24 = 312$
$1.3 \times 2.4 = 3.12$

(01~10) 빈칸에 알맞은 수를 써넣으세요.

01 $0.5 \times 0.7 = \frac{5}{10} \times \frac{7}{10}$
$= \frac{35}{100} = 0.35$

02 $0.3 \times 0.7 = \frac{3}{10} \times \frac{7}{10}$
$= \frac{21}{100} = 0.21$

03 $0.5 \times 0.5 = \frac{5}{10} \times \frac{5}{10}$
$= \frac{25}{100} = 0.25$

04 $0.8 \times 0.6 = \frac{8}{10} \times \frac{6}{10}$
$= \frac{48}{100} = 0.48$

05 $0.7 \times 0.7 = \frac{7}{10} \times \frac{7}{10}$
$= \frac{49}{100} = 0.49$

06 $1.2 \times 0.8 = \frac{12}{10} \times \frac{8}{10}$
$= \frac{96}{100} = 0.96$

07 $0.4 \times 1.3 = \frac{4}{10} \times \frac{13}{10}$
$= \frac{52}{100} = 0.52$

08 $1.5 \times 0.9 = \frac{15}{10} \times \frac{9}{10}$
$= \frac{135}{100} = 1.35$

09 $1.2 \times 1.3 = \frac{12}{10} \times \frac{13}{10}$
$= \frac{156}{100} = 1.56$

10 $2.1 \times 4.2 = \frac{21}{10} \times \frac{42}{10}$
$= \frac{882}{100} = 8.82$

계산력 강화하기

정확하게 풀어보아요

(11~22) 계산을 하세요.

11 $\begin{array}{r} 0.6 \\ \times\ 0.9 \\ \hline 0.5\ 4 \end{array}$

12 $\begin{array}{r} 0.4 \\ \times\ 0.8 \\ \hline 0.3\ 2 \end{array}$

13 $\begin{array}{r} 0.7 \\ \times\ 0.3 \\ \hline 0.2\ 1 \end{array}$

14 $\begin{array}{r} 0.8 \\ \times\ 0.5 \\ \hline 0.4 \end{array}$

15 $\begin{array}{r} 1.5 \\ \times\ 0.4 \\ \hline 0.6 \end{array}$

16 $\begin{array}{r} 2.2 \\ \times\ 0.6 \\ \hline 1.3\ 2 \end{array}$

17 $\begin{array}{r} 4.2 \\ \times\ 0.5 \\ \hline 2.1 \end{array}$

18 $\begin{array}{r} 3.9 \\ \times\ 0.7 \\ \hline 2.7\ 3 \end{array}$

19 $\begin{array}{r} 2.8 \\ \times\ 1.2 \\ \hline 3.3\ 6 \end{array}$

20 $\begin{array}{r} 1.6 \\ \times\ 1.3 \\ \hline 2.0\ 8 \end{array}$

21 $\begin{array}{r} 2.3 \\ \times\ 2.3 \\ \hline 5.2\ 9 \end{array}$

22 $\begin{array}{r} 4.8 \\ \times\ 5.2 \\ \hline 2\ 4.9\ 6 \end{array}$

(23~34) 계산을 하세요.

23 $0.2 \times 0.7 = 0.14$

24 $0.4 \times 0.9 = 0.36$

25 $0.9 \times 0.5 = 0.45$

26 $0.6 \times 0.5 = 0.3$

27 $1.3 \times 0.3 = 0.39$

28 $3.9 \times 0.5 = 1.95$

29 $2.4 \times 0.7 = 1.68$

30 $4.6 \times 0.5 = 2.3$

31 $2.6 \times 9.3 = 24.18$

32 $4.5 \times 10.5 = 47.25$

33 $8.2 \times 21.2 = 173.84$

34 $13.2 \times 2.5 = 33$

사고력 확장 구조화하기

구조화 하기를 연습하면 서술형도 쉽게 풀어요

(35~49) 빈칸에 알맞은 수를 써넣으세요.

35

36

37

38

39

40

41

42

43

44

45

46

47

48

49

사고력 확장 서술형 풀어보기

구조화 해서 풀어보아요

50 현아는 키가 1.6m입니다. 현아 동생의 키는 현아 키의 0.8배입니다. 현아 동생의 키는 몇 m 일까요?

풀이 과정

(1) (현아 동생의 키)=(현아의 키)×0.8이므로 1.6×0.8 을 계산하면 됩니다.

(2) 분수로 계산을 하면

$1.6 \times 0.8 = \frac{16}{10} \times \frac{8}{10} = \frac{128}{100} = 1.28$ 입니다.

(3) 그러므로 현아 동생의 키는 1.28 m입니다.

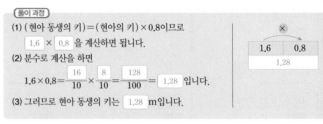

(51~54) 풀이 과정을 쓰고 답을 구하세요.

51 가로의 길이가 0.8km이고, 세로의 길이가 0.5km인 직사각형 모양의 텃밭이 있습니다. 이 텃밭의 넓이를 구해보세요.

풀이 $8 \times 5 = 40, \ 0.8 \times 0.5 = 0.4$

답 0.4 km²

52 태형이가 쓴 색테이프는 5.7m이고, 도헌이는 태형이가 쓴 색테이프의 1.6배를 썼다고 할 때, 도헌이가 쓴 색테이프의 길이를 구해보세요.

풀이 $57 \times 16 = 912, \ 5.7 \times 1.6 = 9.12$

답 9.12 m

53 농장 A에서 수확한 사과는 10.8t이고 농장 B에서 수확한 사과의 무게는 농장 A의 3.2배라고 합니다. B농장에서 수확한 사과의 무게는 몇 t일까요?

풀이 $108 \times 32 = 3456, \ 10.8 \times 3.2 = 34.56$

답 34.56

54 자연수의 곱셈을 이용하여 ㉠에 알맞은 수를 써넣으세요.

$142 \times 43 = 6106 \ \rightarrow \ 14.2 \times ㉠ = 61.06$

6106보다 소수점이 왼쪽으로 두 칸 이동했으므로 ㉠에는 소수 한 자리 수가 가야 합니다.

답 4.3

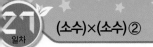

3.2×1.25의 계산

방법① 분수의 곱셈으로 고쳐 계산

$$3.2×1.25=\frac{32}{10}×\frac{125}{100}=\frac{4000}{1000}=4$$

방법② 자연수의 곱셈을 이용하여 계산

$$32×125=4000$$

$$3.2×1.25=4$$

🚢 **핵심포인트**

```
      3 2
  ×  1 2 5
    1 6 0
      6 4
    3 2
  4 0 0 0
```

```
    3 2          3.2
  × 1 2 5  →   × 1.2 5
  4 0 0 0        4
```

01~10) 빈칸에 알맞은 수를 써넣으세요.

01 $1.8×0.04=\dfrac{18}{10}×\dfrac{4}{100}$

$=\dfrac{72}{1000}=0.072$

02 $1.4×3.12=\dfrac{14}{10}×\dfrac{312}{100}$

$=\dfrac{4368}{1000}=4.368$

03 $5.2×0.13=\dfrac{52}{10}×\dfrac{13}{100}$

$=\dfrac{676}{1000}=0.676$

04 $4.5×0.25=\dfrac{45}{10}×\dfrac{25}{100}$

$=\dfrac{1125}{1000}=1.125$

05 $2.6×1.02=\dfrac{26}{10}×\dfrac{102}{100}$

$=\dfrac{2652}{1000}=2.652$

06 $3.13×1.4=\dfrac{313}{100}×\dfrac{14}{10}$

$=\dfrac{4382}{1000}=4.382$

07 $7.07×2.3=\dfrac{707}{100}×\dfrac{23}{10}$

$=\dfrac{16261}{1000}=16.261$

08 $6.12×4.7=\dfrac{612}{100}×\dfrac{47}{10}$

$=\dfrac{28764}{1000}=28.764$

09 $5.18×6.1=\dfrac{518}{100}×\dfrac{61}{10}$

$=\dfrac{31598}{1000}=31.598$

10 $3.47×2.3=\dfrac{347}{100}×\dfrac{23}{10}$

$=\dfrac{7981}{1000}=7.981$

🐋 **계산력 강화하기** 　정확하게 풀어보아요

[11~24] 계산 결과를 비교하여 ○ 안에 >, =, <를 알맞게 써넣으세요.

11 $3.24×1.7$ ⟩ $1.48×3.6$
5.508　　5.328

12 $4.2×1.65$ ⟨ $1.97×4.1$
6.93　　8.077

13 $5.34×2.2$ ⟨ $2.86×5.2$
11.748　　14.872

14 $7.2×3.14$ ⟨ $3.5×7.1$
22.608　　24.85

15 $2.55×4.8$ ⟨ $5.2×3.24$
12.24　　16.848

16 $4.7×3.32$ ⟨ $3.4×4.82$
15.604　　16.388

17 $2.98×5.4$ ⟩ $5.52×2.1$
16.092　　11.592

18 $6.27×3.2$ ⟩ $3.04×6.3$
20.064　　19.152

19 $4.7×2.65$ ⟨ $2.7×4.62$
12.455　　12.474

20 $5.5×1.08$ ⟨ $1.28×4.8$
5.94　　6.144

21 $6.4×2.52$ ⟩ $2.5×6.35$
16.128　　15.875

22 $8.8×1.24$ ⟩ $2.45×4.3$
10.912　　10.535

23 $3.68×2.8$ ⟩ $6.54×1.4$
10.304　　9.156

24 $4.15×1.7$ ⟩ $2.66×2.1$
7.055　　5.586

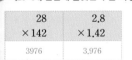 사고력 확장 **구조화하기** 구조화 하기를 연습하면 서술형도 쉽게 풀어요

[25~34] 빈칸에 알맞은 수를 써넣으세요.

29
28	2.8
×142	×1.42
3976	3.976

26
16	1.6
×117	×1.17
1872	1.872

27
436	4.36
× 14	× 1.4
6104	6.104

28
129	1.29
× 45	× 4.5
5805	5.805

29
312	31.2
× 24	× 2.4
7488	74.88

30
19	1.9
×208	×2.08
3952	3.952

31
52	5.2
×163	×1.63
8476	8.476

32
73	7.3
×212	×2.12
15476	15.476

33
365	3.65
× 24	× 2.4
8760	8.76

34
425	4.25
× 26	× 2.6
11050	11.05

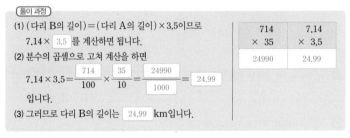 사고력 확장 **서술형 풀어보기** 구조화 해서 풀어보아요

35 다리 A는 7.14km이고, 다리 B의 길이는 다리 A의 길이의 3.5배라고 합니다. 다리 B의 길이를 구해보세요.

풀이 과정

(1) (다리 B의 길이)=(다리 A의 길이)×3.5이므로
　　$7.14×$ 3.5 를 계산하면 됩니다.

(2) 분수의 곱셈으로 고쳐 계산을 하면

$$7.14×3.5=\frac{714}{100}×\frac{35}{10}=\frac{24990}{1000}=24.99$$
입니다.

(3) 그러므로 다리 B의 길이는 24.99 km입니다.

714	7.14
× 35	× 3.5
24990	24.99

💡 **[36~39] 풀이 과정을 쓰고 답을 구하세요.**

36 주하의 몸무게는 38.5kg입니다. 주하 누나의 몸무게는 주하보다 1.24배 더 나갑니다. 주하 누나의 몸무게는 몇 kg일까요?

풀이 $385×124=47740,\ 38.5×1.24=47.74$

답 47.74 kg

37 한 시간에 9.4L의 물이 나오는 수도꼭지를 2.55시간을 틀면 모두 몇 L의 물을 받을 수 있을까요?

풀이 $94×255=23970,\ 9.4×2.55=23.97$

답 23.97 L

38 가로가 6.8m이고 세로가 1.35m인 직사각형 모양의 칠판이 있습니다. 이 칠판의 넓이를 구해보세요.

풀이 $68×135=9180,\ 6.8×1.35=9.18$

답 9.18 m²

39 A 노트북의 무게는 0.98kg이고, B 노트북의 무게는 A 노트북의 무게보다 1.4배 더 무겁다고 합니다. B 노트북의 무게는 몇 kg일까요?

풀이 $98×14=1372,\ 0.98×1.4=1.372$

답 1.372 kg

🚌 **연마 Check** 칭찬이나 노력할 점을 써 주세요.

맞힌 개수	지도 의견		확인란
개	나의 생각		

○ 직육면체: 직사각형 6개로 둘러싸인 도형

면: 직육면체에 선분으로 둘러싸인 부분(6개)
모서리: 면과 면이 만나는 선분(12개)
꼭짓점: 모서리와 모서리가 만나는 점(8개)

○ 정육면체: 정사각형 6개로 둘러싸인 도형

• 특징: ① 6개의 면의 모양과 크기가 모두 같습니다.
② 12개의 모서리의 길이가 모두 같습니다.
➜ 정육면체는 직육면체라 할 수 있지만 직육면체는 정육면체라고 할 수 없습니다.

○ 직육면체의 성질

밑면 — 평행 — 옆면

성질 ① 직육면체의 평행한 면
① 서로 마주보고 있는 면은 평행합니다.
② 서로 평행한 면은 모두 3쌍입니다.

성질 ② 직육면체의 수직인 면
① 한 꼭짓점에서 만나는 3면은 모두 직각입니다.
② 서로 만나는 면은 수직입니다.
③ 한 면과 수직인 면은 모두 4개입니다.

🔹 [01~04] 빈칸에 알맞은 것을 써넣으세요.

01 직사각형 모양의 면 [6]개로 둘러싸인 도형을 [직육면체]라고 합니다.

02  [꼭짓점] [모서리] [면]

03 직육면체의 면은 [6]개, 모서리는 [12]개, 꼭짓점은 [8]개입니다.

04
보이는 면의 수	보이는 모서리의 수	보이는 꼭짓점의 수
3	9	7

⏳ [05~07] 빈칸 안에 알맞은 말을 쓰세요. (보이지 않는 꼭짓점은 □입니다.)

05 면 ㄱㄴㅂㅁ과 면 [ㄹㄷㅅㅇ]처럼 계속 늘여도 만나지 않는 두 면을 서로 [평행]하다고 합니다.

06 면 ㄱㄴㄷㄹ과 마주 보고 있는 면은 면 [ㅁㅂㅅㅇ]입니다.

07 직육면체에서 서로 [평행]한 면은 모두 3쌍입니다.

🔢 [08~14] 다음 물음에 답하세요.

 위 10 cm 9 cm 7 cm

08 직육면체를 위에서 본 모양은 어떤 도형입니까? (직사각형)

09 보이는 모서리는 보이지 않는 모서리보다 몇 개 더 많습니까? (6개)

10 보이지 않는 면은 몇 개입니까? (3개)

11 보이는 꼭짓점은 몇 개입니까? (7개)

12 직육면체에서 보이는 모서리의 길이의 합은 몇 cm입니까?
$9×3+7×3+10×3$ (78cm)
$=27+21+30=78$

13 직육면체에서 보이지 않는 모서리의 길이의 합은 몇 cm입니까?
$9+7+10=26$ (26cm)

14 직육면체의 면, 모서리, 꼭짓점의 수의 합은 몇 개입니까? (26개)
면: 6개 모서리: 12개
꼭짓점: 8개
$6+12+8=26$

🔢 [15~21] 직육면체를 보고 물음에 답하세요. (보이지 않는 꼭짓점은 □입니다.)

15 면 ㄱㄴㄷㄹ과 평행한 면을 쓰세요.
(면 ㅁㅂㅅㅇ)

16 면 ㄴㅂㅅㄷ과 평행한 면을 쓰세요.
(면 ㄱㅁㅇㄹ)

17 면 ㄷㅅㅇㄹ과 평행한 면을 쓰세요.
(면 ㄴㅂㅁㄱ)

18 서로 평행한 면은 모두 몇 쌍인지 구하요. (3쌍)

19 면 ㄱㅁㅇㄹ과 서로 마주 보고 있는 면을 쓰세요. (면 ㄴㅂㅅㄷ)

20 면 ㄱㄴㅂㅁ과 서로 마주 보고 있는 면을 쓰세요. (면 ㄹㄷㅅㅇ)

21 면 ㅁㅂㅅㅇ과 서로 마주 보고 있는 면을 쓰세요. (면 ㄱㄴㄷㄹ)

🔢 [22~28] 정육면체를 보고 물음에 답하세요. (보이지 않는 꼭짓점은 □입니다.)

 7 cm 7 cm 7 cm

22 면 ㄱㄴㄷㄹ과 평행한 면을 쓰세요.
(면 ㅂㅅㅇㅁ)

23 면 ㄱㄴㄷㄹ과 평행한 면의 모서리의 길이의 합을 구하세요.
$7×4=28$ (28cm)

24 면 ㄱㅂㅅㄴ과 평행한 면을 쓰세요.
(면 ㄹㅁㅇㄷ)

25 면 ㄱㅂㅅㄴ과 평행한 면의 모서리의 길이의 합을 구하세요.
$7×4=28$ (28cm)

26 면 ㄱㅂㅁㄹ과 평행한 면을 쓰세요.
(면 ㄴㅅㅇㄷ)

27 면 ㄱㅂㅁㄹ과 평행한 면의 모서리의 길이의 합을 구하세요.
$7×4=28$ (28cm)

28 정육면체의 각 면의 모서리의 길이의 합은 모두 [같습니다 / 다릅니다].

🐟 [29~35] 직육면체와 정육면체에 대한 설명입니다. 맞으면 ○표, 틀리면 ✕표 하세요.

29 정육면체의 면의 모양은 모두 직사각형입니다. (○)
정사각형은 직사각형입니다.

30 직육면체의 면의 모양과 크기는 모두 같습니다. (✕)

31 직육면체의 모서리의 길이는 다를 수 있습니다. (○)

32 직육면체는 정육면체라고 할 수 있습니다. (✕)

33 정육면체의 꼭짓점은 12개입니다. (✕)
8개

34 직육면체의 모서리는 10개입니다. (✕)
12개

35 정육면체의 보이는 면의 개수는 4개입니다. (✕)
3개

---

36 다음 그림과 같이 정육면체 모양의 주사위가 있습니다. 모든 모서리의 길이의 합이 36cm라고 할 때, 한 모서리의 길이를 구하세요.

풀이 과정

(1) 정육면체 모든 모서리의 길이의 합은 [36] cm입니다.
(2) 정육면체 모든 모서리의 개수는 [12] 개입니다.
(3) 주사위의 한 모서리의 길이는 [3] cm입니다.

(모든 모서리의 길이의 합)
÷ (모든 모서리의 개수)
= (한 모서리의 길이)
= $36 ÷ 12 = 3$

❓ [37~40] 풀이 과정을 쓰고 답을 구하세요.

37 직육면체와 정육면체에 대한 설명 중 틀린 것을 찾아 그 기호를 쓰세요.

㉠ 직육면체의 면 모양은 모두 정사각형입니다.
㉡ 정육면체의 면의 모양과 크기는 모두 같습니다.
㉢ 정육면체는 직육면체라고 할 수 있습니다.

풀이 직육면체의 면의 모양은 직사각형입니다.

답 ㉠

38 정육면체 모양의 주사위에서 서로 평행한 두 면의 눈의 수의 합은 7입니다. 눈의 수가 2인 면과 서로 마주보는 면의 눈의 수를 구하세요.

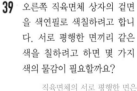

풀이 눈의 수가 2인 면과 평행인 면의 눈의 수는 5입니다.

답 5

39 오른쪽 직육면체 상자의 겉면을 색연필로 색칠하려고 합니다. 서로 평행한 면끼리 같은 색을 칠하려고 하면 몇 가지 색의 물감이 필요할까요?

풀이 직육면체의 서로 평행한 면은 모두 니다.

답 3

40 오른쪽 그림의 직육면체에서 모든 모서리의 개수와 보이는 모서리의 개수의 차를 구해 보세요.

보이는 모서리의 개수: 9
모든 모서리의 개수: 12
$12-9=3$

답 3

😊 연마 Check 칭찬이나 노력할 점을 써 주세요.

맞힌 개수		지도 의견		확인
	개	나의 생각		

29
일차

직육면체의 겨냥도와 전개도

월   일

○ 직육면체의 겨냥도: 직육면체 모양을 잘 알 수 있도록 나타낸 그림

➡ 직육면체에서 서로 평행한 모서리의 길이는 같습니다.

보이는 모서리는 실선으로 그립니다.
보이지 않는 모서리는 점선으로 그립니다.

○ 직육면체의 겨냥도에서 각 부분의 수

	보이는 부분	보이지 않는 부분	전체
면의 수(개)	3	3	6
모서리의 수(개)	9	3	12
꼭짓점의 수(개)	7	1	8

○ 직육면체의 전개도: 직육면체의 모서리를 잘라 펼친 그림

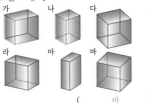

① 점 ㄱ과 만나는 점: 점 ㄷ, 점 ㅋ
② 선분 ㄱㄴ과 겹치는 선분: 선분 ㄴㄷ
③ 서로 평행한 면: 가와 바, 나와 라, 다와 마 ➡ 3쌍
④ 면 나와 수직인 면: 가, 다, 마, 바 ➡ 4개
⑤ 한 꼭짓점에서 만나는 면은 모두 3개입니다.

[01~06] 직육면체를 보고 빈칸에 알맞은 수를 써넣으세요.

보이는 면은 [3]개입니다.

보이지 않는 꼭짓점은 [1]개입니다.

보이지 않는 모서리는 [3]개입니다.

직육면체 전개도에는 모양과 크기가 같은 면이 [3]쌍 있습니다.

05 직육면체 전개도에는 한 면과 수직인 면이 [4]개 있습니다.

06 직육면체 전개도에는 한 꼭짓점에서 만나는 면은 모두 [3]개입니다.

07 직육면체의 겨냥도를 바르게 그린 것의 기호를 쓰세요.

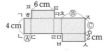

(바)

[08~14] 직육면체를 보고 물음에 답하세요.

7 cm
10 cm   5 cm

08 직육면체에서 길이가 5cm인 모서리는 모두 몇 개인지 구하세요.
(4개)

09 직육면체에서 길이가 7cm인 모서리는 모두 몇 개인지 구하세요.
(4개)

10 직육면체에서 길이가 10cm인 모서리는 모두 몇 개인지 구하세요.
(4개)

11 직육면체에서 모든 모서리의 길이의 합은 얼마인지 구하세요.
(88cm)
10×4+5×4+7×4=40+20+28=88

12 직육면체의 겨냥도에서 보이는 모서리의 길이의 합은 얼마인지 구하세요.
(66cm)
10×3+5×3+7×3=30+15+21=66

13 직육면체의 겨냥도에서 보이지 않는 모서리의 길이의 합은 얼마인지 구하세요.
(22cm)
10+5+7=22

14 직육면체를 위에서 바라보았을 때 보이는 직사각형의 모서리의 길이의 합이 얼마인지 구하세요.
(30cm)
10×2+5×2=20+10=30

[15~20] 정육면체의 전개도를 보고 물음에 답하세요.

㉮ ㉯ ㉰ ㉱ ㉲ ㉳

15 면 ㉮와 평행한 면을 쓰세요.
(바)

16 면 ㉮와 수직인 면을 모두 찾아 쓰세요.
(나, 다, 라, 마)

17 면 ㉯와 평행한 면을 쓰세요.
(라)

18 면 ㉯와 수직인 면을 모두 찾아 쓰세요.
(가, 다, 마, 바)

19 면 ㉰와 평행한 면을 구하세요.
(마)

20 면 ㉱와 수직인 면을 모두 찾아 쓰세요.
(가, 나, 라, 바)

[21~27] 다음 정육면체를 보고 물음에 세요.

9 cm

㉠, ㉡에 알맞은 수를 쓰세요.
㉠: [9] cm, ㉡: [9] cm

정육면체의 겨냥도에서 보이지 않는 모서리의 길이의 합은 얼마인지 구하세요.
(27cm)
9×3=27

정육면체의 보이는 모서리의 길이의 합은 얼마인지 구하세요.
(81cm)
9×9=81

모서리의 길이의 합은 얼마인지 구하세요.
(108cm)
9×12=108

면 ㄱㄴㄷㄹ과 평행인 면의 모서리의 길이의 합이 얼마인지 구하세요.
(36cm)
9×4=36

면 ㄴㅅㅂㄷ과 평행인 면의 모서리의 길이의 합이 얼마인지 구하세요.
(36cm)
9×4=36

면 ㄱㄴㅅㅇ과 평행인 면의 모서리의 길이의 합이 얼마인지 구하세요.
(36cm)
9×4=36

[28~34] 다음 전개도를 접어서 직육면체를 만들었을 때, 물음에 답하세요.

ㅍ 6 cm ㅌ ㅋ ㅊ
4 cm   ⒷⒸ
ㄴ   ㄹ ㅁ   ㅅ
2 cm

28 Ⓐ, Ⓑ, Ⓒ의 길이를 구하세요.
Ⓐ: 2 cm, Ⓑ: 6 cm, Ⓒ: 4 cm

29 면 ㄱㄴㄷㅎ과 평행한 면을 구하세요.
(면 ㅋㄹㅁㅊ)

30 면 ㅍㅎㅋㅌ과 만나는 모서리가 없는 면을 구하세요.
(면 ㅇㅅㅂㅁ)

31 점 ㄴ과 만나는 점을 찾아 쓰세요.
(점 ㅇ)

32 점 ㅌ과 만나는 점을 찾아 쓰세요.
(점 ㅊ)

33 선분 ㅊㅈ과 겹치는 선분을 구하세요.
(선분 ㅍㅌ)

34 선분 ㄹㅁ과 겹치는 선분을 구하세요.
(선분 ㅁㅂ)

---

35 주사위의 전개도입니다. 마주보는 두 면의 눈의 수의 합이 7일 때, 전개도의 Ⓐ, Ⓑ, Ⓒ의 값을 구하세요.

Ⓐ
Ⓑ Ⓒ

풀이 과정

(1) 눈의 수가 1인 면과 평행인 면은 Ⓑ 이므로 Ⓑ의 값은 [6] 입니다.
(2) 눈의 수가 2인 면과 평행인 면은 Ⓒ 이므로 Ⓒ의 값은 [5] 입니다.
(3) 눈의 수가 3인 면과 평행인 면은 Ⓐ 이므로 Ⓐ의 값은 [4] 입니다.

[36~39] 풀이 과정을 쓰고 답을 구하세요.

36 전개도를 접어서 직육면체를 만들었을 때 두 면 사이의 관계가 다른 하나를 구하세요.

가 파ㅌㅌㅋ
나 다 라 마
마 바 ㅇㅈㅊ

① 면 ㉮와 면 ㉯
② 면 ㉲와 면 ㉳
③ 면 ㉯와 면 ㉰
④ 면 ㉮와 면 ㉱

풀이 ③: 면 ㉯와 ㉰는 평행관계,
①, ②, ④는 서로 수직관계입니다.

답 ④

37 정육면체의 겨냥도에서 보이지 않는 한 모서리의 길이가 8cm입니다. 보이는 모서리의 길이의 합을 구하세요.

풀이 보이는 모서리의 갯수는 9개입니다.
9×8=72

답 72 cm

38 직육면체에서 보이는 모서리의 수를 Ⓐ, 보이지 않는 면의 수를 Ⓑ, 보이는 꼭짓점의 수를 Ⓒ라고 할 때 Ⓐ-Ⓑ+Ⓒ의 값을 구하세요.

풀이 Ⓐ=9, Ⓑ=3, Ⓒ=7

답 13

39 직육면체 모양의 상자를 반으로 나누는 선을 그을 때 그 선의 길이를 구하세요.

10 cm
5 cm   8 cm

풀이 10+5+10+5=30

답 30 cm

30 일차 평균 구하기

월 일

● 평균=(자료 값의 합)÷(자료의 수)
➡ 각 자료의 값을 모두 더해서 자료의 수로 나눈 값을 그 자료를 대표하는 값

핵심포인트
평균은 각 자료의 값이 크고 작음의 차이가 나지 않도록 고르게 한 값입니다.

[01~03] 우재네 모둠이 한 학기동안 각자 모아온 칭찬 스티커 수를 나타낸 표입니다.

이름	우재	아현	태우	하랑
칭찬 스티커 개수	19	18	21	22

01 (우재네 모둠이 모은 칭찬 스티커 개수의 합)
=19+18+ 21 + 22 = 80

02 우재네 모둠은 4 명입니다.

03 우재네 모둠의 칭찬 스티커 개수의 평균은 20 개입니다.

[04~05] 수영과 준희가 딱지치기를 한 결과, 준희가 7개, 수영이는 3개를 가지게 되었습니다.

04 7과 3의 평균은 5 입니다.

05 수영과 준희가 딱지를 똑같이 나눠 가지려면 준희의 딱지 2 개를 수영에게 주면 됩니다.

[06~08] 지은이의 중간고사 과목별 점수를 나타낸 표입니다.

과목	국어	수학	영어	과학	사회
점수	80	75	90	80	75

06 (과목별 점수의 합)
= 80 + 75 +90+80+75= 400

07 과목의 수는 5 입니다.

08 중간고사 점수의 평균은 80 점입니다.

[09~11] 병헌이가 코인노래방에 가서 노래를 불러서 받은 점수를 나타낸 표입니다.

횟수	1	2	3	4	5
점수	84	96	85	74	86

09 (받은 노래의 점수의 합)
=84+96+ 85 + 74 +86= 425

10 노래를 부른 횟수는 5 입니다.

11 노래방에서 받은 점수의 평균은 85 점입니다.

[12~14] 태희가 볼링장에 가서 쓰러뜨린 볼링 핀 수를 나타낸 표입니다.

회	1	2	3	4	5	6	7	8
쓰러뜨린 볼링핀 수(개)	7	3	4	6	0	10	8	2

12 (쓰러뜨린 볼링핀 개수의 합)
=7+3+4+6+0+10+ 8 + 2
= 40

13 볼링한 횟수는 8 회입니다.

14 쓰러뜨린 볼링핀 개수의 평균은 5 개입니다.

계산력 강화하기
정확하게 풀어보아요

[15~28] 다음 자료의 평균을 구하세요.

15
2	3	4	7
→ 4

16
2	4	5	13
→ 6

17
7	6	11	8
→ 8

18
4	7	8	13
→ 8

19
6	13	15	22
→ 14

20
7	8	11	14
→ 10

21
5	10	17	24
→ 14

22
2	4	7	10	12
→ 7

23
6	6	8	17	18
→ 11

24
6	8	10	11	15
→ 10

25
5	9	12	13	21
→ 12

26
10	12	14	18	21
→ 15

27
9	11	14	15	16
→ 13

28
9	11	15	17	23
→ 15

계산력 강화하기
정확하게 풀어보아요

[29~42] 다음 자료의 평균을 구하세요.

29
2	6	7	9
→ 6

30
5	9	6	4
→ 6

31
9	7	4	8
→ 7

32
6	8	14	16
→ 11

33
9	13	16	18
→ 14

34
12	18	26	32
→ 22

35
24	28	40	44
→ 34

36
3	5	6	10	11
→ 7

37
3	17	15	6	9
→ 10

38
9	10	16	20	20
→ 15

39
10	16	19	23	27
→ 19

40
13	19	21	25	32
→ 22

41
16	20	22	22	25
→ 21

42
21	27	33	35	34
→ 30

사고력 확장 서술형 풀어보기
구조화 해서 풀어보아요

43 모둠의 100m 달리기 기록을 나타낸 표입니다. 모둠의 100m 달리기 기록의 평균을 구하세요.

이름	은채	지후	하윤	소은	찬희	태우	지민
초	19	16	23	18	15	16	19

풀이 과정

(1) (모둠의 100m 기록의 합)=19+16+23+ 18 + 15 +16+19= 126

(2) 모둠의 수는 7 명입니다.

(3) (모둠의 100m 기록 평균)= 126 ÷ 7 = 18 초입니다.

[44~47] 풀이 과정을 쓰고 답을 구하세요.

44 지난주 약품창고의 실내온도를 나타낸 표입니다. 약품창고의 월요일부터 금요일까지 실내온도의 평균을 구하세요.

요일	월	화	수	목	금	토	일
온도(℃)	19	22	20	21	23	19	21

풀이 19+22+20+21+23=105
105÷5=21

답 21 ℃

45 모둠의 키를 나타낸 표입니다. 모둠의 키의 평균을 구하세요.

이름	윤호	서현	현우	상민	유리
키(cm)	132	127	131	134	126

풀이 132+127+131+134+126=650
650÷5=130

답 130 cm

46 모둠의 윗몸일으키기 횟수를 기록한 것입니다. 모둠이 윗몸일으키기 횟수의 평균을 구하세요.

이름	유진	다현	나영	종석	
횟수	25	35	23	47	

풀이 25+35+23+47+50=180
180÷5=36

답 36

47 다희가 지난 일주일 동안 걸은 걸음 수를 보고, 평균을 구하세요.

요일	월	화	수	목	금	토
걸음 수	6500	5000	7500	6000	8000	8500

풀이 6500+5000+7500+6000+8000
+8500+8900=50400
50400÷7=7200

답 7200

엄마 Check 칭찬이나 노력할 점을 써 주세요.

맞힌 개수		지도 의견	
	개	나의 생각	확인

여러 가지 방법으로 평균 구하기

월 일

줄넘기 기록의 평균 구하기

회	1회	2회	3회	4회
기록(개)	17개	21개	17개	13개

방법 ① 기준값을 정하여 구하기

17개를 기준으로 정하고 21개에서 4개를
13개에 주면 모두 17개가 됩니다.

● 줄넘기 기록의 평균은 17개입니다.

방법 ② 식을 이용하여 구하기

(줄넘기 기록의 평균)

$$= \frac{17+21+17+13}{4} = \frac{68}{4}$$

$$= 17(개)$$

[1~03] 연마초등학교 5학년의 학생 수를 적은 표입니다.

년	1반	2반	3반	4반
수	25명	24명	23명	24명

1반은 2반보다 [1] 명이 더 많습니다.

3반은 2반보다 [1] 명이 더 적습니다.

5학년 반별마다 학생 수의 평균은 [24] 명입니다.

[4~06] 수지의 기록을 기준으로 10분 동안 팔굽혀펴기의 평균을 구하려고 합니다.

름	수지	태연	채영	지아
혀펴기	32 번	30 번	34 번	32 번

태연은 수지보다 [2] 번 더 적게 했습니다.

채영이는 수지보다 [2] 번 더 많이 했습니다.

팔굽혀펴기의 평균은 [32] 번입니다.

[07~11] 빈칸을 채우세요

19 29 24 29 19

07 24를 [기준값] 으로 정합니다.

08 19는 기준값보다 [5] 작습니다.

09 29는 기준값보다 [5] 큽니다.

10 자료의 평균은 [24] 입니다.

11 (자료의 평균)

$$= \frac{19+29+24+[29]+[19]}{[5]} = [24]$$

12 다음 설명이 맞으면 ○표, 틀리면 ×표 하세요.

자료 값의 합이 더 클수록 평균도 항상 더 큽니다.

(×)

계산력 강화하기
정확하게 풀어요

[13~26] 다음 자료의 평균을 구하세요.

13 5 6 8 9
→ [7]

14 6 9 5 12
→ [8]

15 5 11 9 11
→ [9]

16 9 10 12 21
→ [13]

17 12 15 19 22
→ [17]

18 20 26 29 33
→ [27]

19 31 39 42 48
→ [40]

20 7 10 9 12 17
→ [11]

21 9 6 13 18 24
→ [14]

22 10 17 23 24 36
→ [22]

23 7 19 27 30 32
→ [23]

24 17 23 27 30 38
→ [27]

25 25 28 36 38 43
→ [34]

26 18 33 37 43 44
→ [35]

계산력 강화하기
정확하게 풀어보아요

[7~40] 다음 자료의 평균을 구하세요.

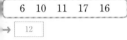

6 10 11 17 16
→ [12]

8 6 17 16 18
→ [13]

13 12 19 22 29
→ [19]

9 13 23 25 40
→ [22]

1 19 22 28 40
→ [22]

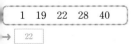

24 26 29 34 42
→ [31]

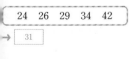

31 38 43 42 46
→ [40]

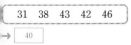

34 3 5 7 9 11 13
→ [8]

35 4 8 10 12 15 17
→ [11]

36 10 13 15 17 19 21
→ [15]

37 11 12 14 18 21 26
→ [17]

38 13 17 20 22 26 34
→ [22]

39 6 7 10 11 12 14
→ [10]

40 4 8 9 13 17 21
→ [12]

사고력 확장
서술형 풀어보기
구조화 해서 풀어보아요

41 도원이네 모둠의 줄넘기 기록입니다. 도원이네 모둠의 줄넘기 기록의 평균은 21번입니다. 빈칸을 채우세요.

〈줄넘기 횟수〉

20 18 16
26 22 24

풀이 과정

(1) 기록을 2개씩 묶어 평균 21번이 되려면 기록 2개의 합이 [42] 가 되어야 합니다.

(2) 평균 21번이 되도록 기록을 2개씩 묶으면, (20, [22]), (18, [24]), ([16] , 26) 입니다.

(3) 식을 두 가지로 세워 평균을 구하면,

① $\frac{20+18+16+[26]+[22]+24}{6} = 21(번)$, ② $\frac{[42]+[42]+[42]}{6} = 21(번)$

[42~45] 풀이 과정을 쓰고 답을 구하세요.

42 두 종이테이프 길이의 평균을 구하세요.

10 cm
20 cm

풀이 $\frac{20+10}{2} = 15$

답 15 cm

43 A주머니에는 공이 57개, B주머니에는 공이 89개가 들어 있습니다. 두 주머니의 공의 개수가 같아지려면 B주머니에서 A주머니로 공을 몇 개 옮겨야 할까요?

풀이 $\frac{57+89}{2} = \frac{146}{2} = 73$, $89-73 = 16$

답 16 개

44 소희가 월요일에는 동화책을 27쪽을, 화요일, 수요일, 목요일, 금요일에는 모두 128쪽을 읽었습니다. 소희가 5일 동안 읽은 동화책은 하루 평균 몇 쪽일까요?

풀이 $\frac{27+128}{5} = 31$

답 31 쪽

45 현서네 반 남학생 10명의 키의 합은 1330cm이고 여학생 13명의 키의 합은 1591cm입니다. 현서네 반 전체 학생들의 키의 평균을 구하세요.

풀이 $\frac{1330+1591}{10+13} = \frac{2921}{23} = 127$

답 127 cm

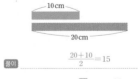 연마 Check 칭찬이나 노력할 점을 써 주세요.

맞힌 개수	지도 의견		확인란
개	나의 생각		

● 평균 비교하기
각 자료의 평균을 구한 뒤, 자료 안에서 평균보다 큰지, 작은지 자료의 대소 비교를 할 수 있습니다.
예 지민이의 수학 점수가 95점이고, 5과목 점수의 평균이 88점이면 수학 점수는 평균 점수보다 7점 높습니다.
● 평균을 이용하여 자료의 값 구하기
(자료의 값을 모두 더한 수)=(평균)×(자료의 수)

핵심 포인트

평균을 이용하여 모르는 자료의 값 구하는 자료의 값
=(자료의 값을 모두 더한 수)
−(아는 자료의 값의 합)

(01~03) 지연이네 모둠의 같이 살고 있는 가족구성원을 나타낸 표입니다.

이름	지연	수현	다희	재민	주영
구성원 수(명)	5	4	3	2	6

01 모둠의 평균 가족구성원의 수를 구하세요.

$$\frac{5+4+3+\boxed{2}+\boxed{6}}{\boxed{5}}=\frac{\boxed{20}}{5}=\boxed{4}(명)$$

02 가족구성원 수가 가장 많은 사람은 누구이며, 평균 구성원의 수보다 몇 명 더 많은지 구하세요. (주영 , 2명)

03 가족구성원 수가 가장 적은 사람은 누구이며, 평균 구성원의 수보다 몇 명 더 적은지 구하세요. (재민 , 2명)

(04~06) 5학년과 6학년의 학급별로 휴대전화를 가지고 있는 학생 수를 나타낸 표입니다.

반	1반	2반	3반	4반	5반
5학년(명)	20	17	18	16	19
6학년(명)	24	21	23	25	22

04 휴대전화를 가지고 있는 5학년 학생 수의 평균을 구하세요.

$$\frac{20+17+18+\boxed{16}+\boxed{19}}{5}=\frac{\boxed{90}}{5}$$
$$=\boxed{18}(명)$$

05 휴대전화를 가지고 있는 6학년 학생 수의 평균을 구하세요.

$$\frac{24+21+23+\boxed{25}+\boxed{22}}{5}=\frac{\boxed{115}}{5}$$
$$=\boxed{23}(명)$$

06 휴대전화를 가지고 있는 평균 학생 수가 더 많은 학년을 쓰세요. (6학년)

계산력 강화하기   정확하게 풀어보아요

(07~20) 다음 자료의 평균을 보고 빈칸의 숫자를 구하세요.

07 | 5 | 5 | 15 | 25 | 25 |
→ 평균: 15

08 | 6 | 8 | 9 | 12 | 20 |
→ 평균: 11

09 | 8 | 10 | 11 | 14 | 22 |
→ 평균: 13

10 | 4 | 8 | 16 | 26 | 26 |
→ 평균: 16

11 | 6 | 14 | 24 | 28 | 43 |
→ 평균: 23

12 | 6 | 7 | 16 | 17 | 19 |
→ 평균: 13

13 | 18 | 19 | 23 | 26 | 29 |
→ 평균: 23

14 | 6 | 8 | 14 | 18 | 19 | 13 |
→ 평균: 13

15 | 3 | 9 | 13 | 17 | 20 | 22 |
→ 평균: 14

16 | 5 | 11 | 16 | 18 | 21 | 25 |
→ 평균: 16

17 | 8 | 10 | 17 | 27 | 31 | 33 |
→ 평균: 21

18 | 9 | 11 | 15 | 23 | 24 | 26 |
→ 평균: 18

19 | 10 | 12 | 16 | 24 | 27 | 31 |
→ 평균: 20

20 | 14 | 18 | 25 | 29 | 35 | 35 |
→ 평균: 26

계산력 강화하기   정확하게 풀어보아요

(21~34) 다음 자료의 평균을 보고 빈칸의 숫자를 구하세요.

21 | 5 | 8 | 9 | 12 | 16 |
→ 평균: 10

22 | 6 | 10 | 13 | 17 | 19 |
→ 평균: 13

23 | 7 | 10 | 16 | 18 | 24 |
→ 평균: 15

24 | 11 | 17 | 19 | 23 | 30 |
→ 평균: 20

25 | 15 | 19 | 21 | 29 | 36 |
→ 평균: 24

26 | 25 | 29 | 34 | 38 | 39 |
→ 평균: 33

27 | 20 | 35 | 41 | 43 | 46 |
→ 평균: 37

28 | 4 | 6 | 12 | 15 | 17 | 24 |
→ 평균: 13

29 | 7 | 9 | 13 | 21 | 22 | 24 |
→ 평균: 16

30 | 6 | 8 | 15 | 25 | 29 | 31 |
→ 평균: 19

31 | 9 | 18 | 20 | 25 | 27 | 33 |
→ 평균: 22

32 | 12 | 12 | 26 | 26 | 28 | 34 |
→ 평균: 23

33 | 14 | 18 | 21 | 22 | 27 | 30 |
→ 평균: 22

34 | 17 | 18 | 28 | 30 | 31 | 32 |
→ 평균: 26

사고력 확장   서술형 풀어보기   구조화 해서 풀어보아요

35 4월 한 달 동안 진호와 요한이의 블로그 방문자 수는 각각 690명, 810명입니다. 한 달 하루 평균 방문자 수를 구하고, 누가 하루 평균 방문자 수가 더 많은지 구하세요.

풀이 과정

(1) 진호와 요한이의 블로그의 4월 동안 방문자 수는 각각 690 명, 810 명입니다.

(2) 4월은 30 일 입니다.

(3) 진호의 하루 평균 방문자 수는 $\frac{690}{30}=$ 23 명이고, 요한이의 하루 평균 방문자 수는 $\frac{810}{30}=$ 27 명입니다.

(4) 따라서 진호 보다 요한 이의 블로그의 하루 평균 방문자 수가 4 명 더 많습니다.

(36~37) 풀이 과정을 쓰고 답을 구하세요.

36 준호의 오래 매달리기 기록을 나타낸 표입니다. 평균 11초가 나왔다고 할 때, 준호의 4회 기록(초)을 구하세요.

회	1회	2회	3회	4회	5회
기록(초)	8	12	11		11

풀이 $\frac{8+12+11+\boxed{}+11}{5}=11$
$42+\boxed{}=55$

답   13 초

37 채연이와 은혁이의 5분 동안 줄넘기를 나타낸 표입니다. 누구의 줄넘기 개수가 더 많은지 구하세요.

회	1회	2회	3회	4회
채연	40개	35개	50개	43
은혁	46개	50개	39개	3

채연 평균: $\frac{40+35+50+43}{4}=42$

풀이 은혁 평균: $\frac{46+50+39+37}{4}=43$

답   은혁 의 평균 개수가 채연 보
     1 개 더 많습니다.

일이 일어날 가능성을 말로 표현하기

➡ 가능성은 어떠한 상황에서 특정한 사건이 일어나길 기대할 수 있는 정도를 말합니다.

가능성의 정도는 '불가능하다, ~아닐 것 같다, 반반이다, ~일 것 같다, 확실하다' 등으로 표현할 수 있습니다.

일이 일어날 가능성을 수로 나타내기

➡ 사건이 일어날 가능성은 0, $\frac{1}{4}$, $\frac{1}{2}$, $\frac{3}{4}$, 1과 같은 수로 표현할 수 있습니다.

불가능하다	가능성이 낮다	가능성이 반반이다	가능성이 높다	확실하다
0	$\frac{1}{4}$	$\frac{1}{2}$	$\frac{3}{4}$	1

핵심 포인트

일기예보를 보고 내일 올 가능성 알아보기

날짜	어제	오늘	내일	모레
날씨	맑음	구름 조금	비	흐림

- 맑음: 날씨가 맑고 비가 오지 않는다.
- 구름 조금: 구름이 있지만 해가 보이고 비가 오지 않는다.
- 비: 비가 온다.
- 흐림: 구름이 아주 많아 해가 보이지 않지만 비는 오지 않는다.

[1~07] 사건이 일어날 가능성에 대하여 알맞은 곳에 ○표 하세요.

사건	불가능하다	반반이다	확실하다
동전을 던지면 숫자면이 나올 것입니다.		○	
어제가 토요일이면 내일은 화요일입니다.	○		
주사위를 던지면 짝수가 나옵니다.		○	
한국에서는 동쪽에서 해가 뜹니다.			○
청군, 백군 시합에서 청군이 될 것입니다.		○	
닭의 새끼는 병아리입니다.			○
호랑이가 쑥과 마늘을 먹고 인간이 됩니다.	○		

[08~10] 사건이 일어날 가능성을 수직선에 점(·)으로 나타내세요.

08 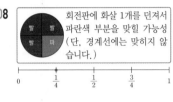 회전판에 화살 1개를 던져서 파란색 부분을 맞힐 가능성 (단, 경계선에는 맞히지 않습니다.)

0 —— $\frac{1}{4}$ —— $\frac{1}{2}$ —— $\frac{3}{4}$ —— 1

09 ①번 공 1개와 ②번 공 3개가 있는 상자에서 ③번 공을 뽑을 가능성

0 —— $\frac{1}{4}$ —— $\frac{1}{2}$ —— $\frac{3}{4}$ —— 1

10  신호등에서 색깔불이 들어올 가능성

0 —— $\frac{1}{4}$ —— $\frac{1}{2}$ —— $\frac{3}{4}$ —— 1

계산력 강화하기　　정확하게 풀어보아요

[11~16] 사건이 일어날 가능성을 보기에서 골라 말로 표현하세요.

보기　불가능하다　반반이다　확실하다

날짜	오늘		내일		모레	
	오전	오후	오전	오후	오전	오후
날씨	흐림	구름 조금	맑음	구름 조금	흐림	비

11 내일 오전에 비가 올 가능성을 구하세요.
(불가능하다)

12 모레 오후에 비가 올 가능성을 구하세요.
(확실하다)

13 오늘 오후에 햇빛이 있을 가능성을 구하세요.
(반반이다)

지갑에 100원 동전 1개와 50원 동전 1개가 있습니다.

14 지갑에서 동전 1개를 꺼냈을 때 100원이 나올 가능성을 구하세요.
(반반이다)

15 지갑에서 동전 2개를 꺼냈을 때 150원이 될 가능성을 구하세요.
(확실하다)

16 지갑에서 동전 1개를 꺼냈을 때 500원이 될 가능성을 구하세요.
(불가능하다)

[17~19] 정육면체 주사위를 던졌을 때, 사건이 일어날 가능성을 숫자로 나타내세요.

17 주사위를 1번 던져서 눈의 개수가 2의 배수가 나올 가능성을 구하세요.
($\frac{1}{2}$)

18 주사위를 1번 던져서 눈의 개수가 6 이하의 숫자가 나올 가능성을 구하세요.
(1)

19 주사위를 2번 던져서 나온 눈의 개수의 합이 1일 가능성을 구하세요.
(0)

[20~22] 상자 안에 검은색 바둑돌 3개, 흰색 바둑돌 1개가 있습니다. 사건이 일어날 가능성을 숫자로 나타내세요.

20 상자에서 바둑돌 1개를 꺼낼 때 흰색일 가능성을 구하세요. ($\frac{1}{4}$)

21 상자에서 바둑돌 1개를 꺼낼 때 검은색일 가능성을 구하세요. ($\frac{3}{4}$)

22 상자에서 바둑돌 1개를 꺼낼 때 노란색일 가능성을 구하세요. (0)

계산력 강화하기　　정확하게 풀어보아요

[23~24] 다음과 같은 6장의 숫자 카드를 숫자가 보이지 않게 뒤집어 놓았습니다. 사건이 일어날 가능성을 말로 표현하세요.

 | 3 | 5 | 6 | 8 | 9 |

숫자가 보이게 숫자 카드 한 장을 뒤집었을 때 뒤집은 숫자 카드의 숫자가 3의 배수일 가능성을 구하세요.
(반반이다)

숫자가 보이게 숫자 카드 한 장을 뒤집었을 때 뒤집은 숫자 카드의 숫자가 4일 가능성을 구하세요. (불가능하다)

[25~26] 연필꽂이에 노란색 연필 3자루, 빨간색 연필 3자루가 꽂혀 있습니다. 사건이 일어날 가능성을 말로 표현하세요.

연필꽂이에 색연필 한자루를 꺼낼 때 꺼낸 색연필이 분홍색일 가능성을 구하세요.
(불가능하다)

연필꽂이에 색연필 한자루를 꺼낼 때 꺼낸 색연필이 노란색일 가능성을 구하세요.
(반반이다)

[27~28] 사건이 일어날 가능성을 수로 표현하세요.

 어느 쇼핑몰에서 진행하고 있는 룰렛이벤트입니다. (단, 경계선에 멈추지 않습니다.)

27 현서가 룰렛을 돌렸을 때 무료 배송을 뽑을 가능성을 구하세요.
($\frac{1}{4}$)

28 동준이가 룰렛을 돌렸을 때 꽝이 아닌 것을 뽑을 가능성을 구하세요.
($\frac{3}{4}$)

[29~30] 상자 안에 포도맛 사탕 3개, 레몬맛 사탕 3개 들어 있습니다. 사건이 일어날 가능성을 수로 표현하세요.

29 진주가 상자에서 사탕 1개를 꺼냈을 때 포도맛 사탕일 가능성을 구하세요.
($\frac{1}{2}$)

30 진수가 상자에서 사탕 1개를 꺼냈을 때 딸기맛 사탕일 가능성을 구하세요.
(0)

사고력 확장　서술형 풀어보기　구조화 해서 풀어보아요

31 회전판을 돌렸을 때 화살이 빨간색에 멈출 가능성이 높은 것부터 차례로 기호를 쓰세요. (단, 경계선에서 멈추지 않습니다.)

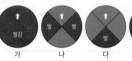
가　나　다　라

풀이 과정

(1) 빨간색에만 멈추는 회전판 '가'를 1개로 잡으면

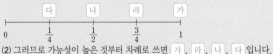

0 —— $\frac{1}{4}$ —— $\frac{1}{2}$ —— $\frac{3}{4}$ —— 1

(2) 그러므로 가능성이 높은 것부터 차례로 쓰면 [가], [라], [나], [다] 입니다.

[32~35] 풀이 과정을 쓰고 답을 구하세요.

32 상자에 파란색 공 4개, 노란색 공 4개가 들어있습니다. 상자에서 공 한 개를 꺼냈을 때 꺼낸 공이 파란색일 가능성을 수로 표현하세요.

풀이　파란색 공이 나올 가능성은 $\frac{1}{2}$입니다.

답　$\frac{1}{2}$

33 현서가 3번 카드를 뽑아 과학관에 가게 될 가능성을 수로 나타내세요.

1. 식물원	2. 동물원	3. 과학관	4. 놀이동산

풀이　3번을 뽑을 가능성은 $\frac{1}{4}$입니다.

답　$\frac{1}{4}$

34 학교에서 박물관까지 가는 방법은 다음 그림과 같습니다. 학교에서 지하철을 타고 박물관까지 갈 가능성을 수로 나타내세요.

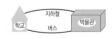

버스와 지하철로 가는 2가지 방법이 있으므로, 지하철로 갈 가능성은 $\frac{1}{2}$입니다.

답　$\frac{1}{2}$

35 1부터 10까지의 수가 적힌 10장의 카드 중 1장을 뽑았습니다. 뽑은 수 카드에 적힌 수가 0일 가능성을 말로 나타내세요.

답　불가능하다

연산마스터 초등 5·2 10권
계산력 강화

총평